DE TRAGISCHE GESCHIEDEN

Elle van Rijn

De tragische geschiedenis van mijn succes

2006
Uitgeverij Contact
Amsterdam/Antwerpen

© 2006 Elle van Rijn
Omslagontwerp Studio Ron van Roon
© Foto omslag Getty Images
Typografie Arjen Oosterbaan
© Foto auteur Govert de Roos
ISBN 90 254 2767 7
978 90 254 2767 2
D/2006/0108/947
NUR 301

www.ellevanrijn.nl
www.uitgeverijcontact.nl

Voor Kaja

Though I am not naturally honest,
I am sometimes by chance.
William Shakespeare

1

Ik

Niemand heeft mij ooit gevraagd wat ik later wilde worden. Er werd niet gevraagd wat ik in de toekomst wilde gaan doen, het werd voor mij bedacht. Ooms, tantes, opa's, oma's en zelfs mijn eigen ouders hadden een plan met mij dat volledig buiten mij om ging. Oom Jan wilde mij wel in zijn waterbeddenzaak als verkoopster. Huisvriend Frans zag mij als een toekomstig topmodel. Hij bood daarbij altijd aan om even boven wat te gaan doorpassen. Oom Eugene vond dat ik iets met mijn koppie moest gaan doen, bij voorkeur in de branche waarin hij zelf ook zat: de verzekerings- en pensioenwereld. Tante Annie, die zichzelf tegenwoordig Annabel noemt, vond dat ik mijn innerlijke wereld tot leven moest laten komen in de schilderkunst. Want volgens haar gaat het niet om uiterlijkheden en zij was er zelf ook zoveel gelukkiger van geworden. Tante Mieke, die zichzelf al haar hele leven Meike noemde, vond dat ik mee moest naar Malawi om veldwerk te verrichten voor haar proefschrift antropologie. Van mijn moeder moest ik me richten op het toekomstige moederschap. 'Als je eenmaal kinderen hebt heb je toch geen tijd meer om iets met je studie te doen.' En mijn vader vond dat ik rijk moest worden, net als hij. Maar daar zou hij me tegen die tijd wel bij helpen.

'Op familiefeestjes ontstonden heftige discussies over waaraan Max haar getalenteerdheid en schoonheid moest geven. Max kon alles. Goed leren, sporten, dansen, toneelspelen en grapjes maken op het juiste moment. En dat alles in een perfect li-

9

chaam. Gemiddelde lengte, cup D, beetje uitstekende billen,
een wespentaille, lang blond haar, symmetrisch gezicht, groen-
blauwe ogen, wimpers die zo ver uitstaken dat ze de meeste
zonnebrillen aan de binnenkant raakten, volle lippen, stralend
witte tanden in een keurige rij, een neusje dat net niet wip is, en
een moedervlek precies op de plek waar die altijd getekend
wordt.'

Max, dat ben ik dus. En tot nu toe is alles waar. Als kind denk je
altijd dat je bijzonder bent. Maar in mijn geval wist ik het zeker. Als ik iets probeerde kon ik het meteen. Ik hoefde maar
een tennisracket vast te houden of de bal vloog er als door een
magneet aangetrokken op af. Tijdens mijn eerste balletles
draaide ik vijf pirouettes achter elkaar. Ik kon voor de eerste
schooldag al lezen, en op mijn zesde werd ik al op straat nagefloten door bouwvakkers.

Mijn jeugd was één grote vanzelfsprekende zonnige dag.
Toch?

Oké, in mijn pubertijd heb ik ook te kampen gehad met een
jeugdpuistje of twee, en ik heb ook wel eens liefdesverdriet gekend omdat ik niet wist tussen wie ik moest kiezen, maar over
het algemeen was het leven mij heel gunstig gezind.

Ik ben nu drieëndertig en dan kun je niets meer worden, dan
ben je geworden. En ik vraag me echt af wanneer het mis is gegaan. Ik bedoel: hét moment. Want ik kan talloze momenten
opnoemen waarin ik afhaakte, opgaf, foute keuzes maakte, enzovoort. Maar wanneer kwamen de eerste barsten in mijn
ogenschijnlijk perfecte leventje? Was het toen mijn vader me
naar kostschool stuurde en mijn moeder huilend zei: 'Maar
Bernard, wat moet ik dan de hele dag doen?' Was het toen ik
op mijn achttiende trots met mijn vwo-diploma thuiskwam
en mijn moeder zei: 'Kind, we hadden niet anders verwacht, je

vader heeft je cadeau al overgemaakt op je bankrekening', of was het toen ik na mijn eerste modeshow huisvriend Frans wilde bedanken dat hij mij in het wereldje had geïntroduceerd, en hij in mijn oor fluisterde: 'Ik weet toch wat jij wilt, jij wilt door alle mannen geneukt worden', waarna hij zijn tong in mijn oor stak. Of misschien ging het mis toen ik in mijn eerste studiejaar mijn studiebegeleidster vroeg waarom zij dat vak gekozen had, en zij me vertelde dat het er niet toe doet wat je kiest, zolang je maar genoeg afleiding hebt om de dag door te komen.

Nee, ik weet het: het ging pas echt fout toen ik stiekem op wereldreis wilde gaan met mijn nieuwe hippievriendje. Omdat ik nog geen eenentwintig was, had ik voor de aanvraag van een visum voor Rusland toestemming nodig van mijn ouders. Ik wilde die papieren vervalsen en terwijl ik tussen hun paperassen zocht naar de juiste documenten, vond ik het. Het was een groen mapje met een witte sticker erop. Op die sticker stond in mijn vaders handschrift geschreven: BENJAMIN, 9 NOVEMBER 1968. In het mapje zaten brieven met het logo van gehandicaptenzorg Het Baken en van sociaalpedagogische inrichting De Broedplaats. Ik had een broer. Een debiele broer. Benjamin. Ik heb de map dichtgedaan en keurig teruggestopt in de kast. Twee maanden later had ik mijn visum en ben ik vertrokken.

2

En dan nu

Hoewel het verval al is ingetreden zie ik er nog steeds goed uit. Mijn borsten kijken nu niet meer naar de hemel, maar ze zien de zon nog zakken in de zee. Mijn billen zijn volgens mijn personal trainer door de powerplate gespierder dan zijn bovenarmen. Mijn haar heeft alle kleuren van de regenboog gekend en is nu weer blond. Mijn ogen glanzen nog steeds, maar dan vooral als ik gedronken heb. Ik twijfel over een ooglidcorrectie, omdat ik zo'n hoofdpijn krijg van het optrekken van mijn wenkbrauwen. Mijn tanden zijn iets minder wit, hoewel ik ze toch al drie keer heb laten bleken. Maar wat mij het meest ergert zijn niet de slappere huid en de rimpeltjes, nee, het zijn mijn mondhoeken. Als ik er even niet op bedacht ben, staan ze naar beneden. Als een hangsnor. Als een maantje op zijn kant ondersteboven. Ik zie het op foto's. In de weerspiegeling van een winkelruit. Ik doe het zonder het te weten. Toch is er spierspanning voor nodig. Als ik voor de spiegel sta met die typische spiegelblik – op je knapst, zoals je wilt dat anderen je zien – en ik dan bewust mijn mondhoeken naar beneden trek, kost me dat moeite. Energie. Ik vraag me af hoe ik het volhoud. M'n wenkbrauwen omhoog, m'n mondhoeken naar beneden. Alsof ik probeer mijn neus op te rekken.

'Het is jammer dat Max zo ongemotiveerd is. Jammer dat ze steeds weer voor de foute mannen kiest. Ze had alles kunnen worden. Dat komt ervan als je geen doorzettingsvermogen hebt. Uiteindelijk moet je net als anderen werken, Max. Ja, net

als wij. Te impulsief. Ze geeft een zwerver haar Designers
Guild wollen dekens, maar ze is te krenterig om vrienden, goe-
de vrienden, meer dan vijf minuten telefonische aandacht te
geven. En spilzuchtig. Als ze moet tanken, koopt ze liever een
nieuwe auto. Nee, grappig is ze ook niet meer. Hoe vaak heeft
ze die mop al verteld van die man die nooit kwam. Of dat een
lul alleen geen vuilniszakken kan buiten zetten. Ach ja, zelfs de
trouwste vrienden laten haar nu vallen. Slim? Max? Nee hoor.
Laatst hoorde ik haar tegen een cliënt zeggen: "Meneer, als u
uw pensioen wilt houden tot uw dood kunt u beter gaan roken,
in plaats van uw premie verhogen. Scheelt aanzienlijk in de
kosten." Trouwens, zo mooi is ze niet. Nee, best lelijk eigenlijk.
Ze lijkt op een chagrijnige egel. Of een dikke hazewindhond.
Heeft ze trouwens haar neus laten verlengen?'

Tsss. Ik werk ja. Voor een grote verzekeringsmaatschappij.
Bij het agentschap van mijn oom Eugene leid ik de pensioen-
afdeling. Ik geef leiding aan anderhalve persoon: een full- en
een parttimer. Ik doe dit werk nu drie jaar, vijf maanden en
dertien dagen. Het is serieus werk. Gedegen, verantwoord,
toekomstgericht werk. Ik bouw iets op volgens mijn oom.
Mijn pensioen ja. Ik verdien er ook wat mee. Niet dat ik het
nodig heb. Mijn vader heeft me genoeg nagelaten om nog zeker driehonderdtachtig jaar ruim te kunnen leven. Mijn
moeder heeft hij na de scheiding uit zijn testament laten
schrappen. Drie maanden later kreeg hij een hartaanval tijdens zijn eerste race op het circuit van Zandvoort. Hij was
net aan een nieuw leven begonnen. Mijn moeder huilde toen
ze het bericht hoorde. Van geluk. Ook zij kon nu aan een
nieuw en riant leven beginnen. Dacht ze. Tot de notaris haar
belde om haar uit haar dromen te helpen. De huisarts heeft
haar daarna weer in haar dromen geholpen met prozac. Leve
de zorg! Leve de maatschappij vol goedbedoelende, elkaar

niets ontzeggende, altijd evenwichtige, eerlijke, medelevende mensen. Mijn moeder kon weer door.

Ik voel dat mijn mondhoeken een dieptepunt hebben bereikt. Ik probeer ze weer omhoog te krijgen tot een stralende glimlach, want mijn volgende cliënt (zeg nooit klant) staat voor de deur. Het is een te jonge man in een krijtstreeppak. Dat biedt perspectief. Terwijl ik op mijn allervriendelijkst vraag wat zijn eisenpakket is, probeer ik te bedenken hoe lang het geleden is dat ik voor laatst seks heb gehad. En met wie. Hij vertelt met een zachte stem wat hij verwacht van zijn carrière als beginnend uitgever. Hij speelt met een kaartje in zijn handen. Hoe zijn inkomsten, die nu nog beneden modaal zijn, zullen gaan groeien. Hij kijkt me aan. Jezus, wat een ogen. Hoe hij uiteindelijk een imperium zal opbouwen. Zijn pupillen worden groter. Zijn inkomen zal stijgen tot ongekende hoogte.

Ik weet het! Precies vier maanden en twee dagen geleden. Met Kees-Jan, een registeraccountant van eenenveertig.

Ik kwam hem een halfjaar geleden tegen op een uitje van de moedermaatschappij. Hij stelde zich voor als de man die geen enkel gevaar uit de weg gaat. Ik stond tegenover hem met mijn pistool in de aanslag. Toen ging het licht uit en begon iedereen door elkaar te rennen. Het was één grote chaos. Gegil, kreten van pijn en angst. Verfballen spatten uit elkaar op bewegende lijven in stinkende overalls. Ik was nog niet geraakt en had een perfecte schuilplaats gevonden. Tot er achter mij een stem klonk. 'Dus hier houdt het grote gevaar zich schuil.' Ik draaide me om en in twee seconden schoot ik al mijn vijftien paintballs in één keer op hem af. 'Jij bent dood!' Later ontmoette ik hem weer tijdens de borrel. 'Zo, de vrouw die denkt dat een man als ik maar één leven heeft.' Nog steeds praatjes. Ik hou wel van consequente mannen. Mannen die zich eenmaal een *attitude*, een *image*, hebben aangemeten en daar niet meer van

14

afwijken, hoe doorzichtig ook. Ik noem het humor, terwijl er over het algemeen weinig te lachen valt met dat soort mannen. Alleen ontdek ik dat meestal te laat. Zo ook met Kees-Jan. Nadat we elkaar nog wat om de oren hadden geslagen met verbale lulligheden, want als ik een beetje op dreef ben kan ik me ook best goed uiten in platitudes: 'Zeg Kees-Jan, hoe kan zo'n frisse man als jij zo verrekte rot uit zijn muil rieken', eindigden we op mijn vloerkleed in de huiskamer. Hoewel hij zijn imago hoger probeerde te houden dan zijn lichaam toeliet, was het niet onaardig. Ik kwam zelfs een keer klaar. Niet dat dat nou de maatstaf is, maar het was op zijn minst een teken dat ik me bij Jan kon ontspannen. Zo noemde ik hem die daaropvolgende weken. Ik voelde me aardig op mijn gemak bij hem. We konden zonder de sociale druk ook redelijk met elkaar praten. Over de zin van het leven en zo. Hij begon me zijn verleden te vertellen, en ik dat van mij. Natuurlijk kun je daarbij van het woord eerlijkheid een wat ruimer begrip maken. Ik bedoel, wie is er nou echt eerlijk over zichzelf. Het is al erg genoeg dat de gebeurtenissen uit je leven in je eigen geheugen zijn opgeslagen, dus waarom zou je andermans hoofd daarmee vervuilen. Toch was Jan een paar essentiële details over zijn bestaan vergeten. Twee om precies te zijn. Ze vielen uit zijn portemonnee toen hij eindelijk eens een keer een rondje gaf. Sophie en Brammetje.

Ik realiseer me dat ik bij het voorstellen niet goed heb opgelet hoe de man tegenover me heet (belangrijk: onthoud altijd meteen de naam van uw cliënt) en probeer het kaartje te lezen dat hij nog steeds in zijn handen houdt. Elke keer als ik het bijna heb, draait hij het weer om. Ondersteboven, op de kop, schuin, tikkend op tafel. Met mijn hoofd volg ik de dansende bewegingen die het kaartje tussen zijn vingers maakt. Ondertussen houd ik mijn geroutineerde pensioenverkooppraatje waarmee ik zelfs mensen met al twee pensioensregelingen op hun naam plat kreeg. Hij knikt geïnteresseerd, mede aangemoedigd door mijn veelvuldige hoofdbewegingen.

Het lukt me niet. Ik kan zijn naam niet lezen. Het moment is bijna aangebroken dat ik zijn personalia moet gaan invullen op een proefcontract. Vroeger blufte ik me er dan nog wel eens doorheen met: 'Hoe spel ik uw naam precies?' Tot ik een keer een man voor me had die zei: 'Met één "s".' Waarop ik vroeg: 'En verder? Ik ben daar zo slecht in…' 'Nou gewoon "j", "a", "n", "s", "e", "n".' Dat risico wil ik niet nogmaals lopen. Gelukkig komt mijn assistente met koffie binnen. Zelfverzekerd zeg ik: 'Dank je, ik zal je even voorstellen aan mijn assistente…' Black-out. Hoewel ze daar al langer werkt dan ik vergeet ik prompt haar naam. Geen idee hoe dat mens ook alweer heet. Al sla je me dood. Niks. Er komt gewoon niks meer uit mijn mond. Ik verstar. Voel me rood worden, zie vier ogen verwachtingsvol naar me kijken, en ik zeg: 'Ach, jullie zijn volwassen mensen, doe het gewoon even zelf.' 'Zelf wat?' vraagt Hannie. Hannie! Ik weet het weer! 'Nou Hannie, zeg zelf even hoe je heet.' 'Ik heet Hannie, dus. Hoe mag ik u noemen?' Met gespitste oren en strakke blik kijk ik hem aan. 'Ik ben Ma…' Op dat moment gaat zijn gsm en versta ik de rest niet meer. 'Sorry, deze moet ik even nemen.' Na een paar korte zinnen hangt hij op en zegt: 'Het spijt me, ik moet ervandoor. Bel me. Hier is het nummer en vraag gewoon naar mij.' Hij overhandigt eindelijk dat prachtige kleine kaartje. Het voelt nog warm aan. We schudden handen, nemen afscheid. Dan kijk ik. M. Haarhuis. Algemeen directeur. Marnix. Mark. Marcel. Martijn. Max. Kut.

De rest van de dag lijkt zinloos. Mijn hoogtepunt qua spanning en uitdaging is weer voorbij. Ik had hem met hese stem moeten vragen of hij met me wilde gaan lunchen. Ik had hem mee moeten lokken naar dat Japanse restaurant, waar ze eerst je voeten wassen. Waar je eet op de vloer in een apart kamertje. Waar je ongestoord elkaars sake kunt opdrinken, knoeien, aflikken... Gemiste kans. Hoe kom ik deze dag door.

Als je nagaat dat mannen één keer per zes minuten aan seks denken zouden vrouwen toch zeeën van tijd over moeten houden voor andere dingen. Neem mij nou. Ik denk gemiddeld drie keer per uur aan seks, en daarmee zit ik hoog in de curve. Mijn gedachten duren gemiddeld vier seconden. Mannen doen iets langer over het vormen van hun gedachten en hebben per keer 9 seconden nodig. Laten we uitgaan van een dag. Mensen zijn ongeveer zeventien uur wakker. Dan hou ik per dag aan effectieve tijd 22,1 minuut over. Dat is op jaarbasis 8066,5 minuten. 134,442 uren. 7,908 dagen pure winst! Daarmee kun je elk jaar, ruim een week, ongestoord met je vriendinnen naar een verre zonbestemming.

Telefoon. Jezus, wat gaat dat ding hard als je er niet op bedacht bent. Jacqueline, mijn oudste en langste en allerbeste vriendin, belt me op om te vragen of ik vrijdag mee naar de musical *Vader Jacob* ga. Zelf zou ik het nooit hebben voorgesteld. Ik hou niet van musicals. Of ze kunnen alleen zingen en niet normaal praten, of ze dansen goed maar zingen vals, of ze acteren goed maar bewegen als houten klazen, enfin, d'r is er geen een die alles kan, tegelijkertijd. Nederland is te klein voor dat soort multigetalenteerdheid. Maar ik heb wel zin in wat afleiding. Dus roep ik: 'Léuk!'

'Morgen halfacht kom ik je halen!' schreeuwt ze opgewekt terug. 'O ja, bijna vergeten, het is black tie, dus haal je lange jurk maar weer uit de mottenballen. Toedeloetjes!'

Jacqueline. Ik heb een tijd gedacht dat ze aan de speed was of op z'n minst aan de peppillen, maar niks. Helemaal niks. Ze is gewoon geboren met een onnatuurlijk hoge mate van opgewektheid, die je eigenlijk alleen maar ziet bij een bepaald soort honden. Ze heeft ook wel iets van een hond. Ze is groot, stevig en kwispelt voortdurend met haar dikke ronde achterste. Ze bakent haar territorium af met Happy van Clinique en terwijl ze praat probeert ze niet te kwijlen. Jammer dat dit door haar overvloedige speekselproductie meestal niet lukt.

Oom Eugene:

'Max werkt hard. Ze interesseert zich niet voor wat ze doet, maar ze doet het. Ze heeft zich verdiept in het pensioenwezen en ze heeft het zich eigen gemaakt. Je moet wat doen, zei ik tegen haar. Je moet een doel hebben, werken. Omdat niet werken ook niets oplevert. Dat heeft ze aan den lijve ondervonden. Ik heb haar uit de goot gehaald, haar weer gezond gemaakt. op de rails gekregen. Ervoor gezorgd dat er weer structuur kwam in haar leven. En nu werkt ze in mijn bedrijf. Ze is nog wel wat instabiel soms, maar daar is ze zich van bewust. Ze werkt hard aan zichzelf. Ze maakt er grapjes over, maar ik ken haar. Ze zegt: "Eugene, ik denk dat ik binnenkort ga geloven. Ik weet alleen nog niet waarin." Ze doet haar best om te laten zien dat ze ook iemand is geworden. Want als je zo veelbelovend bent als zij moet je wel. Toen ze nog een kind was had ik al het gevoel dat Max zou ontsporen. Ze was, hoe zal ik het zeggen, een ongeleid projectiel. Wilde de ene dag dit, de andere dag het tegenovergestelde. Ik heb het wel eens voorzichtig tegen mijn broer gezegd. Ik zei: "Bernard, je moet je dochter in de gaten houden. Ze heeft wat meer sturing nodig." Toen heeft hij haar naar een kostschool in Zwitserland gestuurd. Het kind was vijftien jaar oud. Na een jaar kwam ze terug met de mededeling dat ze wilde trouwen met haar leraar aardrijkskunde, een zevenendertigjarige Zwitser met een baard. Ik zeg nog tegen mijn vrouw: "Ze lijkt Heidi wel met haar opa." Gelukkig geloofde die man niet in seks voor het huwelijk. Ze kreeg drie weken huisarrest en is daarna weer gewoon naar haar oude middelbare school gegaan.

Toch had haar vader nog de meeste invloed op haar. Ze belde hem als eerste toen ze weg was. Ruim een halfjaar was ze spoorloos. Ze was gewoon verdwenen, van de ene op de andere dag. De familie was in alle staten. Bernard had de politie alle bosgebieden rond Amstelveen laten uitkammen. Ze was zelfs met een foto op het journaal geweest. Daar was ze achteraf nog het meest trots op. "Wel jammer," had ze gezegd, "dat jullie een foto genomen hebben waar ik nog blond ben." Dat was haar gevoel voor humor. Ze had haar haar in India vuurrood laten verven. Kort na die uitzending belde ze op, met de mededeling dat alles heus wel goed met haar ging. Anders zou ze toch al eerder gebeld hebben. Ze vond het jammer dat de ansichtkaartjes nooit aangekomen waren. Mijn vrouw zei meteen: "Die heeft ze nooit gestuurd." Maar ik ben ervan overtuigd dat ze dat wel heeft gedaan. Het ergste wat je als mens kan overkomen is dat niemand je meer gelooft.

In de jaren daarna ging het op en neer. Niet dat ik zo veel contact met haar had. Maar via via kwam ik altijd wel weer te weten hoe het met mijn nichtje ging. Eerst deed ze iets op een school voor woord en gebaar. Dat had iets met acteren en dansen te maken, geloof ik. Ze begon drie keer aan een nieuwe studie. Antropologie, letterkunde en communicatie. Daarna werkte ze een paar jaar in de horeca. Ze werkte op een reclamebureau en bij een evenementenbureau. Op haar achtentwintigste ging ze in de kunsthandel. Ze had wat vriendjes in dat wereldje naar het schijnt.

Ik kon haar moeder niet bereiken, dus moest ik haar zelf bellen om te zeggen dat haar vader overleden was. Toen ging het echt mis. Ik had al eerder gehoord dat ze allerlei drugs gebruikte, maar dat ze verslaafd was wist ik niet. Ik kreeg een telefoontje van haar huisbaas, die zei dat ze zich al een paar weken niet meer had laten zien. Nu moest hij in haar huis zijn, want er was lekkage van boven. Toen vond ik haar. In de hoek van de

kamer. In elkaar gedoken onder een deken. In de keuken liep
een klein stroompje water uit de kraan. De vuiligheid had er-
voor gezorgd dat het water niet meer weg kon door de goot-
steen, zodat het onafgebroken over de rand van het aanrecht
via de ooit door mij geverfde keukenkastjes naar beneden
stroomde. Ik heb de kraan dichtgedraaid, haar onder mijn arm
genomen en in mijn auto gezet. Ik heb gezegd: "Max, zo is het
genoeg."'

Vijf uur! Weer een dag overleefd op dit suffe kantoor. Waarom
houd ik me tot mijn pensioen met pensioenen bezig? Zodat ik
goed voorbereid het einde nader. Maar ik ben nog niet eens begonnen! Goed, ik geef toe dat ik aardig wat jaren verspild heb,
maar er moet toch meer zijn. Er moet toch echt meer zijn dan
dit. Hannie komt binnen. Ze geeft me een stapeltje dossiers en
vraagt of er nog meer is. 'Natuurlijk is er meer. Er is altijd meer.
Maar dat komt morgen. Een nieuwe dag, een nieuw begin!'
Hannie kijkt zoals altijd onverstoorbaar en wenst me een fijne
avond. 'Insgelijks, Hannie.' Maak er wat van. Ga feesten. Neuk
je vent tot-ie scheel ziet. Roep vijftien keer: 'Leve de koningin!'
uit het raam. Ren naakt door de winkelstraat. Maar doe iets.
Doe godverdomme iets. *Iets!* Hannie knikt afgemeten en sluit
de deur achter zich. En ik? Ik berg de mapjes op, mik een paar
propjes in de prullenbak, doe de pennen in het daarvoor be-
stemde bakje, pak mijn jas van het knaapje (hang 'm nooit aan
een haakje! Dan krijg je een bochel in je keurige mantel), neem
mijn tas onder mijn arm, open de deur en loop de gang door
naar de buitendeur. De vrijheid die op mij wacht. Frisse lucht.
Regen op mijn gezicht. Heerlijk! Ik doe vijf passen richting de
auto en hoor dan mijn naam. Oom Eugene staat in de deuropening. 'Max, ik heb een geweldige verrassing voor je. Maar dat
hoor je morgen wel. Wil je niet een paraplu lenen?' 'Nee bedankt, Eugene.'

'Misschien is het mijn kinderloosheid die ervoor gezorgd heeft dat ik Max altijd heb willen beschermen. Via haar kon ik toch nog wat kinderliefde kwijt. Sinds mijn vrouw dood is ben ik me er nog bewuster van dat je familie moet koesteren. Ik zal voor Max zorgen. Dat heb ik gezworen op het graf van mijn broer. Als ik over een paar jaar met pensioen ga dan wil ik dat zij de zaak overneemt. Dan is mijn leven geslaagd.'

3

Werken, zoals iedereen

Het is nog donker als ik mijn auto weer parkeer op het privé-terrein van Bremer en Co. Assurantiën. Het is alsof ik niet weg ben geweest. Alsof ik niet gezellig in mijn eentje heb zitten zappen langs allerlei oninteressante programma's. Alsof ik niet een lekker glaasje wijn voor mezelf heb ingeschonken nadat ik de eenpersoonsstoommaaltijd uit de magnetron had gehaald. Alsof ik niet uiteindelijk ben blijven hangen bij een *Based-on-a-true-story*-film en zowaar nog een tissue nodig had. Alsof ik me niet afgevraagd heb waarom er niemand belde en vervolgens de telefoon heb gepakt om dan maar zelf iemand te bellen, waar ik na een schuin oog op de klok toch maar weer van afzag omdat het al veel te laat bleek te zijn om zonder belangrijke reden nog mensen lastig te vallen. Alsof ik uiteindelijk niet ben gaan slapen in mijn veel te grote bed. Kortom, alsof ik niet weer een avond heb gehad om me nooit meer te hoeven herinneren. Ik ben niet saai, absoluut niet, maar *mijn leven* is saai. Herkent u dat? Ja? Geef het maar gewoon toe. Toe maar, het is niet erg om te bekennen dat je er eigenlijk niets van bakt: van groots en meeslepend leven.

Ik draai mijn sleutel om, doe de lichten uit en stap vermoeid uit de auto. Nog twee dagen tussen de pensioenen en dan is het weer weekend. Soms zou ik willen dat ik alleen op weekenddagen kon leven. Op doordeweekse dagen zou je je bewustzijn moeten kunnen uitschakelen terwijl je gewoon blijft doorwerken. Je kunt natuurlijk ook níet werken op die dagen, maar dat is niet de oplossing. Het probleem is dat de weekenddagen slechts bestaan bij de gratie van de niet-weekenddagen. Niemand zou erbij gebaat zijn om de doordeweekse dagen af te schaffen omdat wij mensen het nodig hebben om in systemen te leven. We hebben namen voor de seizoenen bedacht om het jaar in vier stukken te snijden, we hebben de maanden bedacht om die punten in partjes te verdelen, de weken zijn om die partjes tot hapjes terug te brengen, de dagen zijn de kruimels, de uren zijn de smaken. Weken zijn te behappen, maar een vooruitzicht van jaren is niet te verteren. Eindeloosheid zou ons tot waanzin drijven. Het idee dat ik een beperkt aantal uren en dagen moet werken maakt dat ik het volhoud, maar een oneindig aantal zou me ter plekke doen neervallen van demotivatie en depressie. Zoals ik het ook niet volhoud, en dat heb ik al meerdere malen bewezen, om een eindeloze periode los te gaan.

Hannie staat alweer voor de deur te wachten. 'Goedemorgen, Hannie. Was het rustig op de weg?'

'Nee, hoezo?'

Typisch Hannie, snapt nooit wat. 'O, gewoon omdat je er zo relaxed uitziet.'

'Dank je.'

'Graag gedaan.' Ik maak de deur voor haar open. 'Entrez!' Met ferme passen stapt ze voor mij langs de hal binnen om meteen door te lopen naar het koffiezetapparaat in het keukentje. Leer mij Hannie kennen. 'Koffie?' 'Lekker!' Ik loop mijn kantoor in, zet de computer aan en zet de thermostaat op twintig. Het is koud. De zomer is allang voorbij en ik kan me niet meer voorstellen dat ik twee maanden geleden nog gezwommen heb in het ijzige water van de Noordzee. Ik pak mijn spullen uit mijn tas en kijk in mijn agenda naar de spreuk onder aan de bladzijde. *All the world's a stage, and the men and women merely players.* William Shakespeare. Ja, ja. Zo probeer ik mijn leven diepgang te geven. Ik heb twee afspraken vandaag, en ik ga lunchen met mijn oom. Het zal wel over die verrassing gaan waar hij het gisteren over had. Een lieverd hoor, die oom van mij, maar als hij me met kerst een doosje geeft met wat kaarsen, pasteitjes en blikjes kervelsoep noemt hij dat al een verrassing. Dus het zal mij benieuwen wat hij vandaag voor me in petto heeft. Een T-shirt met ons nieuwe logo?

'Héérlijk.' Ik lach mijn tanden bloot naar Hannie, die mijn koffiekop met de tekst RONDJE VAN DE ZAAK! op mijn bureau zet. Ik heb drie verschillende bekers, allemaal met van die ludieke teksten. Elke verjaardag krijg ik van mijn collega's een nieuwe. Misschien omdat ik steeds zo overtuigend schaterlach als ik weer zo'n afgrijselijke mok uitpak. Ik vrees het moment dat er vijfentwintig bekers op een rij me uit staan te lachen om de grootste mop van de eeuw: Max heeft haar vijfentwintigjarig jubileum gehaald bij het bedrijf! Ha ha ha, LEKKER KOPJE LEUTER, ha ha, IK VERDIEN HET ZWART, ha, ha, IK DRINK M'N BAAS ARM, ha ha, KOPJE TROOST. Troost ja, voor al de verloren jaren. Voor alle dromen die vergleden zijn.

'Er moet vandaag nog iets aan die oude dossiers gedaan worden.' Hannie kijkt me streng aan.

'Ik weet het. Afstoffen, bijwerken, opbergen of seponeren.'

'Nou, d'r is echt niks stoffig hier,' zegt ze droog, 'daar zorg ik wel voor.'

'Gelukkig maar, want ik ben allergisch voor stof.'

'Huismijt.'

'Pardon?'

'Ze noemen dat huismijt.'

Ik ben niet alleen allergisch voor huismijt, ik ben allergisch voor kantoren in het algemeen, voor secretaresses in het algemeen en voor Hannie in het bijzonder. 'Goh, wat weet jij toch veel, hè,' zeg ik en ik kijk aandachtig naar mijn computerscherm, in de hoop dat ze weggaat. Gelukkig gaat de voordeur open en wandelen mijn anderhalve werknemers binnen. 'Goedemorgen!' roep ik enthousiast. 'Willen jullie koffie?' 'Lekker!' klinkt het in koor. Hannie draait zich om en loopt zonder iets te zeggen de keuken weer in.

Waarom ben ik zo godvergeten chagrijnig? Ik kan het niet meer afdoen met het excuus dat ik vandaag gewoon een slechte bui heb. Ik ben al drie weken achter elkaar niet te genieten. Ik begrijp niet waarom ik zo verzuur, waarom ik zo'n cynisch verwend kreng ben. Ik word er met de dag minder leuk op. Waar is die vrolijke Max gebleven? Ooit was ik toch vrolijk? Jawel, ik weet het zeker. Ik ben wel eens een blij persoon geweest. O, natuurlijk zijn er nog steeds mensen die me als vriendelijk, aardig en optimistisch zullen omschrijven, maar dat is alleen maar omdat ze niet verder kijken dan mijn mooie ogen, mijn golvende haar en mijn hippe kleding. Waarom denken mensen altijd dat als je er goed uitziet je ook aardig bent? Ik ben niet aardig. Ik doe alleen maar alsof. Feitelijk ben ik een oud verzuurd persoon in een jong en fris lichaam.

Eén klant en een stapel retesaaie papieren verder is het eindelijk tijd voor de lunch. Mijn oom staat al met zijn jas aan op me te wachten. Hij heeft iets aandoenlijks. Zijn ooit rossige haar is grijs en dun geworden. Zijn vierkante hoofd lijkt maar met moeite te kunnen balanceren op de nek, waardoor hij een permanente hoofdbeweging maakt zoals Indiërs dat doen. Hij is breedgeschouderd, maar komt toch niet sterk over. Slechts zijn vingertoppen zijn zichtbaar onder de mouwen van zijn te grote jas en zijn voeten staan altijd op tien voor twee. Eigenlijk is Eugene de kleinere, minder gelukte versie van mijn vader.

'Ik heb gereserveerd bij die brasserie aan het eind van de straat.'

'Zo, toe maar,' zeg ik met geveinsde verbazing.

'Ja, ik zei toch dat ik een verrassing voor je had. Kom.' Hij steekt zijn arm uit zodat ik kan inhaken. Ik haat dit kleffe gedoe, maar zijn gebaar negeren of, nog erger, afwijzen, zou te bot zijn, dus steek ik kordaat mijn arm door de zijne zodat we gezellig gearmd het pand verlaten.

Mijn oom heeft er echt zin in: hij heeft de duurste witte wijn besteld en verzekert me voor de tweede keer dat ik alles mag nemen wat ik wil. Ik staar naar de kaart en twijfel tussen de pasta met zalmroomsaus en de clubsandwich. Ik weet het niet. Ik heb honger maar geen trek. Ik heb ook mijn twijfels over de motieven van deze uitnodiging en krijg het vage vermoeden dat het niet om een kleinigheid gaat. Mijn oom proeft de wijn en kijkt keurend naar de ober. Dan verandert zijn kritische blik in een brede glimlach. 'Heerlijk.' Als onze glazen gevuld zijn, heft hij het zijne en zegt opgewekt: 'Op de zaak dan maar!'

'Ja, op de zaak.'

'Heb je al iets gekozen?'

'Hoezo gekozen?' Waar gaat dit naar toe?

'Nou, wat je wilt eten?'

'Oh dat, ik weet het niet…'

'Waarom neem je geen carpaccio?'

'Oké,' zeg ik en ik klap de kaart dicht.

'Nou, Maxime, jij zult je wel afvragen waarom wij hier zitten.'

'Inderdaad.' Ik neem nog een stevige slok van de niet onaardige wijn.

'Je werkt nu bijna vier jaar voor mij en ik vond dat het tijd werd om het over de toekomst te gaan hebben.' Ik was al bang dat het die kant op zou gaan. 'Ik word ouder, Max, ook al zou je het niet zeggen, ha ha ha. Er komt een moment dat ik afscheid zal moeten nemen.' Ik zwijg angstvallig. 'De enige die het familiebedrijf Bremer en Co. kan laten voortbestaan ben jij, Maxime Bremer, en ik zou het dan ook geweldig vinden, ook in nagedachtenis aan mijn broer en jouw vader als jij de zaak zou willen overnemen.'

'Goh…'

'Ja, daar sta je van te kijken, hè.'

'Zeg dat wel, ja.' Ik speel met mijn servet. 'Goh… ik weet even niet wat ik moet zeggen.'

'Dat hoeft ook niet, lieverd, denk er maar rustig over na.' Hoezo nadenken? Het liefst zou ik meteen keihard 'Neeeee!' roepen, maar wat dan? Ik weet hoe het mis kan gaan.

Ik was negenentwintig, mijn vader was al een jaar dood, maar het afglijden ging maar door. Ik wist dat ik mijn leven aan het kapotmaken was, maar ik kon niets doen om het te stoppen. Mijn vader had zich doodgereden en ik zou me doodfeesten. Simpel. Het begon met een snuifje coke af en toe, zoals mensen dat in de *art scene*, waar ik op dat moment in zat, doen. Maar zoals ik in alles altijd het beste was, ging ik ook hierin iedereen voorbij. Op een avond toen we uit waren, had ik een halve gram gesnoven in een halfuur. Ik klaagde tegen de jongen die me het spul verkocht had dat het troep was en dat ik niks voelde. Hij zat niet op mij te wachten, zeker niet omdat ik steeds luidruchtiger mijn punt probeerde te maken. Een harde klap in mijn gezicht was het gevolg. Ik heb toen een paar glazen whisky achter elkaar opgedronken om de pijn niet te voelen. Maar ook dat had geen effect en dus ging ik bij de barman klagen. Ik was ervan overtuigd dat ik opgelicht werd; er zat geen alcohol in en het smaakte naar koude thee. Het moet juist erg sterke whisky zijn geweest, want het bloed uit mijn neus ging steeds harder stromen, maar dat weet ik alleen omdat ze me dat later hebben verteld. De barman liet me eruit zetten en toen ben ik meegegaan met een stelletje losers, die me GHB voerden. Daarna ben ik drie dagen kwijt. Tweeënzeventig uur gewoon wég. Ik heb van mensen gehoord dat ik op het station heb rondgezworven op zoek naar een trein die nooit te laat zou komen. Mensen uit de buurt beweren dat ik een evenwichtsoefening aan het doen was in de dakgoot, en ik heb zelfs iemand horen zeggen dat ik een weerwolf nabootste in het park bij volle maan. Het enige waarvan ik echt weet dat het waar is, is wat mijn oom me vertelde: dat ik me onder een deken had verstopt om niet gevonden te worden.

De ober zet sierlijk de twee borden met het Italiaanse gerecht op tafel. 'Eet u smakelijk.'

'Nou, dat zal wel lukken hoor,' zegt mijn oom en hij grijpt enthousiast naar zijn bestek. Ik kijk naar het rauwe vlees voor mijn neus en heb spijt dat ik niet een van de andere dertien lunchgerechten gekozen heb. Weer een gemiste kans.

Mijn vader had me niets persoonlijks nagelaten. Geld, dat wel ja, maar geen briefje, een kattenbelletje, of iets anders waarmee ik verder kon. Geen tekens of voorwerpen die de raadsels in onze familie hadden moeten oplossen. Zijn plotselinge dood maakte de puzzel ingewikkelder en het geheim groter.

Hoe vaak had ik de scène niet in mijn hoofd afgespeeld. Mijn vader en moeder samen op de bank. Ja, ik zou ze naast elkaar zetten en dan zou ik voor hen gaan staan en ze confronteren met dat waar ze zich hun hele leven al voor verschuilden: hun gehandicapte zoon. Tadaaaa! 'Jaha, dat wisten jullie niet hè, dat ik die jongen kende. Dat ik hem al jaren opzoek. Kijk eens hoe groot en mooi hij is. Kom maar verder hoor, Ben.' En dan zouden ze hem zien. De mongoloïde jongen die ze nooit hebben willen kennen. Wat er daarna zou gebeuren, daar had ik verschillende scenario's voor bedacht. In de ene versie zou mijn moeder een hartaanval krijgen en zou mijn vader huilend voor Ben en mij op de knieën vallen met: 'Het spijt me zo, het spijt me zo.' In een andere versie zou mijn moeder mij krijsend naar de keel vliegen en zou mijn vader haar vermoorden. En zo had ik nog een paar varianten. Maar in mijn favoriete versie zou Ben zijn ouders om de hals vliegen en snikkend zeggen dat hij het ze vergaf. En ik, als weldoener, zou ook in het clubje getrokken worden voor de grote familieknuffel, zoals je dat vaak ziet op tv.

Ik was bezig moed te verzamelen. Ik was op het goede moment aan het wachten. Ik was bijna bereid om mijn kennis, mijn troef op te geven en toen, toen ging hij zomaar dood. En kon ik hem nooit meer om de oren slaan met zijn daden of de vragen stellen die al jaren op mijn lippen brandden.

Mijn vader is dood ja, en afgezien van die zak met geld zijn een verbitterde moeder en een gehandicapte broer het enige wat mij rest. En nog steeds ben ik bezig moed te verzamelen.

Sinds ik van zijn bestaan afweet ga ik twee keer per jaar bij hem op bezoek. In het begin ging ik wel vaker. Ik had het gevoel dat ik voor de hele familie moest goedmaken dat hij zijn leven lang genegeerd was. De eerste keer herinner ik me nog heel goed. Zo'n sociotype bracht me naar zijn kamer waar hij voor het raam zachtjes zat te praten. Ik was verbaasd over zijn enorme postuur. Hij was groot en breed en had roodbruin haar. Ik werd voorgesteld met de woorden: 'Ben, hier is je zus.' Hij keek om en stond toen langzaam op. Hij was zo imposant dat ik de neiging kreeg om te vluchten. Ik zocht steun. Wilde vragen of het wel oké was allemaal. Maar de sociaalpedagogisch werkster had de kamer op zeer asociaal onpedagogische wijze verlaten. Ik had geen idee wat ik moest zeggen. Ben begon gelukkig zelf te praten. 'Ik heb zuster in broek.' 'Hoe bedoel je?' vroeg ik op mijn allervriendelijkst. Ben wroette wat in zijn achterzak. Het duurde erg lang, maar aanbieden om te helpen leek me niet echt een optie. Ik keek naar zijn ingespannen gezicht. Zijn blauwe ogen, rechte neus, volle mond, die openstond en waarin zijn tong een permanente snelle dans maakte, en de scherpe kaaklijn deden vermoeden dat het een mooie jongen had kunnen zijn. Een echte machobroer. Zo'n broer die je redt uit de handen van foute vriendjes. Een broer die woedend wordt als je aan zijn kleine zusje komt. Mijn beschermengel. Mijn held. Mijn rolmodel voor later, zodat ik niet eindeloos hoefde te zoeken naar wie of wat nou bij mij past. Wie er wel of niet deugt. Een man die net zo sterk, zo intelligent, zo knap en humorvol is. Iemand die mij aankan. Iemand zoals jij, Ben.

Eindelijk had hij het te pakken. Het was een verfrommeld kaartje dat hij trots voor me hield, met daarop de heilige maagd Maria in lichtblauw gewaad, gevouwen handen en hemelse blik. Ben begon iets te prevelen waarvan ik pas minuten later doorhad dat het psalmen moesten zijn. 'Mooi, mooi,' zei ik. Hij keek me woedend aan en siste 'Sssssst' tussen de gebeden door. Na een kwartier, toen hij eindelijk klaar was, liep hij op mij af en omhelsde me. 'Jij, mooi.' 'Dank je Ben,' zei ik, 'jij bent ook mooi.' Hij keek verschrikt op: 'Niet lief! Niet lief! Mooi…' zei hij.

Sinds die eerste ontmoeting heb ik hem zevenenveertig keer bezocht. Elke keer als ik kom kijkt hij me weer aan alsof ik een vreemde ben, maar na een paar seconden lijkt hij het ineens door te hebben. Hij begint dan heel hard te lachen en zingt mijn naam. Ben zingt graag. Als het zou mogen zou hij de hele dag door zingen, maar dat mag niet van de leiding, omdat andere patiënten er last van zouden hebben. Volgens mij vinden ze het vooral zelf irritant.

'Het is niet waar dat ik de enige ben die de naam Bremer kan doen voortbestaan,' zeg ik tegen mijn oom als ik weer gearmd met hem terugloop.

'Hoe bedoel je?'

'Nou, ik heb nog een broer. Hij is zevenendertig jaar.'

Mijn oom stopt met lopen en kijkt me aan. 'Doe niet zo gek.'

'Ik doe niet gek,' hoor ik mezelf zeggen, 'hij doet soms gek, het is een mongool en hij heet Benjamin, maar ze noemen hem Ben.'

4

Eindelijk weekend

Geen jurk is zo vrouwelijk als de avondjurk. Elegant, lang, stijlvol en sexy. Ik kijk naar mezelf in de spiegel en bedenk wat een verspilling het is dat ik single door het leven ga. Mijn jurk is van boven strak zodat mijn borsten goed uitkomen, loopt dan als een trechter door naar mijn taille, wijkt met een sierlijke bocht weer uit naar buiten om mijn heupen heen, volgt de rondingen van mijn billen, daalt strak om mijn benen naar beneden om vervolgens vanaf mijn knieën wijd uit te lopen en losjes zwierend om mijn enkels te eindigen. Mijn haar hangt lang krullend en shinyblond langs één kant van mijn gezicht naar beneden. Met een rode roos heb ik het aan de andere kant naar achter gestoken. Mijn groene ogen lijken nog katachtiger door de kohl, de lash long mascara en de aubergine oogschaduw. Het mooiste rood op aarde, très très très rouge van Dior, maakt mijn lippen tot het meest onweerstaanbare gedeelte van deze creatie die Max heet.

Ik ben klaar. Nog een paar minuten en dan staat Jacq met haar gesponsorde 'Lucky numbers-auto' voor de deur te toeteren, een Ford Mondeo met allemaal vrolijk gekleurde cijfers erop. Ze werkt al jaren bij het grootste mediabedrijf van ons land als productieleidster van een aantal spelletjesprogramma's. Dat de spelletjes steeds dommer worden interesseert haar geen biet. Over het programma waar ze nu werkt zegt ze: 'Het is op het niveau van een zesjarige, maar dat is eigenlijk toch de leukste leeftijd.' Je moet raden welk cijfer er volgt in een logisch rijtje van zeven. Bijvoorbeeld 1 2 3 4 5 6? Of 12 15 14 17 16 19? Het ontbrekende getal is dan ook weer een lotnummer van zo'n bingospelletje, waarbij je dan een miljoen euro kunt winnen. Alleen zeggen ze er niet bij dat die hele jackpot er bijna nooit uit gaat. Ach, waarom zouden ze de arme mensen die met snel kloppend hart op de bank zitten een spannende avond ontnemen? Dus het is geheel terecht dat niemand roept dat je kans één op een triljoen is. Waarom zouden we elkaar de waarheid vertellen als de code 'de leugen' is. Wie is er geïnteresseerd in getallen als er mooie woorden zijn om je in te verliezen? Villa met zwembad, een BMW voor de deur, vakanties naar verre oorden, nooit meer werken. Stel dat er elk jaar één iemand wint, dan duurt het zestien miljoen jaar voordat je zeker een keer aan de beurt bent. Dat wil zeggen, als je iedereen die al eens gewonnen heeft uitsluit.

Maar toch blijven we geloven in die wonderen. Het verlangen naar een sprookjesachtig bestaan, ver van ons verwijderd. We willen zo graag die droom koesteren dat we met z'n allen miljoenen euro's per jaar het raam uit smijten voor dat kleine beetje hoop, dat het ooit beter met je zal gaan. Dat je je miezerige bestaan niet hoeft verder te leven. Dat er méér is. Meer dan wat? Duizend keer nul is nul. Dat geluk bestaat. Liefde en zo. Kopen. Leven. Lijden.

De ene depressieve gedachte na de andere. Zo snel dat ze over elkaar struikelen. Zei de juf niet altijd dat je op elkaar moest wachten. Netjes in de rij blijven lopen. Dat er ongelukken zouden gebeuren als je elkaar op de hielen trapte. Iedereen heeft het vroeger ooit geleerd, maar niemand die het nog weet wanneer er paniek uitbreekt en we massaal moeten vluchten uit een brandende flat of een overvol stadion. Zo razen mijn gedachten door mijn hoofd. Elkaar wegduwend, elkaar vertrappend, vluchten ze alle kanten op. Naar links. Naar rechts. Rond en rond. Ze schieten omhoog en stuiteren naar beneden tot een diepte die je niet voor mogelijk houdt. Paniek in mijn hoofd. Mijn adem versnelt. O nee, niet weer. Geen hyperventilatie nu. Niet nu. Ik ben te mooi. Ik ben te mooi om waar te zijn. Ik ben het sprookje van anderen, maar weet dat ik niet waar ben. Nooit echt gebeurd. Begon prachtig, eindigde met messen door de strot. Een hart in tweeën. Houten neus en ezelsoren. In de maag van een monster. Ik hijg dieper. Sneller. Zonder controle. Zonder genot. Zuurstof wordt stikstof. Ik voel mijn longen branden, mijn armen tintelen, mijn benen verslappen. Mijn hart, mijn hart. Dit is het ergste moment. Het moment dat ik stik, sterf.

De bel. Hard, lang. Ik kan me nog net vastgrijpen aan de wasbak. In de verte hoor ik mijn naam. Dan weer gebel. Ongeduldig. Opdringerig. Ik heb het gered. Ik leef. Voorzichtig loop ik naar beneden. Open mijn deur.

'O, je bent wel klaar,' zegt Jacq verontwaardigd en opgelucht tegelijk. 'Ik dacht dat je in slaap gevallen was. Kom, we gaan!'

In de auto legt Jacq me uit dat *Vader Jacob* dé musical van het jaar is. Alle BN'ers zullen er zijn. Bekende buitenlandse regisseurs, topsporters, presentatoren, acteurs, tutti. Zelfs de koningin zal aanwezig zijn. En daarom is het zo belangrijk dat we op tijd komen volgens Jacq, omdat iedereen in de zaal moet zitten voordat Hare Majesteit binnenkomt. 'Dan moeten we gaan staan en klappen. Protocol hé.' Haar wangen glimmen. 'En hoe is het nou met jou?' vraagt ze in één adem door. En ze kijkt me aan terwijl ze aan Beatrix denkt, en ik vraag me af hoe dat hoofd me zou staan. Dan nog liever Mabel. Ik vertel dat alles z'n gangetje gaat. Geen ontwikkelingen op het gebied van de liefde, en op het werk ook niet veel nieuws. O ja, Eugene heeft me gevraagd of ik de zaak over twee jaar wil overnemen. 'Geweldig Max!' gilt Jacq. 'Nou, ik dacht eigenlijk niet dat ik dat wilde...' probeer ik, maar ze gaat eroverheen met: 'Jawel, joh. Leuk, zo'n eigen toko. Stoer ook. Jij hebt dat wel. Dat zakenvrouweninstinct.' Ik knik en hoop dat ze het snel weer over *Vader Jacob*, de koningin of voor mijn part de minister-president heeft. Gelukkig is er geen tijd meer om waar dan ook over te praten want we komen in de musicalfile terecht. Volgens mij is het een gewone file, want het theater is nog minimaal tien kilometer verderop, maar Jacq weet zeker dat al die mensen die daar in de rij staan ook naar die begeerde voorstelling willen en dat het kielekiele wordt of we nog een plekje in de parkeergarage kunnen bemachtigen. Na twintig trage minuten, honderden lange meters, komen we eindelijk aan. Mijn gestreste en inmiddels paars aangelopen vriendin slaakt een kreet van vreugde als we nog een parkeerplek vinden. We werpen onze jassen uit. Want, zo heb ik inmiddels geleerd, je moet te allen tijde in je mooie jurk, maar zónder jas, binnenkomen. Ook al vriest het tien graden en glimt het ijs op de rode loper. Kom nooit als een burgertrut met je zondagse jas over je prachtige avondgewaad aan binnen. Nooit! Gewapend met onze bijpassende tasjes, zij groen, ik rood, lopen we tussen het publiek door naar de lange loper, waar het zwart ziet van de fans, fotografen en reporters. Ik zet mijn mooiste glimlach op en doe alsof ik er helemaal bij hoor. Voor mij loopt een bekende donkere voetballer, en achter mij een soapster. Vanaf de zijkanten wordt gegild om aandacht, gesmeekt om handtekeningen, massaal worden er met mobiele telefoons foto's geschoten. Ik had net zo goed naakt kunnen gaan, er is er niet één die mij opmerkt. Tot iemand zich ineens tot mij richt en terwijl ze haar buurvrouw aanstoot, zegt: 'Hé, dat is toch Brenda. Brenda, hier, hier, handtekening!' Waarop die ander haar streng corrigeert: 'Nee joh, dat is ze helemaal niet. Dat is niemand.'

De musical is van een belachelijk kinderlijk niveau. Hij gaat over een vader die belazerd wordt door zijn gemene vrouw en alleen achterblijft met zijn vijf kinderen. Ze zijn heel arm, want die man is ook nog zijn baan kwijtgeraakt en op een paar sukkels na hebben ook al zijn vrienden hem in de steek gelaten. Gelukkig blijkt dit dekseltje toch op een potje te passen: een tobberige vrouw die nooit kinderen heeft kunnen krijgen doordat ze structureel mishandeld is door haar ex. Kortom, genoeg slachtoffers voor twee uur zingen en dansen. De adonis die vader Jacob speelt is veel te jong en te verwijfd om een geloofwaardige papa te kunnen spelen. Zijn nieuwe geliefde lijkt uit een stuk van Brecht gewandeld en speelt alles rechtstreeks op het publiek. (Waarom kijkt ze steeds naar mij? Heel eng.) Het ontroerende moet 'm in die vijf kinderen zitten. De oudste dochter is bijna ouder dan haar vader en vertoont nymfomane trekjes. Dan de tweede dochter. Een te dik en nuffig kind dat de hele tijd op een geaffecteerd toontje zegt: 'Och, vader Jacob, wij redden het ook met weinig geld.' Iets wat je totaal niet gelooft uit de mond van deze Wassenaarse trut. De eerste zoon maakt in het begin nog wel indruk omdat je hem steeds emotioneel hoort breken. Tot je in de gaten krijgt dat het niks met gevoel te maken heeft, maar dat die knul de baard in de keel krijgt. De jongste zoon, een onooglijk kereltje met hazentanden en een bril, is voortdurend zijn ouders aan het zoeken in de zaal. Maar het jongste meisje maakt gelukkig een groot gedeelte van de show te pruimen. Zij heeft geen idee wat ze doet, waar ze moet staan en wanneer ze moet gaan praten. Maar ze doet het met de volle honderd procent. Lachen, in tranen uitbarsten, boos zijn. Heel boos. En dan weer blij. Ze doet me denken aan mijzelf. Ik zou willen dat ik haar was, dat kleine boosblije meisje. Dat meisje dat zo graag wil. Niet begrijpt wat haar drijft. Waar het naartoe gaat. Maar het gaat. En ze lachen om haar. Ze vinden haar de leukste. De liefste. Tot haar echte

tranen komen omdat ze haar plas niet heeft kunnen ophouden.

Ik herinner me een ochtend dat mijn moeder me van school
kwam halen en ik in mijn groene poncho op haar stond te
wachten achter het hek. Ik moet zo'n vijf jaar oud zijn geweest.
De zon hing laag en de wind sneed dwars door de wol van mijn
poncho. De juf had nog gezegd dat het een mooie middag was
om een wandeling te maken. Mijn moeder kwam zoals gewoonlijk te laat. Ik dacht dat het hoorde. Dat je gewoon vroege
mama's had en late. Toen mijn moeder uiteindelijk kwam was
de juf net klaar met het vegen van het schoolplein. Meestal
hielp ik mee, maar vandaag niet. Ik wilde naar het bos om kas-
tanjes te rapen. Ik begon mijn moeder meteen aan haar arm te
trekken. 'Toe mama, toe, asjeblieft?' Ze keek me zuchtend aan.
'Maxime, niet zeuren. Het kan niet. Ik heb hoofdpijn.' 'Mag ik
dan met iemand afspreken?' Eigenlijk wist ik bij voorbaat dat
het kansloos was. Doordat mijn moeder altijd zo laat was waren
alle vriendinnetjes al naar huis. Maar ik gaf nog niet op. 'Ik wil
spelen! Mag het mam, toe, toe, toe, toe.' 'Nee, Maxime. Nee!
We gaan nu naar huis.' Ze pakte me hardhandig bij m'n pols en
trok me mee naar haar auto.

In de Peugeot was het warm geworden door de zon. Het licht
scheen hinderlijk in mijn ogen. Ik kneep ze half dicht, zodat ik
door het zwarte waas van mijn wimpers en het felle zonlicht
een totaal vervormde wereld zag. De bomen leken op lange
mannen met baarden. De huizen werden bewegende monsters.
Met mijn linkerhand hield ik mijn schooltasje op schoot, mijn
rechterhand lag losjes op de zijleuning. De asbak voelde koud
aan onder mijn pols. Terwijl ik naar buiten bleef staren naar alles wat veranderde gleed mijn arm als vanzelf naar achteren,
zodat het asbakje onder mijn hand zat. Ik duwde erop met mijn
vingers. Het ging open, ik rook de geur van oude as, en weer

dicht. Ik liet het metalen dekseltje kantelen. Open en dicht, open, dicht. Tot ik mijn eigen ritme onderbrak en met mijn hand naar boven tastte. Waar zat-ie ook alweer. Ja, ik zat goed. Ik betastte 'm voorzichtig met mijn vingers. De verboden deurklink. De smalle, koude, aantrekkelijke, maar streng, streng verboden deurklink. Ik weet niet waarom. De verleiding was te groot. Mijn starende blik. De beelden. Niks in mijn hoofd. Mijn vijfjarige handje, dat ineens heel sterk was, trok. Het slot klikte. Open.

Daarna ging het heel snel. Bocht naar links. De deur vloog open, mijn hand nog vastgeklemd om de metalen klink. Ik hing half in de auto, half boven de weg. Verloor mijn evenwicht. En terwijl ik viel hoorde ik mijn moeder gillen. Daarna weet ik het niet meer. Je hebt geluk gehad, zei iedereen. Maar ik begreep het niet. Ik had overal blauwe plekken en schrammen, hoezo geluk? Tot ik op de bank lag met warme chocolademelk en een koekje, toen snapte ik het.

Mijn moeder had het niet meer over hoofdpijn die dag.

Applaus. Enthousiast publiek. Jacq staat steevast als eerste op. Haar performance van de avond. Soms gebeurt het bij een slechte voorstelling dat Jacq gaat staan en de rest blijft zitten. Ze gebaart dan met haar armen dat we met z'n allen moeten gaan staan, maar de rest blíjft zitten. Tot eindelijk het bevrijdende doek valt en ze altijd net hard genoeg – zodat iedereen het kan horen – tegen me zegt: 'Nou, ik vond het wél een mooie voorstelling.'

Gelukkig is het vandaag minder gênant, want het publiek staat nadat mijn vriendin het startschot heeft gegeven meteen op. De ontlading van de avond. Nederland op z'n Amerikaanst. Joelen, fluiten, schreeuwen, bloemen werpen om met z'n allen te bewijzen dat we zo'n ongeremd, zo'n uitbundig volk zijn.

Terwijl we massaal de zaal uit schuifelen, wordt er nog vrolijk gekletst over de uitmuntende performance van Peter, de man die vader Jacob speelde, en de schattige kinderen. Maar zodra we de foyer binnenkomen en de champagne ons in de hand gedrukt wordt, lijkt het ineens alsof er nooit een voorstelling is geweest. Nu gaat het erom in zo kort mogelijke tijd zoveel mogelijk mensen te spreken die van enige betekenis zijn.

We ontmoeten een paar collega's van Jacq uit de entertainment-business. Leuke lui hoor, maar ietwat vermoeiend. Bovendien zit er niet echt een potentiële minnaar bij. Een enigszins knappe man, met mijn behoefte aan spanning, seks en schijnbare genegenheid zou me erg van pas komen vanavond. Ik ga mijn make-up checken op de wc. Drommen mensen waar ik doorheen moet. Af en toe zie ik een bekend gezicht, uit de reclamewereld waar ik vroeger werkte, uit de kunstscene en van tv. De laatste categorie lijkt me nog het meest interessant om aan te spreken, maar die types kennen mij dan weer niet. Misschien na nog wat champagne.

Op de wc zijn de vrouwen elkaar aan het wegdrukken voor de spiegel. Lippenstift, poeder, haarlak, push-ups, alles wordt in perfecte staat teruggebracht. Als ik vanachter drie rijen dik een glimp van mezelf opvang, ben ik aangenaam verrast. Wat doe ik hier? Waarom staan die lelijke mensen voor mij? Waarom staan er überhaupt mensen voor mij? Hoezo ben ik niemand? Ik snuif de lucht van haarlak en parfum diep naar binnen en begeef me weer naar het feest. De band is begonnen met spelen en de eerste voorzichtige dansbewegingen worden gemaakt. Ik gris een glas champagne van een wandelend dienblad en besluit om nog even niet terug te gaan naar Jacq. Langzaam slalom ik om de groepjes mensen heen. Ik probeer de blik te vangen van een populaire zanger, maar hij ziet me niet staan. Ik mijd een paar oude kennissen. Ik ga links om een diva in een gewaad van ten minste drie meter doorsnede. Ik ga rechts om een sigaar rokende geilaard, die al eerder de jurk van mijn lijf heeft gekeken, en bots dan tegen een groepje acteurs van middelbare leeftijd. Zij zijn te veel met zichzelf bezig om me op te merken. Ten slotte kom ik uit bij drie fotografen die hun digitale foto's aan het vergelijken zijn. En daarna is er niks. Ja, de balustrade waar ik me graag overheen zou laten vallen. Zou er dan iemand kijken?

Ik ben drieëndertig en kan niet eens een lullig praatje aanknopen met de eerste de beste eikel. Wat heb ik in godsnaam te verliezen? Ik draai me om en in een kaarsrechte lijn loop ik terug richting trap. Ik wil naar beneden want daar gebéurt het. Waarom voelde ik dat niet meteen aan? Heb ik weer, sta ik tussen al die losers hier. De mooie en succesvolle lui zijn beneden en alleen het gepeupel staat boven, omdat ze denken dat het hogerop te doen is. Maar ze hebben niet in de gaten dat je nooit bij de incrowd kunt horen als je het niet bent. Het niet hebt. Het niet weet. Dat plat praten cult is en dat toilet nog steeds wc is.

Het is druk boven aan de trap door een twijfelende club. Zullen we wel, zullen we niet. Ik probeer even nog met 'Sorry, mag ik erdoor'. Maar als ik geen reactie krijg besluit ik om door te rammen. Zij weten het misschien nog niet, maar ík weet waar mijn bestemming is. Beneden! Ik duw ze opzij, neem een flinke hap lucht, spreid mijn armen en begin beheerst trede voor trede de prachtige brede trap af te dalen. Dan ineens begint er iemand aarzelend te klappen. Anderen volgen zijn voorbeeld. Als een beginnende regenbui valt het eerst druppelend, dan klaterend en ten slotte als een stortbui uit de hemel. Dit applaus is overweldigend. Overdonderend. Ik word week in mijn benen. Dit is dus hoe het voelt. Ik weet niet waarom deze ovatie mij toekomt maar ik geniet. Ik schreeuw vanbinnen. Ik zou willen dat deze trap nooit ophield, maar het einde nadert. Nog drie treden, nog twee, ik bereid me voor op een langzaam wegstervend geapplaudisseer, nog één tree, klaar. Ik ben er. De stilte valt nog niet. Integendeel. Het enthousiasme lijkt juist aan te zwellen. Wat is hier aan de hand?

Ik kijk om en zie de twijfelende club nu vol bravoure de trap afdalen. Het zijn de opgedofte acteurs van *Vader Jacob*, in de rol van zichzelf.

O, mijn god. Iedereen heeft natuurlijk mijn gênante vertoning gezien. Ik wil weg hier. Naar huis of misschien beter naar een louche kroeg waar iedereen niemand is, en het dus niet uitmaakt dat je je helemaal klem zuipt en met de eerste de beste klootzak die je aandacht geeft gaat tongen aan de bar. Maar ik kan niet weg, ik zit klem. De mensen verdringen zich om een stukje dichter bij de celebrities van deze avond te komen, zodat ze morgen een leuk verhaal kunnen vertellen op hun werk. Gelul. Laat mij erdoor! Nog even en ik ga slaan. Keihard om mij heen beuken. Op al die kuttenkoppen, al die godvergeten nepsmoelen. Ik duw, maar ik word nog harder teruggeduwd door een debiel die tegen me schreeuwt dat we allemaal aan de beurt willen komen. Hoezo, welke beurt? Ik wil eruit! Dan zie ik eindelijk een gat. Dat wordt mijn vluchtroute. Ik begrijp ineens waar de uitdrukking 'Ik knijp ertussenuit' vandaan komt. Ik zet af en werp me met al mijn kracht in het smalle paadje dat tussen de fans is ontstaan. Ik ben vertrokken. Weg hier! Maar dan word ik bruut tegengehouden door mijn jurk die niet meegeeft. De kracht waarmee ik mijn ontsnapping had ingezet doet mij vooroverhellen. De stof wordt tot het uiterste opgerekt. Ik kan mijn gewicht niet meer verplaatsen. Mijn handen proberen links en rechts iets vast te grijpen. Mis. Mis. Help. Plotseling knapt er iets, gevolgd door een scheurend geluid. Dan val ik voorover, plat op mijn gezicht.

'Sorry, sorry. Gaat het?' hoor ik achter me. Ik probeer mijn hoofd op te richten. Het bloed dat uit mijn neus druppelt heeft precies dezelfde kleur als mijn jurk. Rouge absolu. Chanel, of was het Lancôme? Mijn nek, au mijn nek. Naast mij verschijnt een glimmend mannenhoofd. 'Het spijt me echt vreselijk. Er wordt een dokter gehaald.' 'Hoeft niet,' mompel ik, 'het gaat wel weer.' En ik probeer me te herinneren wat voor ondergoed ik aanheb, dat nu ongetwijfeld voor iedereen zichtbaar is, behalve voor mijzelf. Ik kan mijn hoofd niet draaien en mijn geheugen laat me in de steek. Hersenbeschadiging? Ik weet nog wie ik ben, waar ik ben. Maar wie is die man naast mij? Ik ken hem. Waarvan? Ik sluit mijn ogen, heel even maar. Felrood wordt bordeaux, wordt zwart. In de verte hoor ik mijn naam roepen.

5

Gevangen op de bank

Ik hoef lekker niet te werken. Jacq brengt me een kopje warme chocolademelk. Onder haar arm zie ik de rol koekjes die ze voor zichzelf in gedachten heeft. Leer mij mijn vriendin kennen.

'Je mag van geluk spreken, lieverd. Je nek had wel gebroken kunnen zijn.'

'Hij ís gebroken,' werp ik tegen.

'Een afgebroken stukje nekwervel,' sust mijn vriendin. 'Dat is heel wat minder erg. Bovendien hoef je daar geen letsel aan over te houden.'

We hebben de hele nacht in het ziekenhuis doorgebracht. Ze hebben me met de ambulance afgevoerd en Jacq mocht mee om mijn hand vast te houden. Ik herinner me vage beelden. Veel mensen. Op de brancard. Mijn snotterende vriendin naast me. 'Een string!' schijn ik nog geroepen te hebben. Na een paar pijnstillers en een heel diepe slaap werd ik wakker in een ziekenhuisbed. 'Ze is wakker!' hoorde ik Jacq de gang in schreeuwen. Ik probeerde voorzichtig mijn hoofd op te tillen. Een felle pijnsteek schoot vanuit mijn nek naar het bovenste puntje in mijn schedel, weerkaatste naar beneden tot mijn stuitje, om vervolgens weer terug te stuiteren naar mijn nek. 'Auauauauauauaw!' Een man in een witte jas kwam binnen. De dokter. 'Zo, *the lady in red*. Dat was een behoorlijke smak.'

Rood! Ik wist het ineens weer. Ik had mijn nieuwe rode lingeriesetje van Marie-Jo aan. Gelukkig, want ik had nog zitten twijfelen of ik überhaupt wel ondergoed aan zou doen, omdat het toch altijd een beetje tekent.

Maar wat had ik in godsnaam nú aan? Ik kon niet kijken. Met mijn hand voelde ik onder de lakens. Een soort katoenen jurkje. Ach nee, niet zo'n wit ziekenhuisschortje. 'Op de röntgenfoto's hebben we kunnen zien dat er een stukje van een uitsteeksel van je nekwervel is afgebroken. Dat kan op zich geen kwaad, maar het zal voorlopig nog wel pijnlijk zijn.' Met mijn hand probeerde ik voorzichtig onder de dekens verder te zoeken naar kledingstukken. 'Na een paar dagen rust zal het ergste leed geleden zijn.' Niets. Waar waren mijn prachtige kanten bh en mijn discrete rode stringetje? 'Je krijgt zo nog wat pijnstillers mee en spierverslappers, zodat je je nekspieren niet kunt overbelasten.' Wie had het uitgedaan? Mijn ondergoed. Was het deze George Clooney of was het een of andere potteuze verpleegster? 'Als je nog even hier blijft tot de medicijnen werken, dan mag je daarna met je vriendin naar huis.' Hoezo, welke vriendin? Dacht hij soms dat ik een pot was? O, hij bedoelde Jacq. Ik probeerde op mijn allervriendelijkst te glimlachen en voelde toen pas dat mijn lippen totaal opgezwollen waren. Mijn god, ik zag eruit als een extreme make-over.

'Je staat in de krant.' Jacq laat me de Privé-pagina van *De Telegraaf* zien.

CHAOTISCHE TAFERELEN BIJ PREMIÈRE 'VADER JACOB'
Fans vertrappen elkaar. Eén ernstig gewonde.

'Ik ben helemaal geen fan,' zeg ik verontwaardigd.

'Dat doet er toch niet toe. Kijk, er staat ook een foto bij.' Links onder in de hoek, onder de grote foto's van de blije acteurs, is inderdaad een fotootje van mij geplaatst. Als Doornroosje lig ik op de vloer te slapen, alsof het zo hoort. Alleen het streepje bloed uit mijn neus verraadt dat er meer aan de hand is. Mijn billen, die door de gescheurde jurk zichtbaar moeten zijn geweest, zijn discreet van de foto afgeknipt. Ik moet zeggen dat ik niet ontevreden ben.

Ik heb één keer het journaal gehaald en twee keer de radio. O ja, en natuurlijk *De miniplaybackshow*. Ik zong als klein meisje altijd. Maar omdat mijn zangstemmetje meer het geluid van een schor papegaaitje dan de zoete klanken van een nachtegaal voortbracht, had ik al snel de kunst van het playbacken uitgevonden. Ik oefende voor de spiegel in de slaapkamer van mijn ouders. Ik was heel serieus, met een draadloze microfoon en ingestudeerde danspasjes. Ik leefde me emotioneel helemaal in, terwijl ik geen idee had waar het over ging. 'Denis' van Blondie, alle nummers van Olivia Newton John, de Dolly Dots… Toen mijn moeder een keer onverwacht de slaapkamer binnenkwam schrok ze hevig en zette meteen de muziek uit. Eerst dacht ik dat ze kwaad was omdat ik me zo had ingeleefd in 'Hopelessly devoted to you', dat ik met mijn wang tegen de microfoon heftig aan het nephuilen was. Mijn ouders werden altijd boos als ik me aanstelde. Maar het bleek niet om mij te gaan, maar om de microfoon die ik altijd uit het nachtkastje van mijn ouders pakte. Daarna oefende ik met een borstel, zoals iedereen.

Toen een paar jaar later *De miniplaybackshow* (waarvan ik altijd het gevoel heb gehouden dat het mijn idee was) op tv kwam, had ik de leeftijd van miniplaybacker al bijna overschreden. Ik was dertien maar ik wilde per se meedoen. Mijn moeder vond het niet goed. Ze zei dat daar alleen maar kinderen van gewone mensen aan meededen, en met meer dan vijf ton per jaar aan inkomsten was je volgens mijn moeder geen gewoon mens meer. Ik bleef zeuren. Zij bleef nee zeggen. Tot ik tegen haar zei dat ik aan iedereen zou vertellen dat zij het met een neplul deed. Gelukt. Ik mocht meedoen. 'Like a virgin' van Madonna imiteerde ik tot in perfectie, maar misschien heb ik me iets te veel ingeleefd voor een kinderprogramma. Een jochie van zes won met zijn uitvoering van 'Twee motten'.

'Lieverd, ik moet nu echt gaan werken. Bel je me als het niet gaat?' Jacq hijst haar zware lijf omhoog. Ze verfrommelt het lege koekjespak en loopt richting keuken. 'Voor ik het vergeet,' zegt ze, 'hier is je ondergoed.' Ze houdt een plastic zakje omhoog. 'Vergeet het niet te wassen, anders verstikt het.'

'Hoezo?' vraag ik.

'Nou, als je natte spullen te lang in een plastic tas laat zitten, dan…'

'Ja ja, dat weet ik ook wel,' onderbreek ik haar, 'ik bedoel, hoezo nat?'

'Het is niks om je voor te schamen hoor Max, maar je hebt in je broek geplast na het ongeluk.'

'Shit!'

Jacq glimlacht en zegt: 'Nee, niet *gepoept*. Dat gebeurt meestal pas als je dood bent.' Leuk hoor. 'Waar is mijn jurk?' vraag ik, om haar niet van haar stomme grap te laten genieten.

'Die was niet meer te redden. Helaas Max, we moesten kiezen. Het was de jurk of jij.' Lachend loopt ze naar de kapstok om haar jas te pakken. Is gevoel voor humor aangeleerd of aangeboren? 'Vergeet niet die nekbrace om te doen als je gaat zitten of staan.' Ze geeft me nog een kus op mijn voorhoofd en vertrekt.

Alleen. Ik ben alleen. Ik probeer het kussentje onder mijn hoofd iets te verschuiven zodat ik wat hoger kan liggen. Een pijnscheut schiet door mijn lijf. Dit wordt een leuke dag. De chocolademelk op het tafeltje naast me kijkt me triomfantelijk aan. Daarnaast ligt het laatste koekje dat niet door de veelvraat is verorberd, olijk te lachen. Wat hebben ze een lol samen. Het enige wat ik kan doen zonder dat het vreselijk veel pijn doet, is met mijn ogen draaien. Ik kijk rond. Vanuit deze positie heb ik een redelijk overzicht van mijn woonkamer. Ze zeggen altijd dat je aan iemands interieur kunt aflezen wie diegene is. Dit ben ik. Ik lig gestrekt op mijn vorig jaar aangeschafte Italiaanse designbank. Als ik over mijn voeten kijk zie ik drie meter voor me, in de studeerhoek, de boekenkast.

'Studeerhoek' is een groot woord. Ik zou weer moeten gaan studeren. Heb je dan ooit gestudeerd, Max? Nou, nee, niet echt. Of eigenlijk toch best wel. Na de middelbare school ging ik naar een soort alternatieve theaterschool. Ik wilde een beroemd actrice worden. Maar in plaats van te spelen lulden we daar de hele dag over het vak van toekomstig theatermaker. Over dat je iets te zeggen moet hebben als acteur. Dat je een maatschappelijke of politieke mening vertegenwoordigt. Dat het een noodzaak voor je is om te creëren. Ik was nog vrij jong en wist absoluut niet waar ze het over hadden, maar ik wilde me niet laten kennen, dus ik kletste vrolijk mee.

Na drie maanden voerden we ons eerste stuk op voor ouderejaarsleerlingen, docenten en ouders. Het zou iets heel experimenteels worden. Dat kon ook niet anders, want we hadden nog geen moment gewerkt aan het leren van de teksten of het oefenen van de scènes. Deze hechte groep eerstejaars zou het publiek de naakte waarheid laten zien. We zouden helemaal bloot het podium betreden. Met het script in onze handen zouden we de dialogen uitspreken terwijl we met onze lichamen iets totaal anders zouden communiceren. Dit was om aan te tonen dat mensen zich vaak anders voordoen dan ze zijn. Ik moest bijvoorbeeld een ruziescène met iemand spelen terwijl we elkaars lijf streelden. Na vijf minuten liepen de eerste mensen de zaal uit. Na een kwartier konden we het geroezemoes niet meer overstemmen en stopten we met de voorstelling. De discussie die toen ontstond was volgens mijn klasgenoten exact de uitkomst waarop ze gehoopt hadden. Uit de zaal werd geroepen dat deze provocatie banaal was. Vanaf het podium werd teruggeschreeuwd dat diegene zelf een probleem had en dat nu maar eens onder ogen moest zien. Mijn ouders, op rij vier, zaten gegeneerd te zwijgen. Ik wilde dat ze ook wat zouden inbrengen, dat ze het voor me zouden opnemen of juist de andere kant zouden kiezen, maar iets waaruit bleek dat ze ballen hadden. Met mijn indringendste blik probeerde ik ze te bereiken. Zie mij. Ik stond daar net zo naakt als ik ter wereld was gekomen maar ze keken door me heen alsof ik niet bestond. Ik wilde dat ze me niet meer konden ontkennen. Ik riep: 'Dit is geen eerlijke discussie. Als jullie met ons willen praten dan moeten jullie ook uit de kleren!'

Eerst had ik het niet in de gaten, want ik keek naar mijn ouders, die nog steeds geen reactie vertoonden, maar toen zag ik het. Een van de vaders was bezig zich uit te kleden. Terwijl hij zich ontdeed van zijn stropdas, zijn overhemd en zijn T-shirt kwam hij het podium op lopen. Daar ging hij verder met zijn schoenen, zijn broek en zijn onderbroek. Op zijn groengeruite sokken stond hij voor me met een enorme erectie. Uit de zaal klonk luid gejoel. Mijn klasgenootjes waren stilgevallen en ik… Ik wees naar zijn lul en zei: 'Dat noem ik nou moed', en keek daarbij in de bleke gezichten van mijn vader en moeder. De directeur stond op en beëindigde de show.

Ik dacht dat ik op zijn minst bijval zou krijgen van mijn medeleerlingen, maar het tegendeel was waar. Volgens hen had ik alleen maar gekoketteerd met mijn mooie lijf. Ik heb het nog een week volgehouden, toen ben ik vertrokken met de conclusie dat acteurs ratten zijn.

Daarna heb ik een paar jaar rondgehangen in de collegegangen (-banken, college*banken*, bedoelde ik te zeggen), maar het was de discipline die bij mij ontbrak.

Ik heb dorst. Ik lig te verdrogen op deze bank, net zolang tot al het vocht uit mij is verdwenen en ik alleen nog maar poeder ben in dezelfde kleur als de bank. Zand. Twee keer kloppen, drie keer kuchen en ik ben weg. Vervlogen. Je kunt hooguit nog een snuifje nemen van wat ooit mijn lichaam was. En misschien krijg je er heel even een goed gevoel van. Ahh lekkerrr! Om vervolgens op de bank te zinken in lethargie. Aaahhhh… Tot stof zult gij weerkeren en wederkeren.

Ik ga weer studeren! Ja. Echt. Studeren doet je groeien, doet je leven, doet je voelen. Ja, ik ga zeker weer studeren. En ik kan het nu ook volhouden, want ik ben volwassener geworden. Ik weet echt waar ik sta in het leven. Ja. Ik beloof het aan mezelf. Ik ga weer studeren. Ik heb het nu beloofd. Zo, nu moet ik alleen nog even de brochure aanvragen voor komend jaar. Het is oktober, dus ik ben nog ruim op tijd voor volgend schooljaar. En dan kiezen natuurlijk. Sociologie lijkt me leuk. Of psychologie. Hè kut, krijg je natuurlijk wel weer statistiek. Misschien iets totaal anders. Medicijnen. Arts, dokter Max Bremer, ja dat zou me wel staan. Eigenlijk heb ik altijd arts willen worden. Mensen helpen. Redden. Maar op je drieëndertigste nog medicijnen gaan studeren… is misschien een beetje laat. Ik moet realistisch zijn. Nee, dat ga ik niet redden. Ik kan natuurlijk ook verpleegster worden. Waarom niet? Het hoeft allemaal niet zo ambitieus. Gewoon basaal mensen helpen. Kom ik in het ziekenhuis te werken waar die George Clooney ook werkt. Word ik zijn favoriete verpleegster omdat ik zo goed ben. Ietwat overgekwalificeerd, maar daar heb ik geen last van. Ik doe mijn werk goed en met plezier. Vraagt hij me mee uit en ziet hij 's avonds hoe ongelofelijk aantrekkelijk ik eruitzie in een mooie jurk in plaats van dat verpleegstersuniform. Zegt-ie dat-ie verliefd op me is en zich niet kan voorstellen dat hij ooit nog een andere vrouw zou willen zoenen. Hartstochtelijk bedrijven we de liefde. Op het werk moeten we het geheimhouden. Het kost ons de grootste moeite. Maar het lukt. We zoenen stiekem in de lift, op de kamer van een patiënt in coma, en zijn dolgelukkig. Tot ik erachter kom dat hij het zich toch weer kon voorstellen om een andere vrouw te zoenen en hem betrap met de afdelingspsychologe in de kamer van een patiënt die, helaas pindakaas, het loodje heeft gelegd. Ik vond het toch een klotebaan en haatte het om billen te moeten wassen.

Ik dwaal vreselijk af.

De boekenkast is een erfstuk van mijn vader in donker ebbenhout. Hij is drieënhalve meter breed en beslaat bijna de gehele zijwand. Voor tweederde is hij gevuld met boeken, en voor de rest met dingetjes. Je weet wel van die dingetjes die je meestal krijgt op verjaardagen en waarvan je niet zo goed weet wat je ermee moet. Een speciale, door een jonge, nog niet bekende kunstenaar ontworpen vaas, waar geen bloemen in passen. Een Japans bordspelletje. Een schaakspel. Heel veel waxinelichthoudertjes, in allerlei kleuren en maten. Een aantal lijstjes, met foto's van vrienden die gekke bekken trekken. Een Boeddhabeeldje. Een antiek klokje dat het niet doet en op half-negen staat. Een stapel papieren. Een stapel culinaire tijdschriften waar ik nog steeds eens een recept uit wil proberen. En wat interieurbladen.

Rechts van de kast tegen de dwarsmuur staat een houten bureautje met daarop mijn pc, printer, telefoon, papieren, lamp, geopende en ongeopende enveloppen, pennen, propjes, etc. Achter mijn bureaustoel, gekocht op een antiekmarkt in Brussel, ligt een koeienvel op de vloer. Van een bruin met zwart gevlekte koe. In de winkel zeiden ze tegen me dat de haren van een koe beter zouden blijven zitten dan de haren van een stier. Ik moest het vergelijken met mensen: mannen hebben ook veel sneller last van haaruitval dan vrouwen. Ik heb me laten overtuigen dat het bij intensief gebruik aan te raden was om een koeienvel te nemen. Was wel honderd euro duurder, maar alla. Ik vraag me af of ik 'm intensief genoeg gebruik, want anders had ik toch echt liever een stier in mijn kamer gehad.

Helemaal diagonaal rechts is de deur naar de gang. Hij is dicht. Helemaal diagonaal rechts. Het verste waar ik kan kijken, zie ik nog net een stukje van de open keuken. Midden achter in de kamer staat een grote tafel van teakhout met zes beige lederen kuipstoeltjes. Daarachter twee grote openslaande deuren naar het balkon. Er hangt een schilderij aan de muur van Karel Appel met een stoel erop, een ets van Rembrandt (helaas een replica) en een heel grote Anton Corbijn van Kurt Cobain. Rechts van de bank waarop ik lig staat de clubfauteuil van mijn vader. Zo eentje die vroeger oud moest lijken en nu gelukkig echt oud is. Naast me staat een Indisch tafeltje met de inmiddels koude chocolademelk en een chagrijnig rond koekje. Links is het raam, maar ik kan niet goed naar buiten kijken, want aan de onderkant zitten stickers die het raam mat maken. Daarboven zie ik boomtoppen die naar me zwaaien en schaapjeswolken die geteld willen worden.

Ik sluit mijn ogen.

6

Ziekenbezoek

Drie dagen zijn voorbij. Ik kan me weer enigszins normaal bewegen zonder dat ik verga van de pijn, maar mijn gezicht ziet er nog monsterlijker uit dan *the day after*. Vanaf mijn wenkbrauwen naar beneden is het eerst geel, dan groen, dan rood rond mijn ogen, met in de hoeken wat paarse effecten. Dit gecombineerd met gezwollen oogleden, twee abcessen op mijn wangen, een schaafwond op mijn neus en een vieze dikke korst van mijn lip tot mijn kin. De dokter heeft me verzekerd dat mijn gezicht er weer helemaal gaaf uit gaat zien zolang ik niet krab. Ik word gek van de jeuk. Ik zit de hele dag op mijn handen om me niet over te geven aan die onweerstaanbare drang: krabben, krabben, krabben! 's Nachts slaap ik met wanten aan, die ik vastplak aan mijn polsen met dikke tape, waardoor mijn huid het daar ook begint te begeven. Even heb ik gedacht: Fuck it! Ik doe het gewoon. Ik krab net zo lang tot ik geheel verzadigd met mijn opengehaalde bloedende gezicht lekker kan gaan slapen. Maar gelukkig heb ik die gedachte net op tijd weten te verdringen. Ik kan het me niet permitteren. Een miserabel leventje, een miserabele carrière en dan ook nog een miserabel uiterlijk!

De bel, en dan een sleutel die het slot opendraait. 'Hallooho!' Oom Eugene. 'Hoe is het met mijn knappe nichtje vandaag?' Ik weet dat hij het niet cynisch bedoelt. Het is zijn manier om mij op te beuren. 'Goed,' zeg ik. 'Eugene, je kunt de sleutels wel teruggeven. Ik kan zelf de deur weer openmaken.' 'Oké kind, hier zijn ze.' Hij legt ze op het tafeltje naast de bank. 'Eerlijk gezegd ben ik blij dat ik van die enorme bos af ben. Hij paste in geen enkele zak.' Ik kijk naar mijn sleutel-bos, en ben ineens verbaasd dat-ie van mij is. Afgezien van een stuk of vijf huissleutels, een autosleutel, een fietssleutel en een kruiskopsleutel, zitten er wel tien sleutelhangers aan. Een beertje, een bierpulletje, een piepklein zakmesje, een smurf, een munt met de heilige maagd Maria, een zeemans-geknoopt-touwtje, een Eiffeltorentje, een Renault-logo, een houten klompje en een piepklein dildootje. Wat een onzin-nig kinderachtig gedoe. Meisjes van dertig. Met vlechtjes en minirokjes. Met verkleinwoordjes en sleutelhangertjes. Gad-verdamme, zo ben ik dus ook geworden. Waarom moeten we ons jonger voordoen dan we zijn? Om mannen te beha-gen? Of om onszelf voor te houden dat het ons niet zal over-komen, ouder worden. Nee, dat is iets burgerlijks. Voor Pe-tra van Buren uit Heerhugowaard ja, maar niet voor ons meisjes uit de grote stad. Ik schrik altijd als ik iemand tegen-kom die ik al tot de groep bejaarden reken, en die dan net zo oud blijkt te zijn als ikzelf. Of zelfs nog jonger. Erg hè. Ja, erg. Gelukkig zien wij meiden er heel anders uit. Niet lachen voor de spiegel! Op tijd naar de schoonheidsspecialiste. Uitgaan in hippe tenten, de laatste trends blijven volgen. Ha ha, je blijft jong. Lekker sexy jong, jong jong! Je denkt dat je jong blijft. Maar je maakt jezelf belachelijk, met je rimpelige kop, met je twee kekke staartjes, je platte reet en je huppelende loopje. Je veel te hoge stemmetje dat steeds overslaat. 'Pak me dan, hi-hi. Pak me dan!'

'Je ziet er echt al veel beter uit, Max.' Mijn oom met zijn be-moedigende maar ongeloofwaardige woorden.

'Dank je,' probeer ik opgewekt. Mijn oom is, naast mijn vriendin Jacq, de enige die echt bezorgd kan zijn om mij. Jacq en hij hebben de laatste dagen regelmatig met elkaar contact gehad. Hoe ze het beste tegen mij konden doen. En wie er boodschappen voor mij ging halen voor mij. Ze hebben een schema gemaakt wie er wanneer bij mij op bezoek zou komen. Zo veel liefde kan ik niet aan. Zo veel verpleging ook niet.

'Zal ik wat te drinken maken?' vraagt Eugene.

'Nee, dank je, ik kan het zelf wel pakken, oompje. Wat zal het zijn?'

'Koffie, graag.'

Als ik weer uit de keuken kom, heel voorzichtig, mijn nek kaarsrecht houdend, zie ik dat mijn oom in een oud fotoalbum aan het kijken is.

'Een zoetje en een wolkje melk?' Betrapt kijkt hij op.

'Ja, lekker.' Hij legt het album weg en gaat in mijn vaders stoel zitten. 'Heeft je moeder nog gebeld?' vraagt hij zacht.

'Nee!' roep ik iets te vrolijk terug.

'Ik heb direct nadat ik het hoorde bij haar ingesproken,' gaat mijn oom verder, 'daarna heb ik nog twee keer geprobeerd om haar te spreken, maar ze nam steeds niet op.'

'Ach, ze zal wel nummerherkenning hebben,' zeg ik. 'Dat is zo handig, na de mobiele telefoon de handigste uitvinding.'

'Het spijt me voor je, Max.'

'O, het geeft niet hoor,' zeg ik luchtig. 'Ik ben het gewend.' Ik lieg, ik ben het nog steeds niet gewend. Ik zal er waarschijnlijk nooit aan wennen. Het was nooit ideaal vroeger, maar ik heb herinneringen waarin alles ooit heel normaal was. Een normale moeder die van haar kind hield. Mama die me duwt op de schommel en me troost als ik eraf val. Mama die mijn haren eindeloos lang borstelt om ze glanzend te maken. Mama die een liedje over een stekelvarkentje voor me zingt. 'Suja suja, prikkeltje, daar buiten schijnt de maan. Je bent een stekelvarkentje, maar trek het je niet aan.'

Mijn oom slurpt zijn koffie naar binnen en ik probeer de sleutelhangers van de bos te halen zonder mijn nagels te breken.

'Hoe is het op het werk?' vraag ik in een poging om de gedachten in mijn hoofd te verdringen.

'Och meisje, maak je daar nog maar geen zorgen over. Dat komt wel weer als je terug bent.' 'Dat vroeg ik niet,' zeg ik, 'ik vroeg hoe het ís op het werk.'

Mijn oom kijkt verschrikt op van zijn koffie. Ik heb meteen spijt van mijn bitchy reactie.

'Het is een harde business,' zucht hij, 'ons nieuwe prepensioenproduct doet het goed, maar de holding blijft zeuren over meer omzet. Was ik maar nooit akkoord gegaan met die fusie.' Ik bekijk mijn oom, die met gebogen schouders, z'n trouwe hondenogen en een gezicht vol groeven in het kopje roert. Rot dat hij nooit kinderen heeft gekregen. 'Maar we komen er wel hoor,' gaat hij verder, 'nee, daar twijfel ik absoluut niet aan. Ik ben ook zo blij met jouw positieve input.' O, mijn god, niet doen, lieve oom, niet doen. Maar hij doet het wel. 'Heb je toevallig nog nagedacht over mijn voorstel?'

'Welk voorstel?' probeer ik me van den domme te houden.

'Het voorstel dat jij over een paar jaar, het zou ook sneller kunnen, mij zou gaan opvolgen?' Eerlijk zijn of liegen? 'Nou, ik heb daar inderdaad over nagedacht,' zeg ik, 'en het spijt me, Eugene, maar het lijkt me niets voor mij.' Stilte. Waarom zegt hij niks? Hij zou toch minstens kunnen vragen: 'Waarom dan?' Of: 'Weet je het zeker?' Of: 'Vuil ondankbaar kreng, na alles wat ik voor jou gedaan heb!' Of hij zou kunnen opstaan en weglopen. Hij zit daar maar en kijkt naar me. Zie ik het goed, krijgt hij tranen in zijn ogen? Nee toch. Hij kijkt naar me en ik verdwijn. Steeds kleiner voel ik mezelf worden. Van grote naar kleine mens. Van kleine mens, naar lilliputter, naar dwerg, naar pinkeltje, naar speldenknopje. Ik ben slechts een klein stipje op de beige bank. Een pluisje. En mijn oom zit monsterlijk groot tegenover me en zoekt me. Met zijn hangogen probeert hij me te ontdekken. Hij begrijpt niet waar ik ineens gebleven ben.

Dan staat hij op. Zwijgend. Als hij me maar niet verplettert door met zijn volle gewicht boven op me te gaan zitten. Wat gaat hij doen? Kan ik terugkomen? Ik moet terugkomen. Dan hoor ik vanuit de verte een stem. De mijne. 'Eugene, ik weet dat je altijd veel voor me hebt gedaan. Deze baan is misschien wel mijn redding geweest. Maar mijn leven geven voor deze business, nee, dat zou ik niet kunnen. Ik zou er een puinhoop van maken. Ik kan het geduld niet opbrengen. De klanten zouden me het bloed onder de nagels vandaan halen en ik zou grof tegen ze worden. Ik zou ze wat aan kunnen doen. Ja, misschien zou ik er zelfs een kunnen vermoorden zodat die nooit aan zijn vurig verlangde pensioentje toekomt. Ik zou hysterisch gek worden, van het gezeur, het gemierenneuk, de nieuwe productjes, de kleine lettertjes, de voorwaarden en de komma's. De koffie zou me de strot uit komen, net zoals de elke dag vers bezorgde broodjes, de vijftien smaakjes thee, de zoetjes, de koekjes, de cup-a-soepjes. Het spijt me Eugene, echt waar, het spijt me dat ik geen jongen ben. Een zoon, kind van je vrouw, de enige en allerbeste opvolger. Redder van je bedrijf. Sorry, sorry, sorry.'

Eugene slaat een arm om me heen en zegt: 'Rustig maar meisje. Ik wist eerlijk gezegd niet dat je zo ongelukkig was op je werk. Waarom heb je dat niet verteld?'

'Ik wist het zelf niet,' zeg ik. Het is waar. 'Ik wil niet meer,' zeg ik zacht.

'Het is goed kind. Het is goed, maar nu moet ik echt even naar het toilet,' en terwijl hij wegloopt probeer ik te bedenken waarom ik dit doe. Het viel toch allemaal best wel mee, het werk, m'n collega's, de klanten. Werk is werk, had ik toch besloten. Het biedt duidelijkheid en geld. Werk is louterend. Je weet waarom je het doet. Meer dan al het andere in het leven, weet je waarom je het doet; werken. Pas als je werkt is het fijn om af en toe vrij te zijn en uit te kunnen slapen. Mijn hoofd doet pijn. Mijn nek voelt stijf.

'Weet je het zeker?' vraagt mijn oom als hij naast me komt zitten.

'Ja,' zeg ik.

'Maar wat wil je dan doen?' Nu moet ik oppassen. Dit is een strikvraag. Daarna komen de argumenten waarom het beter is dat ik blijf. Het financiële voorstel. De emotionele chantage. Mijn oom haalt adem.

'Ik word actrice,' zeg ik net op tijd. 'Acteren, dat heb ik altijd al gewild. Ik was het even vergeten door het loopje dat het leven met me nam, maar ik weet het weer: ik word actrice!'

7

Peter

In mijn droom is het spannend. Ik ren van de weg naar de speeltuin. Ik ben een geheimagent en moet een klein meisje redden. Ik zie haar vanuit de verte op het klimrek zitten. Door de felle zon kan ik alleen haar profiel onderscheiden tegen de azuurblauwe lucht. Maar ik weet dat zij het is. Ankie heet ze, vijf jaar oud, en genetisch gemanipuleerd. Een Amerikaans koppel heeft haar laten klonen omdat hun echte dochter hersenkanker had, en het niet zou overleven. Ze redde het toch, dus nu moet haar evenbeeld dood. De kleine Ankie is geadopteerd door een Chinees ouderpaar dat geen kinderen kon krijgen. Ze houden heel veel van dit kind, ook al heeft ze geen spleetogen. Vandaag is het de dag dat ze door een huurmoordenaar zal worden vermoord. Geheimagent 92 – dat ben ik – moet de daad verijdelen.

Dan zie ik links van me op een bankje een man zitten. Hij heeft een vierkant hoofd dat verdacht veel lijkt op de kop van een buldog. Hij houdt zijn handen in de zakken van zijn lange zwarte regenjas. Er tekent zich iets af in zijn rechterjaszak. Dit moet de ingehuurde moordenaar zijn. Hij maakt een plotselinge beweging met zijn rechterhand en ik twijfel geen seconde. Ik richt midden op zijn voorhoofd en schiet. Het meisje schrikt en roept: 'Opa!' Ik roep: 'Nee, het is goed. Hij wilde je vermoorden!' Ik loop naar de man toe om me ervan te overtuigen dat hij echt dood is. Zijn hoofd is voorovergebogen waardoor ik zijn gezicht niet kan zien. Met mijn ene hand hou ik hem onder schot. Met mijn andere hand pak ik zijn haar en trek zijn hoofd achterover. Ik zie het gezicht van een oude Chinees met een gat precies tussen zijn ogen, waardoor ik recht in zijn hersenen kijk. Ik schrik. Zoek zijn rechterhand. Die is leeg en hangt naar beneden. Onder de bank, tussen het onkruid, kan ik ook geen pistool ontdekken.

Het kleine meisje is van het klimrek geklommen en rent nu mijn kant op. 'Het is gevallen,' zegt ze. Als ze vlak bij me is raapt ze iets van de grond. 'Hier, opa.' Ze steekt het naar hem uit. 'Geef maar,' zeg ik, 'opa voelt zich niet zo lekker.' Dan pas zie ik wat het is: een klein Chinees thermosflesje met thee. Het meisje kijkt me aan. 'Wie ben jij?' vraagt ze. 'Ik ben geheimagent 92,' zeg ik, 'en ik ben hier om Ankie te redden.' 'Dat ben ik,' zegt ze. 'Is opa dood?' 'Misschien wil je even een slokje thee.'

Dit wordt het einde van mijn carrière. Is er nog een uitweg? Hoe ga ik dit oplossen? 'Hier, Chinese thee.' Het meisje pakt het flesje aan en zegt: 'Dat maakt mama altijd voor mij.' Ik zoek naar woorden. 'Ik ben hier omdat ik je wilde redden van een boze meneer, maar per ongeluk heb ik toen je opa doodgeschoten, omdat ik dacht dat dat die slechte…' Het meisje onderbreekt me. 'Dat is mijn opa niet. Hij zei dat hij een opa was.'

Dan neemt Ankie een slok van de thee. Ze slikt, verstart, wordt lijkbleek en valt op de grond. Vervolgens gebeurt er iets wat ik alleen in films heb gezien. Ze wordt steeds kleiner. Ze verschrompelt als het ware. Er ontstaat rook en een sissend geluid overstemt mijn geroep. 'Ankie, nee, Ankie!' Als de rook is opgetrokken, is een vochtige plek op de grond het enige overblijfsel van het meisje. Dan hoor ik sirenes. Piepende remmen. Portieren die dichtslaan. Stemmen die dichterbij komen. Ik voel een hand op mijn schouder, langzaam draai ik me om. 'Ankie?' vraagt de agente, die verdacht veel op mijn moeder lijkt. 'Nee, dat ben ik niet,' zeg ik, 'ik ben Max.' 'Je bent in de war,' gaat de agente op zalvende toon verder. 'Jij bent Ankie en we zijn hier gekomen om je te redden.' 'Ankie is dood…' fluister ik. De agente slaat een arm om me heen en leidt me naar de politiewagens, waar nog een hele delegatie agenten op me staat te wachten. 'Maak je geen zorgen Ankie, alles komt goed,' zegt een mannelijke agent vriendelijk. Dat lijkt mijn vader wel. Naast de man die op mijn vader lijkt staat een mongool in uniform. Goh, wat zijn ze toch tolerant bij de politie tegenwoordig, zelfs zwakbegaafden mogen de functie bekleden. 'Kan dat wel?' vraag ik, wijzend op zijn pet. De mongool begint te schaterlachen en zegt: 'Die pet past iedereen.' Nu gaat er een alarmbelletje in mijn hoofd af. Dit kan niet. Het is een val. Nog een keer een alarmbel. Harder en langer. Ik moet iets doen. Mijn ogen openen, dan klopt het weer. Weer de alarmbel.

Het is de deurbel. Ik ben in een tel wakker en strompel mijn bed uit. Au, even vergeten mijn nek te ontzien. Vlug maar voorzichtig loop ik de trap af. Ik kom bij de deur en heb het op het nippertje gered. De bezoeker wilde net weglopen. 'Hai,' zeg ik op mijn allervriendelijkst, en ik realiseer me dan pas dat ik in mijn sexy nachthemdje van La Perla, met ongekamd haar, nog altijd bont en blauw gezicht en dikke slaapogen een belachelijke indruk moet maken. De man doet alsof dit hem dagelijks overkomt en vraagt vriendelijk: 'Ben jij Maxime Bremer?'

'Klopt!' zeg ik. 'Dat wil zeggen, gisteravond nog wel. Ha, ha.' Gelukkig lacht de man vrolijk mee om deze slechte grap en hij steekt een enorme bos bloemen omhoog.

'Deze zijn voor jou,' zegt hij. 'Ik ben degene die vorige week op je jurk stond.'

'Vader Jacob?' vraag ik, met een mengeling van ongeloof en gêne.

'Nou, in het dagelijkse leven Peter Langerak. Sorry dat ik zo laat pas mijn verontschuldigingen aan kom bieden. Je was moeilijk te traceren.'

'Heb je zin in een kop thee?' vraag ik.

'Ja, waarom niet,' zegt Peter.

'Kom binnen.' Met een weids gebaar nodig ik hem uit om me voor te gaan op de trap naar boven.

Ik heb me wat opgefrist, heb water opgezet en roep voor de vijfde keer dat het echt wel weer gaat met mijn nek. We drinken thee en na een paar beleefdheidsvragen over en weer ontstaat er zowaar een gesprek. Zoals je dat soms kunt hebben met een vreemde in de trein nemen we elkaar in vertrouwen over het leven. Hij vertelt me dat het net uit is met zijn vriend en dat hij voor de zoveelste keer alleen is. Ik vertel dat ik net ontslag heb genomen en weer terug bij af ben. Hij vertelt me dat hij en zijn vriend nooit seks hadden zonder van tevoren pornootjes te bekijken, en dat hij daar zo van walgde dat hij nu steeds als hij naar de videotheek gaat om een speelfilm te huren, zo misselijk wordt bij de gedachte aan de pornohoek, dat hij nog voor hij een keuze heeft kunnen maken kokhalzend de zaak uit moet. Ik zeg dat ik wel een keer naar de videotheek wil gaan om een goeie speelfilm voor 'm te huren. Hij neemt mijn aanbod aan. Ik vraag hem van wat voor een soort films hij houdt. Hij noemt wat titels waar ik me ook helemaal in kan vinden. *Moulin Rouge, Angels in America, Cinema Paradiso, Match Point,* maar ook *Shark Tale.* We hebben het over mooie en grappige scènes uit verschillende films en komen niet meer bij van het lachen. Hij vraagt me of ik mee wil kijken als ik een dvd voor hem ga huren. 'Graag,' zeg ik. 'Ik heb binnenkort toch niets meer te doen.' Hij vraagt me waar ik allemaal mijn tijd aan heb verspild in mijn leven. Ik geef hem een grappige doch dramatische versie van mijn bestaan. Hij vraagt waarom zo'n getalenteerde, mooie vrouw als ik nooit actrice is geworden.

Peter is lang en slank, en hij heeft zijn bruine haar naar achter gekamd, zoals ze dat in de jaren vijftig deden. Zijn neus staat ietsje scheef. De rimpeltjes in zijn gezicht verraden dat hij ondanks zijn grote onschuldige ogen en kinderlijke sproetjes halverwege de dertig moet zijn. Ik ken deze man, die eigenlijk nog een jongen is. Het is alsof ik mijn hele leven al geweten heb waar hij mee worstelt. Ik ken zijn nichterige gebaren, zijn stoere uitspraken en zijn gevoelige blik.

Peter vertelt me dat hij een geweldige jeugd heeft gehad. 'Toen ik vijftien was, heeft mijn vader me bekend dat hij ook altijd gevoelens voor mannen heeft gehad.' Peter lacht. 'Mijn ouders zouden zwaar geshockeerd zijn geweest als ik ze op een avond verteld had dat ik hetero was.' Peter lacht nog harder. Ik lach mee. Hij blijft iets verdrietigs houden. Of zou ik het me verbeelden? 'Waarom doe je het niet gewoon; word actrice!' zegt hij ineens opgewonden. 'Ik ga je helpen.'

'Dank je, Peter, maar ik heb dat alleen maar gezegd om mijn oom om de tuin te leiden.'

'Nee Max, het is afgelopen met uitstellen, je hebt het niet voor niks gezegd. Ik ga jou actrice maken en jij houdt je mond.' Ik houd mijn lippen stijf op elkaar. 'Ja, heel goed, blijf zo zitten.' Peter pakt zijn telefoon uit zijn zak, houdt 'm voor mijn neus en klikt. 'Kijk,' zegt hij, 'nu heb ik alvast een leuke castingfoto.' En trots laat hij het plaatje zien van mijn gehavende gezicht. Ik krijg de slappe lach. Ik voel mijn nek bij elk hikje, maar ik kan niet meer ophouden. Al snel rolt ook Peter over de vloer van het lachen.

'We lijken wel dronken,' hinnik ik als een paard.

'Of stoned,' gilt hij als een speenvarken. De lachsessie duurt minstens tien minuten en als het dan eindelijk stil is, kijken we elkaar aan alsof we iets obsceens hebben gedaan. Zwijgend zitten we op het koeienvel. We lijken weer vreemden voor elkaar.

'Ik moet gaan,' zegt Peter. 'Ik heb je al veel te lang opgehouden.'

'Waarvan opgehouden?' vraag ik, en ik probeer te glimlachen. Het lukt niet. Mijn mond blijft hangen in een soort kikkergrijns.

'Hier gaan we de volgende keer aan werken, Max,' zegt Peter. 'Overtuigend glimlachen.'

'Kut dat je van mannen houdt, Peter.'

'Ja, lullig hè.' We omhelzen elkaar en beloven snel te sms'en.

8

Telefoon

Sinds mijn verzorgers doorhebben dat ik me weer normaal kan bewegen, hebben ze niets meer van zich laten horen. Misschien was ik, achteraf gezien, ook niet zo'n leuke patiënt. Ik heb de tijd gebruikt om na te denken, op te ruimen en schoon te maken. Ik heb zes vuilniszakken met 'leuke dingetjes' weggegooid. Ik heb alle boeken en papers over management, pensioenrecht, levensverzekeringen en boekhouden in de papierbak gegooid. Misschien ook omdat ik bang ben om toch nog overgehaald te worden door mijn oom. Die paar maanden die ik moet uitwerken red ik ook wel zonder die zooi. Ik heb mijn vaders oude ochtendjas, die ik nog steeds had bewaard en nog af en toe op een luie zondag droeg, weggegooid. Ik heb alle waxinelichthoudertjes voor de deur gezet. Ze waren binnen vijf minuten weg. 'Veel romantisch-kaarslichtplezier!' had ik nog na willen roepen. Ik heb al het oude, niet bij elkaar passende serviesgoed kapotgegooid. En vervolgens netjes opgeveegd. Ik heb vijftien paar schoenen in de bak van het Leger des Heils gegooid. Ik heb het tapijt drie keer gezogen en schoongemaakt met tapijtreiniger. Ik heb de tafel zo goed geboend dat hij ook meteen geschuurd is en drie tinten lichter van kleur. En toen was ik klaar.

Nu ben ik een boterham aan het eten. Ik drink groene thee uit een kopje dat precies bij het bordje past en voel me leeg. Je kunt je soms vervelend leeg voelen, maar dit voelt prettig. Een computer waar alle troep van af is en waar geen overbodig document of virus meer voor afleiding of ergernis kan zorgen.

Mijn leven is opgeschoond. Er is ruimte gemaakt voor iets nieuws, iets sprankelends, iets avontuurlijks.

Ik breng mijn bord en kopje naar het aanrecht en vraag me af hoe ik zal beginnen. De telefoon gaat.

'Hoi Max, met mij.' Er is maar één iemand die zich 'mij' noemt.

'Met wie?'

'Nou, met mij, met Jacq.'

'Jacq... wacht eens, ja ja, er komt iets bovenborrelen.'

'Doe nou maar niet zo flauw. Vertel me hoe het met je is.'

'Wanneer gaan we weer uit?'

'Gaat het zo goed met je? Geweldig. Laten we wat gaan eten zaterdag.'

'Wat voor dag is het vandaag?'

'Donderdag.'

'Oké, zaterdag. Zeven uur borrelen bij Stennis.'

'Prima, maar hoe is het met je?'

'Vertel ik dan wel. Tot zaterdag.'

'Goed, maar ik wilde je nog om advies vragen.'

'Zaterdag. Dag, Jacq.'

Ik hang op. Ben ik een aardige vriendin? Nee, niet echt geloof ik. Soms misschien.

Met wie ben ik nu eigenlijk nog echt bevriend? Met Martine. Ze komt oorspronkelijk uit Brabant, maar haar ouders verhuisden toen ze veertien was en toen kwam ze bij mij in de klas. We waren aanvankelijk aartsvijanden, maar dat veranderde toen we samen corvee hadden in de schoolkantine en stiekem hasj gingen roken, waarna ze zo stoned als een garnaal Brabantse moppen ging vertellen. 'Ut is wit en ut stoat in de wei? Witte geiút.' 'Hoe hitte gei? Wítnie.' Ze is inmiddels getrouwd en heeft drie peuters van nul, twee en drie. Ik kan nog steeds wel met haar lachen, maar als ik langer dan een uur bij haar ben, krijg ik luchtwegproblemen. Daarom probeer ik meestal af te spreken om iets buiten de deur te gaan doen. Dat wordt me door haar man niet in dank afgenomen, omdat ik haar meestal pas 's nachts na tweeën aflever en ze dan steevast alle carnavalskrakers uit haar jeugd aan het zingen is.

Ellen is een vriendin met wie ik een heel andere relatie heb. De ene vriendin haalt een bepaalde karaktertrek in je naar boven en bij de andere vriendin lijk je een totaal ander persoon. Ik stel me wel eens voor dat ze het over mij hebben en tot de conclusie komen: 'Nee, waarschijnlijk heb je het over een andere Max. Mijn Max zou zoiets nooit zeggen. En mijn Max zou dat nooit doen.' Bij Ellen ben ik serieus, tobberig en minimaal tien centimeter kleiner. Dit laatste komt omdat ik altijd heel krom zit als ik met haar zit te praten. Zelf zit ze ook heel krom omdat ze dan beter shagjes kan draaien, een smerige gewoonte waarvoor ik de vriendschap met haar ooit wilde laten verwateren. Iets waar ik heel goed in ben, laten verwateren. Ze zei toen tegen mij: 'Max, als je je ergert moet je het gewoon zeggen, want ik merk het toch wel.' Tegen zo veel eerlijkheid kan ik niet op. Het is te laat om dan nog wat te verzinnen. Dus zeg ik altijd maar een beetje plompverloren wat er is. Degene die ik bij Ellen ben, vind ik eigenlijk vrij vervelend. Daarom zie ik haar ook niet zo vaak. Ze is de personificatie van de confrontatie. 'Ik wil je toch nog even confronteren, Max, met wat je laatst zei.' Maar ik kom niet van haar los omdat ze zo fucking straight is. Zo akelig goed voor mij. Ik weet zeker dat als ik haar gebeld had om te zeggen wat er gebeurd was met mijn nek en zo, ze meteen hier was ingetrokken om me te verplegen. Gelukkig leest Ellen *De Telegraaf* niet. Ze is een paar jaar ouder dan ik en ik ken haar nog van de kunstgalerieperiode. Ze was getrouwd met een schilder die daar exposeerde en ze verveelde zich, dus kwam ze regelmatig langs voor een kop thee. We hielden eindeloze gesprekken over kunst, filosofie en seks. Toen haar kunstenaar stierf aan een delirium is ze helemaal los gegaan. Dat kon ook omdat ze zo veel zwart geld had geërfd dat ze kon doen en laten wat ze wilde. Ze reisde de hele wereld over en stuurde uit elk land een kaartje. Ze kocht panden in Amsterdam, Wenen, Rome en New York, waardoor ze haar vermogen inmiddels heeft verdrievoudigd. Ze draagt alleen nog kleren van bekende Italiaanse ontwerpers, maar ze rookt nog steeds shagjes en is nog altijd op zoek naar de zin van het bestaan.

Weer telefoon.

'Met Max.'

'Spreek ik met mijn lieve nichtje?'

Ik had het kunnen weten. 'Hoi Eugene…'

'Lieverd, ik heb er nog eens over nagedacht…'

'Ik ook Eugene, maar ik doe het echt niet. En het heeft niets met jou te maken of met Hannie, of de holding, of het hele pensioenwereldje, maar het is gewoon niets voor mij. Het spijt me echt verschrikkelijk als ik je hiermee valse hoop gegeven heb. Ik weet wat je allemaal voor me gedaan hebt lieve, lieve oom, maar ik kan het niet. Ik kom volgende week weer op de zaak en dan help ik met het zoeken naar iemand anders. En als dat niet zo snel lukt dan blijf ik nog drie of vier maanden, maar daarna is het echt…'

'Stop! Ik heb erover nagedacht. Ik vind het een verstandige beslissing. Ik wist altijd al dat jij iets bijzonders moest gaan doen in je leven en misschien dat je er nu klaar voor bent.'

'O…'

'Ja, dus dat wilde ik kwijt en verder heeft er al een paar dagen iemand voor je gebeld. Ene Maarten Haarhuis.'

'Maarten Haarhuis… die ken ik niet.'

'Hij zei dat hij uitgever is van een bladenconcern, wat dat ook moge betekenen.'

'Haarhuis, zei je?'

'Ja, M. Haarhuis.'

'O, Maarten! Ja, het is natuurlijk Maarten. Goh, die Maarten!'

'Nou, fijn dat je het weer weet. Ik geef je even zijn nummer.'

Als mijn oom opgehangen heeft voel ik mij nog vrolijker dan daarvoor. Ruimte voor nieuwe dingen, nieuwe mannen... Dit wordt het begin van een mooie, diepgaande en gepassioneerde relatie, met wederzijds begrip en respect voor elkaar. Ik voel het!

De bel. Wat ben ik populair vandaag. Ik werp een blik in de spiegel. Mooi naturel. En ren de trap af. 'Peter!' 'Max!' 'Peter!' 'Max!' 'Peter!' 'Max.' 'Peter.' 'Ja, mag ik nu binnenkomen?' Terwijl we de trap op lopen gaat wéér de telefoon. 'Dit is vast de Postcodeloterij, dat ik een miljoen gewonnen heb,' zeg ik tegen Peter, 'this is my lucky day.' Ik ren en ben net op tijd bij de telefoon. Bij mij gaat-ie precies zeven keer over voordat het antwoordapparaat aangaat. 'Hallo, u spreekt met Max. Ben ik rechtstreeks in de uitzending?'

'Hallo Maxime, je spreekt met mama.'

'...'

'Ik heb van oom Eugene gehoord wat er gebeurd is. Hoe gaat het?'

'Goed hoor, met mij is niks aan de hand.'

'Maar je had je nek toch gebroken?'

'Een uitsteeksel van een nekwervel.'

'O, ik dacht al.'

'Ja, je dacht al, hoe lang zou ik moeten wachten met bellen tot ze dood is?'

'Jij bent altijd zo cynisch. Je lijkt papa wel.'

'Nou, papa, wachtte net zo lang met bellen tot-ie zelf dood was.'

'...'

'Wat wilde je vragen?'

'Gewoon, hoe het met je gaat.'

'Mama, het gaat uitstekend met mij. En met jou?'

'Het gaat niet zo heel goed met mij. Er is borstkanker gecon-stateerd.'

'...'

'Met uitzaaiiingen in de lever en in de longen. Ik wist geen andere manier om het je te vertellen.'

'Wat... vreselijk.'

'Ja. Maar het gaat wel hoor, ik heb niet zo veel pijn.'

'Ik weet even niet wat ik moet zeggen.'

'Nee, dat snap ik. Ik kan misschien beter ophangen.'

'Ja. Ik bedoel, ik bel je nog wel.'

'Sterkte met je nek.'

'Ja, jij sterkte met je... Sterkte!'

'Ik was zo vrij om water voor thee op te zetten,' zegt Peter opgewekt terwijl hij uit de keuken komt. 'Dat klonk als een moeilijk gesprek. Gaat het?'

'Het gaat,' zeg ik.

'Oké, als je niets wilt vertellen is dat prima, we kennen el-kaar tenslotte nog maar kort. Maar,' gaat Peter verder, 'als jij wilt verbergen dat je je kut voelt moet je dat beter leren acte-ren.' Hij heeft een enorme smile op zijn gezicht.

'Dat kan ik wel, hoor.' Ik lach mijn stralende glimlach.

'Ja, beter Max. Beter.'

Peter is gekomen om te vragen of ik een dvd'tje voor 'm wil huren, en hij heeft wat acteercursussen voor me opgezocht. Ik zucht. Ach, waarom ook niet. Gewoon doorgaan met waar je mee bezig was. Niet omkijken. Geen beelden nu van rode vle-zige gezwellen, van explosief groeiende abcessen, van bloede-rige operaties, van bestraalde lichamen, kale hoofden. Hoeveel tijd heb ik nog om het uit te praten met haar, de vrouw die zich mijn moeder noemt, uit wie ik geboren schijn te zijn. Heb je ooit zoiets belachelijks gehoord? Haar vlees en bloed? En wat

uitpraten, waarom, waartoe? Omdat ze zeggen dat er niet te leven valt met ouders die niets meer terug kunnen zeggen. Ouders die geen antwoorden meer kunnen geven. Die niet meer
gekwetst kunnen kijken als jij eindelijk eens met al je verwijten
komt. Die niet meer kwaad kunnen worden. Die geen stomme
dingen meer kunnen doen.

Ik kan alleen nog maar gillen naar iemand in het duister. In
het oneindige niets zal mijn stem blijven steken. En ik zal nooit
meer iets kunnen uitbrengen. Geen gevoel, geen eerlijkheid,
geen boosheid. Slechts samengeknepen stembanden zonder
geluid, in een eeuwige kramp.

We lopen door de stad, Peter en ik. Hij leidt me. Van de videotheek naar de delicatessenwinkel, van de platenzaak naar de
parfumerie. We eindigen in een winkel voor professionele
theaterschmink. Peter wordt wild van alles wat hij ziet aan
pruiken en gadgets. Hij vindt het erg leuk om alles op mijn
hoofd te proberen. 'Jij moet comédienne worden,' zegt Peter.
'Zo ernstig als jij kunt blijven kijken, het is te grappig.' Ik kijk
naar mezelf in de spiegel. Mijn gezicht ziet er weer normaal uit
na de val, maar Peter heeft me een zwarte afropruik opgezet en
dwars over mijn nek loopt een bloederige streep. Daaruit steekt
een gedeelte van een mes. Druppels bloed lopen naar beneden.
Peter staat naast me. Over zijn wangen lopen de tranen van het
lachen. 'Peter,' zeg ik dan serieus, 'ik wil écht actrice worden. Ik
heb geen tijd meer te verliezen. Wil jij me helpen?' Peter houdt
op met lachen, kijkt me aan en zegt: 'Ik help je, dat heb ik toch
al gezegd.' Hij neemt me in zijn armen. Ik ruik zijn geur, een
combinatie van zoet mannenzweet en kruidige aftershave.
Gucci, als ik me niet vergis. Hij drukt me nog steviger tegen
zich aan. 'Het mes,' kreun ik. Het nepmes drukt mijn keel
dicht. 'O sorry, lieverd,' zegt Peter. 'Kom, we gaan!' zeg ik. Ik
ruk de pruik en het keelstuk af en trek Peter mee de winkel uit.

9

Papa's meisje

Ik kan niet slapen. Buiten stormt het. De regen slaat bij elke windvlaag tegen mijn slaapkamerraam. Steeds schrik ik. Wat als het noodweer binnenkomt? Als ik de onrust in mijn hoofd niet meer kan onderdrukken en ze even woest begint te razen als de storm buiten. Als ze raast en raast en raast, net zolang tot ik gek word.

Mijn moeder gaat dood en mijn vader is dood. Wat betekent dat? Wat blijft er van iemand over als hij dood is? Herinneringen in de hoofden van familie en vrienden. Een impressie van hoe diegene was, wat hij deed en wat hij zei. Een reeks gebeurtenissen die steeds vager wordt. Bewegende beelden worden foto's. Tot je ze niet meer van elkaar kunt onderscheiden en het alleen nog maar een brij is van kleuren, indrukken, stukjes van iemand: ogen, haar, voeten. Uiteindelijk zal er alleen nog maar een gevoel overblijven.

Ik spoel de film van mijn vader terug.

De begrafenisstoet achter zijn kist. Ik voorop, niemand naast me, achter me het geluid van snikkende en snotterende mensen.

Ik zie weer hoe hij opgebaard ligt. Het imposante lichaam leek te klein voor de kist. De respectabele afstand van familie en vrienden. Het geroezemoes.

Dan zijn we op het racecircuit. Ik zie hoe mijn vader blij zwaaiend in zijn rode raceauto stapt. Zijn rossige baard die onder de helm uitsteekt.

Ik zie hoe hij me voorstelt aan zijn nieuwste vriendin. Een Thaise vrouw van mijn leeftijd. Een close-up van het trotse hoofd van mijn vader. Ik voel weer de walging in mijn buik.

En we gaan verder terug in de tijd. Nu speelt mijn moeder nog een rol. Ik ben net binnengekomen met een zak vol vuile was en mijn moeder zegt dat ik beter naar de wasserette kan gaan, omdat ze geen zin meer heeft in mijn smerige troep. Ik zeg dat ik het prima vind, want ik heb toch al een tijdje tabak van haar smetvrees, haar fobieën en haar frustraties. Mijn vader lacht. Ik zie hoe het bloed mijn moeder naar het gezicht stijgt. 'Jullie!' perst ze uit haar rood aangelopen hoofd. Mijn vader knipoogt naar me. Ik draai me om en loop de deur uit. De vuile was voorgoed achterlatend.

Vijf jaar daarvoor. Beelden van mijn vader die mijn moeder van achteren bij haar billen pakt. Ik had net aan vriendinnen verkondigd dat mijn ouders het nooit meer deden. Mijn moeder duwt mijn vader weg. Mijn vader komt grommend terug en grijpt nu ook haar borsten. 'Niet doen, Maxime kijkt.' Mijn vader draait zich om. 'Daar kan ze wel tegen, hè Maxime.' 'Als mama niet wil…' Mijn vader laat los. De triomfantelijke blik van mijn moeder. De lach van mijn vader. Het smerige gevoel dat ik gebruikt word.

Nog verder terug in de tijd. Een kerstdiner met zijn drieën. Er zouden vrienden komen maar vanwege de dikke sneeuwvlokken die uit de lucht vallen hebben ze afgebeld. Mijn vader die de fazant in vijf minuten verorbert en vraagt of dit alles is. Hij veegt zijn vette mond af aan het stijve linnen, dat hij voor het gemak in de servetring laat zitten. Ik zie weer het gezicht van mijn moeder, die drie dagen in de keuken heeft gestaan voor deze maaltijd. Ik heb geen trek meer en vraag of ik van tafel mag. Mijn moeder ontploft en gooit de schaal met groenten naar mijn hoofd. De erwtjes, worteltjes en bloemkoolroosjes vliegen door de lucht. De schaal knalt stuk tegen de muur achter mij. Mijn vader begint te schreeuwen dat ze gestoord is. Ik doe mijn best om niet te huilen en bijt zo hard op mijn lip dat ik bloed proef.

Ik ben met lego aan het spelen. Ik probeer een huis te maken, maar het dak stort steeds in. Mijn vader die de kamer binnenkomt. 'Waar is je moeder?' 'Boven, met de was.' 'Kijk eens wat ik voor je heb?' Onder zijn jas vandaan haalt hij een langwerpig pakje. 'Voor jou, mijn lieve meisje.' Gretig pak ik het uit. Het is een barbie. Ik hou niet van poppen, is hij dat vergeten? 'En?' 'Dankjewel, papa.' Hij houdt verwachtingsvol zijn wijsvinger tegen zijn wang. Als ik hem een kusje geef drukt hij mij tegen zich aan en fluistert: 'Niet aan mama laten zien hè, want dan wordt ze weer boos op ons.'

Ik ben zeven jaar oud. Ik loop de badkamer in omdat ik moet plassen en daar staat mijn vader voor de spiegel met ontbloot bovenlichaam en een rood bevlekt gezicht. 'Ik moet naar het toilet.' Het lijkt alsof mijn vader me niet hoort. 'Ik moet plassen,' zeg ik nog een keer. Mijn vader draait zich naar me om. Ik zie dat hij gehuild heeft. 'Ik ga wel beneden.' 'Nee, wacht.' Mijn vader pakt me bij mijn arm, gaat op zijn hurken zitten en met zijn vlekkerige gezicht vlak voor me zegt hij hees: 'Het leven is niet altijd makkelijk, meisje. Je kunt maar beter zoveel mogelijk lol maken.' 'Oké.' Ik wil weglopen, maar hij houdt mijn arm stevig vast. 'Vind jij dat papa zijn baard moet laten groeien?' Ik knik heftig. Dan laat hij me los en ren ik naar beneden.

Tussen mijn vader en moeder in. We wandelen door het park. Een, twee, drie, hopla. Ze zwaaien me de lucht in. Een, twee, drie, hopla. 'De laatste keer,' zegt mijn moeder. Een, twee, drie, hopla. 'Ah, nog een keer, nog een keer, nog een keer.' 'Nee, het was de laatste keer.' Mijn moeder kijkt me streng aan. 'Nog een keer, nog een keer.' 'Je mag best nog een keer, hoor.' Mijn vader kijkt me glimlachend aan. Een, twee, drie, hoplakee. Doordat mijn moeder niet meer meedoet vlieg ik scheef de lucht in. De lol is eraf. Ik kijk boos naar mijn moeder. Mijn vader aait over mijn bolletje en ik roep: 'Als ik groot ben ga ik met papa trouwen!'

Ik draai me om in mijn bed. Ik ben er klaar mee, met dat hele verleden. Klaar, over en uit. Ik moet me concentreren op mijn leven van nu. Op mijn nieuwe carrière. Ik begin gewoon opnieuw. Nog een keer opnieuw. Mijn vader kan me mijn toekomst niet meer afpakken, net zomin als mijn moeder.

10

Mijn nieuwe leven

Ik heb dertien castingbureaus gebeld. Ik heb een afspraak met een professionele fotograaf gemaakt. Ik heb me opgegeven voor een acteerworkshop van een hele goeie Amerikaanse spelgoeroe. Ik heb me al twee keer zeer fanatiek in de sportschool getoond en ik heb net mijn cv zitten tikken, met hier en daar een klein leugentje om bestwil. Zo blijk ik een aantal commercials in het buitenland te hebben gedraaid. Is mijn modellencarrière ietwat opgepimpt en staat er zwart op wit te lezen dat ik in Londen bij the Royal Shakespeare Company gestudeerd heb. Volgens Peter zou ik er niet komen als ik niet zou bluffen. Bovendien is het een goede manier om me alvast wat te trainen in het liegen, wat feitelijk acteren is. En tot slot heb ik minimaal negen acteurs de hand geschud, omdat ik met Peter mee ben geweest naar *Vader Jacob*. Peter heeft me zo leuk geïntroduceerd en ik heb daar weer zo open en spontaan op gereageerd dat ik ze nu alle negen tot mijn meest intieme vrienden kan rekenen. Peter zegt dat ik gemaakt ben voor 'het wereldje'.

Ik weet niet of het exemplarisch is voor de musicalwereld of dat het voor de acteurswereld in het algemeen geldt, maar wat een aanstellerij, zeg. De een gilt nog harder dan de ander. Wat een overdreven enthousiasme en energie. Maar ook: wat een drama. Zo was er een actrice die afgewezen was voor een auditie, en daar was ze nogal ontdaan over. Ze vertelde hevig snikkend dat het zo onterecht was en dat ze het zo goed had gekund, maar dat iemand het voor haar had verpest. En toen volgde er

een of andere *conspiracy theory*; er zou een complot zijn tegen
haar. Een andere actrice, die zich zwaar medelevend toonde en
bijna mee zat te janken, hoorde ik even later in haar mobieltje
roepen: 'Hai, ik hoorde dat er audities zijn voor de nieuwe grote musical, en ik denk dat ik daar heel geschikt voor ben.'

Weet je, ik doe gewoon mee. Ik gil mee. Ik praat mee. Ik pas me
volledig aan, aan het beeld van de actrice. Ik ben het vanaf nu.
Ik wil niet meer de Max van mijn verleden zijn. Ik ben vanaf
nu de Max die ik zelf gekozen heb. Als anderen het kunnen,
kan ik het ook. Natúúrlijk kan ik het. Ik heb jarenlang mensenlevens kunnen bestuderen. Ik kan ze spelen. Allemaal. Ik weet
het zeker. Ik bén ze misschien wel allemaal. Allemaal stukjes
Max uitvergroot. De boze, gemene, die haar moeder haat. De
lieve, die haar moeder koestert. De geraffineerde, die haar
moeder negeert zonder dat deze het doorheeft. De roekeloze,
die alles tegen haar moeder zegt wat in haar opkomt. De be-
dachtzame, die haar moeder met raad en daad bijstaat. De
grappige, die haar humorloze moeder toch aan het lachen
krijgt. En nog veel meer rollen. Nog veel meer dochters van
moeders. Moeder. Ik moet haar bellen.

'Met Mia Bremer.' Raar dat sommige vrouwen altijd de naam
van hun ex-man zaliger blijven dragen.
    'Hai, met Maxime.' Ik durf nooit 'met mij' te zeggen tegen
mijn moeder, om mezelf de pijnlijke vraag te besparen 'met
wie?' Ik leef niet in mijn moeders gedachten. Wil ik ook niet.
Niet echt. Echt niet.
    'Hallo, Maxime. Hoe gaat het met je nek?'
    'Ja, goed, mama. Ik eh… Zullen we afspreken?'
    'Waarom?'
    'Nou gewoon, niks bijzonders. Gewoon afspreken om wat
te drinken. Een kopje koffie, bedoel ik.'

'O, zo bedoel je. Prima. Ik kan morgen.'

Paniek. Te snel. Niet zo snel. Godverdomme. Ik bepaal zelf wel wanneer, ja?

'Nee, dan kan ik niet. Ik heb een afspraak. Met Jacqueline. We gaan eten.'

'Misschien 's middags?'

'Nee, we gaan van tevoren nog even de stad in.' Hè shit, ik wil niet meer liegen. Hoeveel tijd heb ik nog om eerlijk te zijn.

'Volgende week zaterdag?'

'Dat zou wel moeten lukken.'

'Nou, fijn. Om drie uur in brasserie De Ruijter?' Een neutralere plek bestaat er niet.

'Goed, Maxime. Zeg, niet om het een of ander, maar ik hoorde van Eugene dat je gaat stoppen met je werk. Is dat nou wel zo'n verstandige keuze?'

Waar bemoei jij je mee! Jij hebt je nooit met mijn leven bemoeid, begin daar dan ook nu niet mee!

'Daar hebben we het nog wel over, mam.'

'Ik zou er toch even over nadenken. Overhaaste beslissingen zijn zelden goed.'

Ja, daar kun jij over meepraten, hè mam. Jouw snelle beslissing om mij geen studiebijlage meer te geven, jouw snelle beslissing dat geen van mijn vriendjes deugde, jouw razendsnelle beslissing om de politie in te schakelen toen je softdrugs in mijn tas vond.

'Ik zei: daar hebben we het nog wel over.'

'Ik hou mijn mond al.'

'Ik zie je zaterdag.'

'Zaterdag. Dag.'

'Dag.'

Ik heb niet naar haar gezondheid gevraagd. Ik durfde niet. Niet die klaagzang, dat melodramatische verhaal over dat het leven haar niet gunstig gezind is. Een eerbetoon aan haar ellendige bestaan. Ik wil het niet. Jarenlang heb ik haar psychosomatische klachten kunnen negeren. Heb ik haar hele persoonlijkheid kunnen negeren en me geconcentreerd op het woord moeder. Dat is het enige: dat ik haar dochter ben en zij mijn moeder is. Dat is alles wat er tussen ons te delen was. 'Hallo, ik ben je dochter.' 'Hallo, ik ben je moeder.' En aangezien we die informatie al hadden viel er helemaal niets meer uit te wisselen. Niets meer dan het weer, de tuin, de buren en de huizenprijzen. Maar nu is het kanker. Dat is moeilijk psychosomatisch te noemen. Ik kan er niet omheen. Ik heb nog ruim een week. Werken moet ik, niet denken. In een week kan ik een beroemd en alom gerespecteerd actrice worden. In een week kan ik de man van mijn leven tegenkomen en zwanger raken. Ik kan de hoofdprijs winnen in een loterij. Of op droomvakantie gaan naar de Malediven en herboren terugkomen. Een week nog roekeloos genieten van aandacht, liefde, schoonheid. Expres de vuilniszakken vergeten buiten te zetten. Mijn haar niet borstelen. Een week zuipen en boeren. Een week m'n bed niet uit komen of juist m'n bed niet in gaan. Een week nog leven in een oneindig bestaan. Een week kan ik nog leven. Ademhalen, in en uit, in en uit, in en uit, in, uit, in, uit, in, uit, in, in, in, in, in, inininininin.

In de keukenla zoek ik naar een plastic zakje. Mijn handen tintelen, mijn benen worden zwaar. Steeds zwaarder. Zwarte vlekken voor mijn ogen. Ik hoor een knisperend geluid. Ik heb het. Ik open het zakje en hou het voor mijn mond. Ik zak door mijn knieën en glijd met mijn rug tegen het keukenkastje naar beneden. Zo blijf ik even zitten. Ik adem plastic. Mijn hartslag daalt langzaam. Ik sluit mijn ogen en voel niets meer. Het is oké. Alles is goed. Goed. Goed zo.

Ik heb last van hyperventilatie sinds mijn veertiende. De eerste keer kreeg ik het op school. Ik was aan het keten in de klas met

Hanke, een punkmeisje dat naast mij zat. Propjes schieten naar de jongens. We hadden enorm veel lol, want onze leraar Engels was zo scheel als een otter en kon niet zien waar de propjes vandaan kwamen. Hij werd steeds zenuwachtiger, en wij vonden het geweldig hoe we zijn nervositeit konden opvoeren. Op een gegeven moment deed bijna de hele klas mee. Het regende propjes en ze kwamen van alle kanten. Ik had zo'n lol om die man die, terwijl zijn ogen alle kanten op schoten, normaal door probeerde te praten. Ik kon mijn lachen niet meer inhouden en schaterde het uit. Tot er een propje in mijn mond vloog en recht in mijn keel schoot. Ik schrok, begon te hoesten, maar het propje zat vastgeplakt tegen mijn huig. Ik was bang dat ik zou stikken en begon steeds sneller te ademen. Mijn klasgenoten dachten dat ik een grapje maakte en wezen lachend naar me. De leraar stuurde me de klas uit. Ik was volledig in paniek en kon niet meer stoppen met snel ademen. Ik probeerde bij de deur te komen. Hoopte dat er lucht zou zijn buiten het klaslokaal. Mijn benen werden slap. Ik viel, happend naar lucht, op de vloer. Een vis op het droge. Eerst nog spartelend, dan stuiptrekkend, van de laatste resten zuurstof. Ik stikte. Ik stikte en ging dood.

Toen ik bijkwam hoorde ik dat m'n klasgenoten nog zeker vijf minuten hadden doorgelachen nadat ik was flauwgevallen. De leraar had tegen me staan schreeuwen dat ik onmiddellijk moest ophouden met die aanstelleritis, anders zou hij er persoonlijk voor zorgen dat ik geschorst zou worden. Tot de conrector erbij kwam en zag dat ik niet meer bij bewustzijn was. Iedereen had spijt, zelfs mijn leraar Engels. Ik werd daarna als een soort held behandeld. Ik mocht zitten naast wie ik wilde. Ik mocht nagekeken proefwerken uitdelen. Ik mocht mijn favoriete boek op de boekenlijst zetten. Ik mocht tijdens de les naar de supermarkt om drop te halen voor de hele klas. Enzovoort enzovoort. Zelf had ik het gevoel dat ik iets van mijn onaantastbare heldhaftigheid verloren had. De paniek die ik gevoeld had was zo afgrijselijk geweest. Mijn rood kloppend hoofd tegen de muur kapotslaan. Mijn hart doorboren. Mijn gezicht verminken. Geen enkel gruwelbeeld was enger dan wat ik gezien had. De angst om die angst maakte dat ik een halfjaar later nog een aanval kreeg. Weer op school, maar nu zonder aanleiding. Dit werd door mijn klasgenoten als een stuk minder stoer ervaren en ik verloor daarna al snel mijn bevoorrechte positie.

Soms is het ineens een jaar of twee jaar weg, en ben ik bijna vergeten hoe het was. Tot het op onverwachte momenten weer opduikt. De laatste tijd heb ik vrij veel aanvallen. Waarom? Word ik net zo'n hypochonder als mijn moeder?

11

De stoute schoenen aan

Aan het werk. Ik ga de stad in om boeken te kopen over acteren. *Acteren kun je leren, Televisie acteren, Acting on stage.* Ik neem ze allemaal. De jongen achter de kassa kijkt me betekenisvol aan. 'Sorry, maar ken ik u ergens van?' 'Goed gezien,' zeg ik op samenzweerderige toon, 'maar mondje dicht hoor, ik ben hier incognito.' De nerd wordt rood. Ha, ik heb het nog! Het lukt me nog steeds om ze te laten blozen.

Ik heb ineens ongelofelijk veel zin om een kerel te versieren. Ik kijk om me heen, maar er staat geen enkele vent in de boekhandel. Lezen mannen niet meer tegenwoordig? Weg hier. Ik steek de straat over, en loop het drukke plein met straatmuzikanten af, en ga een café binnen.

Binnen is het lekker warm. Er is precies één tafeltje vrij aan het raam. Ik bestel een hele grote kom cappuccino en carrotcake. Ik heb zin in een sigaret, terwijl ik al jaren niet meer rook. Sigaretten zijn goed gezelschap wanneer je ze nodig hebt, als er om je heen allemaal druk converserende mensen zitten. Als iedereen iemand lijkt te hebben. Ik pretendeer altijd dat ik het heerlijk vind om alleen te zijn. 'O, ik ben lekker even in m'n eentje, in mijn uppie, met mezelf, de stad in geweest. Was heeeeeerlijk! Zalig, zo even de boekhandel in en daarna een lekker bakkie gedaan. Ja, ik ben echt tot mezelf gekomen.' Het laatste wat ik wil is *tot mezelf* komen. Ik ben de godganse dag al bezig met m-e-z-e-l-l-e-ffffffffff. De krant. Wat gebeurt er tegenwoordig in de wereld? Ik pak een verkreukeld exemplaar van de leestafel. Op de voorpagina lees ik altijd eerst de column linksonder, om dan meestal te concluderen dat het niet meevalt om elke dag een stukje te schrijven waar mensen op zitten te wachten. Daar is mijn cappuccino al, schuimend wit. Dan kijk ik naar de datum. Heel belangrijk. Een oude krant heeft geen waarde meer. Hij is van vandaag, vrijdag 9 november. Het is moeilijk kiezen vandaag, tussen zo veel oninteressante stukken. Ik twijfel tussen 'Rellen bij demonstratie antiglobalisten' en 'Europese eenwording, een farce'. De taart wordt gebracht. Ik neem gulzig een hap. Vrijdag 9 november! Ik schrik. Vrijdag 9 november.

Ben is jarig. Mijn broer Ben is vandaag achtendertig jaar geworden. Ik heb mijn moeder aan de telefoon gehad. Zou zij het zich herinneren dat ze achtendertig jaar geleden in blijde verwachting was? Dat haar vliezen braken. Het vruchtwater uit haar stroomde en de eerste weeën zich aandienden. Dat ze papa belde om te zeggen dat het begonnen was. Dat ze de strijd aanging tegen de pijn, met een wolk van een baby in het vooruitzicht. Hoe ze uiteindelijk met al haar kracht en onder luid gekrijs het dampende wezentje uit zich perste. Daar was hij: Benjamin Jacobus Bremer. Wat waren ze blij. Een kwartier lang waren ze dolgelukkig. Mijn vader en mijn moeder, met hun eerste kindje. Tot het kleine glibberige wormpje was schoongemaakt en ze gingen kijken op wie hij nou eigenlijk het meeste leek. Hij leek op geen van beiden. Hij was van een andere planeet. Kon hij nog terug? Please, kan het, kan het? 'Ik wil hem niet,' zei mijn moeder. 'Dit is niet mijn kind.'

De winkels zijn nog een halfuur open en ik moet nog een kaart scoren, die ik ook nog voor bedtijd naar het verzorgingstehuis in Zeist moet brengen. Ik stuur Ben elk jaar een mooie grote verjaardagskaart met een muziekje erin. Hij mag de kaart de hele dag open- en dichtmaken, zo vaak als hij maar wil. Daarna gaat de kaart in de kast en mag hij elke avond voor het slapengaan een keertje luisteren naar het vrolijke liedje. Hij zingt zichzelf dan in slaap met het melodietje van de kaart. Tot de batterijen op zijn. Dan is het volgens de leiding afgelopen. Ben wordt woedend als het zover is en probeert eerst de leiding en daarna zichzelf te verwonden. Ik heb al eens een keer extra batterijtjes meegestuurd, maar die hebben ze nooit gebruikt. Het lijkt wel of ze het fijn vinden om hem te zien lijden. Om hem weer apathisch in een stoel te zien zitten. Zo, klaar.

Ik prop nog een hap taart naar binnen, reken af en ga naar de uitgang. In mijn haast bots ik tegen een man op. 'Sorry,' zeg ik. 'Is goed,' zegt hij. Dan ben ik ontsnapt. Lekker koele lucht slaat in mijn gezicht. De laaghangende zon geeft het plein een gouden gloed. Het is fijn als het zo is. Een zonnige herfstdag. Terwijl ik mijn jas dichtknoop loop ik in de richting van de grote winkelstraat. Na vijf stappen wordt er ineens aan mijn arm getrokken. Ik schrik en kijk om. Achter me staat de man tegen wie ik net aangebotst ben.

'Sorry,' zegt hij. 'Maar…'

Ik onderbreek hem. 'Ik zei toch al dat het goed was.' En ik realiseer me dat het precies andersom was.

'Nee, dat bedoel ik niet,' zegt hij. 'Ik bedoel wel dat het goed is,' gaat hij omslachtig verder, 'maar ik wilde zeggen: sorry, kennen wij elkaar niet ergens van?' Mooi zijn is soms zo'n last.

'Nee, wij kennen elkaar nergens van.' En ik wil weer doorlopen.

'Jij bent toch Maxime van Pensioenfonds Nederland.' Ik sta stil. In mijn draai probeer ik te bedenken, wie, wat en waar. Hij strijkt het haar uit zijn gezicht en steekt glimlachend zijn hand uit. 'Maarten Haarhuis.'

'Maarten!' zeg ik net iets te blij. 'Natuurlijk. Maarten!' Waarom zag ik niet meteen dat hij het was. 'Sorry dat ik je nog niet heb teruggebeld.'

'Ach, dat begrijp ik wel,' zegt hij, 'druk druk druk hè…'

'Nou, dat valt wel mee hoor,' zeg ik eerlijk.

'Heb je zin om wat mee te gaan drinken?' vraagt hij. Wat een ogen, denk ik.

'Eh, ja, waarom niet eigenlijk.'

'Hierbinnen?'

'Liever ergens anders,' zeg ik.

'Prima, ik weet wel iets leuks. Kom.' En hij begint al te lopen. Heerlijk dit soort vanzelfsprekendheid. Ik doe drie snelle passen en loop dan mee in zijn ritme. Even zie ik Ben voor me, zittend op zijn stoel. 'Fijn hè,' zegt Maarten, 'als het dit weer is.'

Ik denk: Fuck it, en zeg: 'Ja, een zonnige herfstdag.'

12

Een kater

Ik word wakker door het stomme deuntje van mijn gsm. Terwijl ik mijn ogen nog even dichthoud probeer ik me te herinneren wie ik ben. Met een schok komt alles terug. Maarten! Ik weet niet of hij… Ik durf mijn ogen niet open te doen. Voorzichtig voel ik met mijn been links van mij. Niks. Dan kijk ik. Niemand. Er ligt niemand naast me. Ik haal opgelucht adem. Weer gaat mijn telefoon. Ik strompel uit bed en zoek in mijn jaszak. Ik neem op met een krakend stemgeluid.

'Hi Max, met Maarten. Hoe gaat het?'

'Goed.' Niet goed, misselijk, hoofdpijn en zo.

'Ik wilde even tegen je zeggen dat ik het heel leuk vond gisteren.'

'Ik vond het ook leuk.' Maar val me nu niet lastig.

'Ik ben naar huis gegaan toen je sliep.'

'Jammer.' Lieg ik.

'Ik ben nooit zo goed in de volgende morgen. Dan ben ik niet meer de held van daarvoor en ben ik bang dat je van me schrikt in het ochtendlicht.'

Ik lach. 'Dan heb je mij nog niet gezien 's ochtends…' Wat een dom antwoord.

'Ik kan me niet voorstellen dat ik je ook maar een millimeter minder mooi zou vinden.'

Jezus, hij heeft precies de goeie tekst. Deze man is té perfect.

'Ik, eh, het spijt me Maarten, maar ik moet weer ophangen. Er staat zo een klusjesman voor de deur.' Wat een onzin.

'Ja, natuurlijk, ik wil je niet ophouden. Heb je zin om nog

een keer met me af te spreken? Kunnen we misschien eindelijk tot de goeie pensioenformule komen.'

O ja, daar ging ons gesprek over. Over wat het ideale pensioenleven zou zijn. Wat was ik leuk! Te grappig. Dat kan ik nooit een tweede avond volhouden. Ik moet iets bedenken voor hij met me wil gaan eten en we uren zwijgend tegenover elkaar zitten. 'Wat dacht je van een film of theaterstuk?'

'Ja, lijkt me leuk. Zoek jij maar wat uit. Ik kan alleen woensdag niet.'

'Och, dat is nou jammer – dat is de enige avond dat ik wel kan.'

'O...'

'Grapje. Ik geef toe dat ze gisteren beter waren.'

'Kun je vanavond?' vraagt hij hoopvol.

'Ja. Of eigenlijk nee, ik heb al wat afgesproken. Volgende week donderdag.'

'Lijkt me goed.' Hij klinkt teleurgesteld. Net goed.

'Ik bel nog wel waar we naartoe gaan. Oké?'

'Goed. Dag Max. Ik ben blij dat ik je heb ontmoet.'

Nou, dat zeg je niet meer over een halfjaar. *Mark my words.* 'Ja, dag Maarten.'

Stomme trut. Het was leuk gisteravond. Met alcohol is het altijd leuk. Waarom doe ik zo onuitstaanbaar tegen hem. Waarom? Omdat er met elke man die mij leuk vindt iets mis moet zijn. Kan niet anders. Gedeprimeerd ga ik mijn bed weer in. Ik wil niet leven vandaag. Ik wil dood en vergeten zijn. Gewoon nooit geweest zijn. Mijn zielige leventje ging slechts over mijn zielige ik. Ik trek het dekbed over mijn hoofd en zie Ben voor me. Godver, je kunt toch wel iets overhebben voor anderen, iets kleins. Zie je, ik ben niet beter dan mijn ouders. Niet beter dan de rest van de hele klotige kutwereld. Ik sluit mijn ogen en probeer niet meer te denken.

Een hele tijd later word ik wakker, met de beelden van de vorige avond in mijn hoofd. Ik zie ons weer door de stad lopen, van de ene naar de andere kroeg. We deden een onderzoek naar welke kroeg wel en welke kroeg geen bestaansrecht had. Na ongeveer vijf kroegen waren we zo aangeschoten dat we iets moesten gaan eten om de avond nog een beetje vol te kunnen houden. We aten tapas in een Spaans restaurant met live gitaarmuziek. We praatten over wat ons bezighield in het leven. Om eerlijk te zijn kan ik me geen woord herinneren van dat gesprek, maar het voelde heel diep en psychologisch. Ik kan me nog wel de lok herinneren die steeds over zijn voorhoofd viel en het litteken boven zijn wenkbrauw bedekte. Ik kan me herinneren hoe hij het brood brak en mij een stuk aanreikte. Ik zie ook nog zijn lach, die speciaal voor mij bedoeld was. Ik proef nog de wijn en de olijven. Ik weet nog hoe we lachend naar buiten gingen en hij me, terwijl ik alweer door wilde lopen naar de volgende attractie, tegenhield. Hij legde zijn handen op mijn schouders en keek naar me. Ik verdronk in zijn donkerbruine ogen. Onze monden kwamen dichter bij elkaar. Zijn lippen raakten de mijne. Zijn tong, warm, nat. Eindeloos lang bleven we in dat moment staan. De essentie van ons bestaan zat in die zoen, in dat gevoel, in die samensmelting van twee mensen. Samen, voor altijd samen. Ik vroeg of hij met me mee naar huis wilde gaan. Zijn kleren op mijn bank. Zijn huid tegen de mijne. Onze warmte, onze ernst, onze geilheid. De extase. Hoe hij in mij klaarkwam en ik tegen zijn hand. En daarna, hoe de ontlading langzaam overging in leegte. In eenzaamheid.

Kut kut kut.

Geef me de ruimte om te vloeken, te tieren, te lachen en te gillen als ik boven op je gezicht klaarkom. Geef me de ruimte om groter te zijn, breder, dikker. Om meer te zijn. Om meer te voelen. Om te geloven dat ik besta. Geef me de ruimte om te zijn. Om mijn naam te zijn, de letters die mijn ouders me gegeven hebben. Ik heb een naam. Laat me dan op zijn minst mijn naam zijn. Mijn naam in vette zwarte letters. Permanent marker. Graffiti op de muur. Krassen op mijn huid. Steeds dieper in mijn vlees gekerfd. Tot bloedens toe. Rode druppels als bewijs. Bewijs van liefde. Van haat. Van afschuw voor dit goddeloos bestaan.

Het gaat niet goed met me. Ik moet opstaan. Laat me opstaan.

Ik wil niet de depressie in. Ik wil niet meer zinken tot de donkerste kleur van leven. Ben ik de kanker die mijn moeder ombrengt? Het gezwel dat in haar groeit en haar organen een voor een dooddrukt? Het monster dat met zijn chaotische willekeur tergend langzaam moordt lijkt verdacht veel op mij. Het neemt elke vorm aan die het zich wenst. Lacht je uit terwijl je het probeert te bestrijden. Speelt voor dood, om vervolgens op een andere plek weer triomfantelijk tevoorschijn te komen. Doet alsof het slaapt terwijl het krachten aan het verzamelen is om de genadeklap te kunnen geven. Zingend gaat het ten slotte met zijn slachtoffer ten onder. Zijn ijle klanken zijn te horen door het hele universum. Het lijk wordt verbrand en het monster blaast zijn laatste hoge tonen uit in het oplaaiende vuur.

Mijn god, laat me opstaan.

Ik zou weer medicijnen moeten slikken. Lithium, methadon of xtc. Keuzes, keuzes, keuzes. Ik wil naar Ben toe. Die heeft geen pillen nodig. Die is gewoon gek. Niet ongewoon gek. Gewoon gek. Ik wil zo graag gewoon zijn. Desnoods gewoon gek. Niet meer nadenken, maar doen zoals andere mensen doen. Blij zijn met een huis, een baan, een man, een hond en ja, ja, jaja: een baby'tje! Zo'n lief klein babytje met kleine donshaartjes op zijn hoofd. Koedie, koedie. Kleine handjes, voetjes. O, moet je die teentjes zien! Wat schattig! En een neusje. Ja, hij moet beslist een neusje hebben. Mijn neusje of zijn neusje, dat is de vraag. En oogjes. Wat dacht je van oogjes? Ja, oogjes moeten er ook bij. Zo van die grote groene net als ik, of bruine net als hij. Grote bruine. Ja, koedie, koedie. Lief klein babytje van mij. Je hebt ook een mondje, een klein rood mondje. Zo lief. Zo lief. Hij lijkt op mij. Hij lijkt op hem. Nee, op mij. Nee, op hem. Op mij. Hem. Mij. Mij. Mij. Mijmijmij-mijmijmijmijmijmij.

Ik sta op. Loop naar de badkamer. Ga plassen. Bloed. Ik ben ongesteld geworden. Zie je wel. Dat was het. Ik ben niet depressief, ik heb alleen heel veel last van mijn hormonale cyclus. Mijn premenstruele klachten zijn altijd zo heftig. Kent u dat? O, heeft u daar ook zo'n last van. Nou, ik heb het heel errug hoor. Dan is het net of ik even niet meer wil leven. Zo gek, joh. Mijn gevoel neemt echt een loopje met me op zulk soort momenten. Kent u dat? Maar dan komen de rooie Russen en dan denk ik: Och ja, dat was het natuurlijk. Met mij is niets aan de hand. Ik ben gewoon een vrouw met haar ups en downs. Een vrouw met een ritme, een biologische klok die tikt op zeer natuurlijke wijze. Ik ben een eenvoudig mens en niets wat ik voel, doe of denk is origineel. Het wordt allemaal door moeder natuur bepaald. Het is zoals het is. En ik haal weer opgelucht adem, want ik ben gezond. Gezond!

13

Schoon

Het warme water spoelt de seks van de vorige avond van mijn lijf en de gedachten uit mijn hoofd. Ik trek mijn meest sportieve outfit van DKNY aan en mijn nieuwe gympen van Ice Berg. Mijn haar föhn ik droog op de lauwwarme stand om de frisheid in mijn hoofd niet te verliezen en ik spuit wat ELLE op van Paco Rabanne. Snel wat make-up op om mijn natuurlijke schoonheid wat te versterken, ski-jekkie van Tommy H. aan en gaan. De wijde wereld in. Eerst langs de bakker, een croissantje voor nu en een chocoladetaart voor later. Dan een bosje met vrolijk gekleurde bloemen. En dan langs de elektrozaak voor mijn cadeau voor Ben. Ik heb bedacht dat een portable cd-speler met koptelefoon een veel beter idee is voor zijn verjaardag. Ik heb geen zin in files dus loop ik naar het station en ik haal op het nippertje de trein. Tijd om een kaartje te kopen was er helaas niet meer. De conducteur heeft duidelijk niet zijn dag en zegt chagrijnig dat me dit een boete oplevert. Ik verbeter hem, en zeg: 'Geen boete, beste man, maar een meerprijs. Beboet word ik pas als ik zwartrijd, maar ik heb u al bij het instappen gewaarschuwd. En, u weet: een gewaarschuwd mens telt voor twee.' Hij kijkt me vernietigend aan en zegt: 'Een boete is een boete.' Driftig onderstreept hij het bedrag op het handgeschreven treinkaartje. Ik zoek mijn portemonnee, en probeer nog een keer de conducteur op te vrolijken met een opmerking over het najaarszonnetje en de prachtige herfstkleuren. De man kijkt ongeduldig om zich heen en zegt dan: 'Zeg, kan het wat sneller, ik heb nog meer doen.' Ik kijk om me heen en helemaal achter in de coupé zie ik één andere reiziger. Dan vind ik mijn portemonnee in de plastic tas met de discman. 'Ja, u heeft het druk, hè,' zeg ik tegen de dienstklopper, 'Weet u wat, doet u mij toch maar een eersteklasticket. Dan zit ik tenminste lekker rustig.' En triomfantelijk verscheur ik het kaartje.

Dit is mijn dag.

Als ik het verzorgingshuis binnenkom slaat de lucht van steriele verbandjes, slappe boontjes en urine me in mijn gezicht. Wat moet het erg zijn als je dit niet meer ruikt. Ik bedoel, dat je zo gewend bent aan deze lucht dat je de verschillende elementen niet meer herkent en je alleen maar kunt denken: ik hoop dat mijn dienst er snel op zit, of nog erger: Hmm, wat zouden we vandaag eten? Ik meld me bij de receptie en kan dan meteen doorlopen naar Bens kamer. Vlak voor ik zijn deur binnenloop herken ik in de gang zijn vaste verpleegster, mevrouw Zwanenbeek. Ik probeer het moment van de herkenning terug te draaien. Stom is dat, als je iemand herkent, die je liever níet herkend had. Hoe kun je diegene alsnog niet herkennen? Ik probeer het soms nog op het moment zelf. 'Hé, daar heb je… Niemand. Daar heb je niemand. Doorlopen.' Meestal lukt het niet. De herkenning is voor de ander meestal duidelijk herkenbaar en brengt een spiegelreactie teweeg. Zo ook nu. 'Hallo, Maxime Bremer.' Ze gaat voor me staan en blokkeert daarbij de deur van Bens kamer. 'Je broer was gisteren jarig en niet vandaag.' De heilige onschuld spelen. 'O nee hè, dan heb ik me vergist.' Met haar scherpe stem gaat ze door alsof ik niets gezegd heb. 'Ik had de avond ervoor al tegen hem gezegd dat hij weer een kaart van zijn zus zou krijgen, omdat hij de volgende dag jarig was. Hij zat al om zes uur 's ochtends gewassen en aangekleed klaar om de postbode op te wachten. Toen die eindelijk om halfelf kwam en de kaart er niet bij zat, bleef hij toch wachten.' 'Het spijt me…' probeer ik tussendoor, maar ze gaat stoïcijns door met haar verhaal: 'Hij heeft tot kwart over vijf gewacht en toen werd het donker. Hij begon te huilen en dat duurde tot tien uur, toen viel hij eindelijk in slaap.'

Nu ben ik het zat. 'Ik dank u voor de informatie, mevrouw Zwanenbeek, maar als u niet zo hard had geroepen dat hij de volgende dag jarig was, dan was het hele probleem niet ontstaan en hadden we vandaag gewoon zijn feestje gevierd. Weet u hoe ze dat noemen? Sadisme! En nu laat u mij erdoor.' Ze werpt me een laatste vernietigende blik toe, draait zich bruusk om en loopt weg.

Ben begint meteen te schaterlachen als hij me ziet. Het is de eerste keer dat hij direct weet wie ik ben. Hij staat op uit zijn stoel en loopt naar me toe om me te huggen. Niemand kan zo lekker huggen als mijn broer. 'Jij komt. Ik feest!' Hij lacht en roept nog minstens twintig keer 'Feest!' Ik overhandig hem zijn cadeautje en hij pakt het gulzig uit. Ik kan de discman net redden voor Ben hem op de vloer wil gooien om te kijken of het ding kan stuiteren. Ik overhandig hem drie cd's en hij is het meest onder de indruk van Bert en Ernie. Hij wil het hoesje niet meer loslaten en zegt steeds weer met dezelfde diepe intensiteit: 'Mooi…' Ik stop ondertussen de cd van Stevie Wonder in het apparaat en zet voorzichtig het koptelefoontje op zijn hoofd. 'Happy Birthday' hoor ik in de verte klinken en na een paar seconden kijkt Ben op. Hij kijkt naar me met zijn staalblauwe ogen en lacht breeduit.

Lieve, lieve broer van mij. Zou je met me meegaan als het zover is? Als mama dood is. Zou jij, mijn broer, met me mee willen naar de begrafenis van onze moeder? De vrouw die jou gebaard heeft. Je eigen mama die je nooit hebt mogen zien. Zou je mijn hand vast willen houden? Mijn tranen willen drogen en me willen huggen, tot ik stik.

14

Koffie leuten

De tijd is verstreken, de week is voorbij. Ik heb geleefd, dat wel. Ik heb gezondigd op ieder vlak en ik adem nog steeds. De klok slaat drie uur als ik over de Grote Markt naar brasserie De Ruijter loop. Ik heb een knoop in mijn maag, lood in mijn schoenen en een brok in mijn keel, die ik steeds tevergeefs probeer weg te slikken. Mijn benen doen gewoon hun werk. Waar ben ik het bangst voor? Voor haar tranen of voor de doodsangst in haar ogen? Het regent, het raam van de brasserie is beslagen, dus ik kan niet zien of ze er al zit. Zij heeft mij ook nog niet kunnen zien, dus ik kan me nog omdraaien en weglopen. Doen alsof ze niet bestaat en nooit bestaan heeft. Net zoals Ben voor haar niet bestaat. Zij heeft nooit een foto gezien van haar zoon. De enige herinnering aan hem is hoe hij eruitzag toen hij net geboren was: een paarsrood wezentje. Meer verleden heeft ze niet met hem. Ik heb drieëndertig jaar verleden met mijn moeder. Ik kan niet doen alsof ze niet bestaat. Mijn hoofd zit vol met herinneringen.

Met mijn moeder op het strand. Twee badlakens en een grote rieten tas vol pakjes Sunkist en witte boterhammen met hagelslag. Ik speelde in de branding en mijn moeder stond naar me te kijken. Ze droeg zo'n bikini die nu weer helemaal hip is. Wit met rode bloemen. Ze moet wel mooi zijn geweest, want veel mannen maakten rare geluiden als ze mijn moeder zagen. Fluiten, sissen, kreunen, fluisteren. Ik dacht altijd dat mannen dat soort geluiden maakten omdat ze dan moesten plassen, en omdat het jongens zijn moeten ze veel vaker dan meisjes, omdat hun piemels sneller vol zijn. Mijn moeder was slank, had heel lang blond haar en blauwe ogen. Ze leek veel op de barbie die ik van mijn vader had gekregen. Alleen had mijn moeder een bril. Ik vond dat ding lelijk – barbie had tenslotte ook geen bril – en ben er een keer stiekem op gaan staan. Ik speelde heel overtuigend dat het een ongelukje was. Ze geloofde me. Maar ik had al snel spijt, want ruim twee weken was ze brilloos, wat nog lelijker was doordat ze zo ontzettend loenste. Bij haar nieuwe bril, overigens precies hetzelfde model als haar oude, ben ik altijd angstvallig uit de buurt gebleven. Ik was bang dat de bril me zou roepen, me uit zou dagen en dat ik in een moment van zwakte mezelf niet meer onder controle zou hebben en hem zou verbrijzelen.

Achter op de fiets bij mijn moeder. Haar billen bewogen in een rustige cadans heen en weer. Haar lange haar danste in de lucht. Ik probeerde het te ontwijken, maar dat lukte niet. Ik probeerde het te pakken, maar ook dat lukte niet. Steeds weer raakte een plukje haar mijn gezicht en kriebelde tegen mijn wangen. Het was een kat-en-muisspelletje dat ik niet kon winnen. Haar blonde haar lachte me uit, streelde me daarna zachtjes en ontsnapte dan weer net op tijd aan mijn kinderhanden. Tot een venijnige pluk recht in mijn oog sloeg. Au! In een reflex greep ik met mijn linkerhand naar mijn oog en met mijn rechterhand naar mijn moeders haar. Ik had beet en trok zo hard als ik kon. Nu riep mijn moeder 'au!' Ze remde en ik botste met mijn hoofd tegen haar rug en stootte mijn neus. Au! Mijn moeder stapte van de fiets draaide zich om en gaf me een pets tegen mijn wang. Au! 'Zo, dat zal je leren, klein krengetje.' Ik vond het niet eerlijk. Zij had maar één keer au gehad, ik wel drie keer. Ik beet op mijn lip. Mijn moeder stapte weer op haar fiets en langzaam kwamen haar billen weer in het gelijkmatige ritme van het trappen tegen de wind. Mijn gezicht had ik in mijn handen verstopt om nooit meer geraakt te worden door het gemene haar.

Met mijn moeder naar de kapper. Mijn moeder vond meisjes met lang haar ordinair, dus moest ik om de vier weken naar de kapper voor een keurig pagekopje. Ze wist dat ik het haatte. De kapper, een knappe man van Italiaanse afkomst, ontving ons altijd met open armen. '*Ah, bella ragazza, en sua bella, bella mama.*' Mijn moeder veranderde helemaal van houding als ze de kapsalon binnenkwam. Haar borsten in de ouderwetse puntige bh werden parmantig naar voren gestoken en haar billen leken onder haar korte rokje vandaan te willen komen, zo ver stak ze ze naar achteren. De kapper zoende haar en zij kreeg blosjes op haar wangen. Als we het hele welkomstritueel hadden gehad en ik in de stoel voor de spiegel zat, kon ik achter me zien hoe mijn moeder keek. Het was een blik die ze alleen daar had. Eerst dacht ik nog dat die lieve, zalvende glimlach bedoeld was om mij te troosten, maar al snel kreeg ik door dat ze helemaal niet naar mij keek. Ze keek naar de Italiaan, die behendig zijn vingers door mijn haar liet gaan en tegelijkertijd met de schaar jongleerde als was het een majorettestokje. Ze moet nat in haar broekje zijn geworden bij elke knipbeurt. Maar dat realiseerde ik me toen natuurlijk nog niet.

Veel later, toen mijn moeder een mislukt permanentje had, en ik als zestienjarige puber eindelijk had afgedwongen dat lang haar mocht, liepen we samen door de stad en werd er plotseling luid getoeterd en gefloten. Mijn moeder en ik keken tegelijkertijd om en zagen in een rode sportauto de macho Italiaan van middelbare leeftijd die mijn moeders fantasieën jarenlang had vervuld. Hij herkende ons niet. Hij leunde door zijn raampje en zei: '*Ciao, ma bella donna,* zin in een lekkere geile vent?' Mijn moeder giechelde en ik zag dat ze dacht dat hij het tegen haar had. 'Rot op, eikel!' zei ik snel, om een gênante situatie te voorkomen. De auto stoof weg en mijn moeder zei bits tegen mij: 'Nou, nou, zo onbeleefd hoef je toch niet te zijn.'

Ik haal diep adem en duw de deur van de brasserie open. Als ik het dikke rode gordijn opzijschuif zie ik haar meteen zitten. Links in de hoek aan een rond tafeltje zit ze. Ze bestudeert de kaart. Ze heeft haar lange, inmiddels grijze haar opgestoken, waardoor haar gezicht nog smaller lijkt. Haar staalblauwe ogen lijken reusachtig achter de dikke brillenglazen. Haar ogen zijn in de loop van de jaren steeds slechter geworden en daar schijnt ze nogal veel last van te hebben. Ook nu. Jezus, het lijkt wel of ze een demonstratie geeft van haar slechte zicht. Ze houdt de kaart heel dichtbij en dan weer veraf. Plotseling kijkt ze op, alsof ze voelt dat er iemand naar haar staat te kijken. Ze zwaait naar me. Ik loop op haar af. Ineens realiseer ik me dat ik foto's bij me heb. Foto's van Ben en mij die ik vorige week gemaakt heb. Zou ik het dit keer durven? 'Hoi, mam.' 'Dag, Maxime.' Ik zoen haar, en hou mijn adem in, zodat ik haar niet hoef te ruiken. Dan ga ik zitten en blaas de ingehouden lucht geruisloos uit. Als ik mijn longen weer laat vollopen ruik ik haar alsnog. White Linen van Estée Lauder: 'mijn luchtje', zoals ze zelf altijd zegt. En ze heeft gelijk, ze ís Estée Lauder geworden. Ik zal haar dan ook nooit hoeven missen: als ze in haar graf rust is ze met een spuitje van haar flesje weer helemaal present. Goed onthouden, denk ik bij mezelf.

'Gaat het goed met je Maxime? Ik hoor zo weinig van je.'

Meteen weer een verwijt.

'Mama, heb je ooit van papa gehouden?' Ik heb geen idee waarom ik dit plotseling vraag. Misschien een verwijt terug, of een afleidingsmanoeuvre.

'Natuurlijk heb ik van je vader gehouden. Ik vraag me wel eens af of je vader ooit van míj heeft gehouden.'

Dit wordt een geweldig gesprek, ik voel het. 'Ben je ooit naar bed geweest met die Italiaanse kapper?' Zo, nu kun je het krijgen ook. Mijn moeder kijkt me met haar belachelijk vergrote ogen aan, en net als ze wil antwoorden vraagt iemand: 'Wilt u iets bestellen?'

'Ja graag, een rode port.' Ik zou mijn hand in het vuur durven steken voor de vraag die hierop volgt. En ja hoor, de ober loopt weg en mijn moeder vraagt: 'Drink je niet te veel?'

'Eerst een antwoord op mijn vraag, mama, dan zal ik jouw vraag beantwoorden.'

'Goed dan, ik ben één keer met hem naar bed geweest, zesentwintig jaar geleden.'

'Wist papa daarvan?'

'Nu zou je mij eerst vertellen of je niet te veel drinkt.'

'Ik ben bang van wel, mammie.' Ik kan de glimlach om mijn mond niet onderdrukken. Mijn moeder kijkt weg. Ik ben een ongeleid projectiel mama, en het is jouw schuld! Ik ga haar niet vertellen dat ik een geweldige week achter de rug heb, dat ik verliefd ben. Dat ik oude en nieuwe vrienden heb die van me houden en het spook van eenzaamheid tijdelijk wegjagen. Ik wil haar niet vertellen dat ik een doel gevonden heb waarin ik geloof. Ik wil haar op geen enkele manier laten delen in mijn levensgeluk. Integendeel, ik wil haar pijn doen. 'Wist papa dat je vreemdging?'

'Nee, hij wist het niet. Of misschien vermoedde hij het, maar hij zei er niets over, omdat hij zelf te pas en te onpas vreemdging.'

'Waarom hebben jullie ooit voor elkaar gekozen?'

'We waren jong en wisten niet waar we aan begonnen. Het was een andere tijd.'

De ober brengt mijn glas port. Ik bedank hem vriendelijk en sla dan het glas in een keer achterover. 'Mag ik er nog een?' vraag ik. 'Mama, wil je ook een glaasje?'

'Voor mij nog een koffie,' zegt ze en de blik die ze naar die ober werpt ken ik zo goed. Een blik van schaamte voor mij, en medelijden met zichzelf. Zo'n blik van: ziet-u-ook-dat-ik-het-niet-makkelijk-heb-met-mijn-dochter-en-het-ligt-niet-aan-mij-dat-ziet-u-toch-ook-hè?

'Maxime, ik wilde graag met je afspreken om over de toekomst te praten.' Ze schraapt haar keel. Ik vraag me af hoe ze het woord toekomst uit durft te spreken. Zij heeft toch geen toekomst meer. Of zou ze hier zijn om me te vertellen dat het één grote eenaprilgrap is, maar dan op 16 november.

'Kom maar op,' zeg ik, en ik kijk haar uitdagend aan.

Waarom heb ik geen medelijden met deze vrouw? Waarom voel ik alleen maar minachting als ik naar haar kijk? Wat heeft ze mij misdaan? Kut, niet te veel denken Max, blijven praten.

Zij is me voor. 'Je weet dat ik kanker heb. Ze hebben me verteld dat ik nog hooguit een jaar te leven heb. Ik wilde je zien omdat jij mijn enige toekomst bent. Aan jou geef ik het leven door. Ik zou je zo graag willen begrijpen. Ik zou willen dat je mij begrijpt. Dat we iets dichter, gewoon een klein beetje dichter bij elkaar komen.' Stom wijf. Nooit een woord over Ben. Nog nooit, in al die jaren niet een hint, een teken, een tip van de sluier. Niets. Jij bent het nooit waard geweest dat je leeft, moeder. Jij krijgt wat je verdient. Net goed dat je crepeert. Ik moet niet meer denken, ik moet praten.

Ze is me weer voor. 'Ik heb lang nagedacht, Maxime. Ik weet dat ik veel fouten heb gemaakt. Dat ik in de voortdurende strijd met je vader jou tekortgedaan heb. Je niet gezien heb.'

'Kijkt u eens, nog een rode port en een koffie,' zegt de ober. Ik kan er niet meer tegen. Ik heb zin om het glas naar haar hoofd te smijten. In plaats daarvan pak ik mijn tas. De ober is weg en mijn moeder begint weer te praten.

'Stil!' zeg ik. 'Niet doorgaan. Niks meer zeggen, jij.' Mijn moeder kijkt me verschrikt aan. Ik haal mijn agenda uit mijn tas.

Ik sla 'm open en haal voorzichtig de twee op papier afgedrukte foto's uit de binnenflap. 'Moeder, weet jij wie dit is?' Ik schuif de twee printjes langzaam naar haar toe. Verstard blijft ze naar mij kijken. Zou ze weten wat er gaat gebeuren? Zou ze dit moment altijd gevreesd hebben? Dan buigt ze zich over de foto's en kijkt. Mijn hart gaat als een gek tekeer. Mijn handen trillen. 'Kijk maar eens goed, mama,' zeg ik. Mijn stem trilt en verraadt mijn jarenlange woede en gekwetstheid. Mijn moeder beweegt niet. Ze blijft met haar hoofd voorover zitten en ik ben bang dat ze zo de ogentest gaat doen, door de foto's beurtelings van zich af te houden en naar haar gezicht te brengen. Het moet er nu uit. Nu. Ik zeg het gewoon. Mijn hart klopt zo hard dat het in het hele restaurant te horen moet zijn. Dan doe ik het. 'Dit is je zoon, mama. Dit is Benjamin.' Mijn moeder kijkt op. Haar uilenogen vullen zich met tranen. Nog steeds zegt ze niets. 'Je zoon was vorige week jarig. Hij is achtendertig jaar geworden.' Ze breekt, ik zie haar breken. Heb ik dit niet altijd willen zien? Heb ik niet jaren gewacht om haar deze doodsteek te geven en het laatste restje levenslust in haar te doven? Ik zie de tranen over mijn moeders wangen lopen en voel hoe mijn tranen van mijn kin op mijn handen druppelen.

15

Winterdagen

En de wereld bleef gewoon draaien. De mist trok op, maar mijn zicht was nog steeds wazig. Ik had mijn moeder met het grote geheim geconfronteerd. Ik had, naast alle andere dingen die ik haar kwalijk neem, mijn grootste verwijt in haar gezicht gesmeten, en de boel was niet ontploft. Ik weet niet wat ik verwacht had, maar dit is hoe het ging.

Ik betaalde de rekening en liep naar buiten. Mijn moeder deed haar jas aan, pakte een fooitje uit haar portemonnee, legde dat op tafel en kwam ook naar de uitgang. Ik zag het door het raam. Ik was blijven staan, omdat ik niet wist wat er nu moest gebeuren. Zouden we buiten gaan matten, zouden we elkaar een goede mop vertellen of zou er een mediator uit de lucht vallen die alles recht zou praten. Ze schrok toen ze zag dat ik er nog stond. Ze durfde me nauwelijks aan te kijken. Ze deed niets, ze zei niets, ze stond daar maar, bibberend. In een zucht verdween alle spierkracht uit mijn lijf. Mijn schouders zakten naar beneden. Mijn hoofd boog zich en mijn benen werden slap. Weg. Het ene been voor het andere, weg. Mijn voetstappen klonken hol in de stille straat. De echo werd steeds luider. Ik keek om en zag dat mijn moeder me gevolgd was. Ik wachtte tot ze bij me was. Toen liepen we samen verder. Ik had de neiging om plotseling af te buigen, maar ik deed het niet. Ik bleef naast mijn moeder lopen. Zwijgend. Steeds de kronkeling van het pad volgend, een drukke weg over, keurig wachtend bij het stoplicht, en weer door. Na een uur zei mijn moeder dat ze even moest rusten. Het bankje waarop we gingen zitten was nog nat van de regen. We keken dezelfde kant op en zagen dezelfde straat voor ons, hetzelfde kerkje, dezelfde bomen en dezelfde huizen. Toen begon mijn moeder te praten.

'Ik wist dat dit ooit zou gebeuren. Alles wat je aanricht in je leven, krijg je op een bepaald moment terugbetaald. Jouw broer was vreselijk gewenst, maar toen het een ongelukkig kindje bleek te zijn, toen…' Haar adem stokte. 'Ik wilde hem niet weggeven.'

'Nee, maar je hebt het wel gedaan, moeder. En misschien maar beter ook, want jouw kilheid zou hem allang hebben stukgemaakt.' Mijn stem klonk hard.

'Ik begrijp dat je boos bent, Maxime, maar neem van mij aan dat het voor mij ook niet gemakkelijk was. Je vader…'

'Laat hem erbuiten! Altijd die eeuwige strijd tussen jullie. Het gemanipuleer. Je doet het zelfs nu nog. Hem zwartmaken om mij in jouw kamp te krijgen. Hij is dood, hoor!'

Mijn moeder zweeg. Ze keek me aan, en sloeg toen haar ogen neer. 'Het spijt me.'

En hoe ik ook mijn best deed om het niet te voelen, ik voelde het toch: medelijden, en het maakte me opnieuw razend. 'Laten we maar naar huis gaan.' Ik pakte mijn mobiel en belde een taxi.

Sindsdien hebben we elkaar twee keer gebeld en een keer samen koffiegedronken. Dat is ongeveer een verdubbeling van ons vroegere contact. Ja, we gaan erop vooruit. We kletsen over koetjes en kalfjes, over uitverkoopjes en het slechte weer. En we doen net alsof we het uitgepraat hebben. Zo, klaar. Geen vuiltje aan de lucht. En weer door.

Het is een van mijn laatste weken op kantoor. Ik heb nog geen moment spijt gehad van mijn beslissing, en ben de vrolijkste werknemer van het jaar. Gisteren heb ik zelfs een rondedansje gemaakt met Hannie. Zij beweerde dat ze nooit meer danste omdat ze daar spataders van zou krijgen. Ik ben toen op haar afgerend, heb haar in mijn armen genomen en heb haar net zolang rondgedraaid tot ze me met haar voeten niet meer kon volgen, en toen heb ik haar nog een bonusrondje door de lucht gezwierd. Hannie was van plan om heel boos te worden, maar de rest van het kantoor had het niet meer, dus trok ze snel haar jurk recht en vroeg of er nog iemand koffie wilde.

Maarten staat voor de deur om me op te halen. Jaha, het is serieus wat aan het worden tussen ons. Ik geloof zelfs dat we verkering hebben! En ik ben nog steeds verliefd. Want dat is toch wel een voorwaarde, vind ik zelf. Als je niet meer verliefd bent zie je de onhebbelijkheden van de ander, je ruikt zijn zweetlucht, je ziet de mee-eters in zijn gezicht, je hoort het gebrekkige taalgebruik. Maar zolang je hart vol is van die ander is alles mooi. Zijn boertjes na het eten, zijn wereldwijsheden die nergens op slaan, de natte zoenen in je oor en het ongeduldig toeteren voor je deur. 'Ja, ik kom er al aan!' De dossiers achter slot en grendel, alle lichten uit, jas aan, tas mee en gaan.

'Hai lieverd, wat fijn dat je er al bent.' Ik zoen hem op zijn mond en trek het portier dicht.

Maarten heeft zijn nette pak nog aan, zijn stropdas hangt scheef en zijn haar zit door de war. Hij ziet er tegelijkertijd verward en verzorgd uit. Sexy. 'Jij bent knap,' zeg ik zwoel, en ik haal mijn hand door zijn haar.

'Ja, ja en jij bent laat.' Maarten trapt het gaspedaal stevig in. We schieten vooruit. Ik slaak een gilletje, zo'n kirrend schrikje, zoals vrouwen in films altijd doen. Maarten draait zijn hoofd naar me en glimlacht. 'Jij bent ook knap.'

Het is de laatste koopavond voor de feestdagen en we moeten wijn inslaan, lekkere dingen en cadeautjes. We gaan kerst vieren met Jacq en Peter onder een kerstboom, die ik voor het eerst in mijn leven heb aangeschaft. Ik doe mijn jas dicht en sla mijn sjaal nog een keer extra om mijn nek. Maarten pakt mijn hand en stopt 'm in zijn jaszak. We kijken in wat boetiekjes vol met trendy kleding. 'Nee, dat is te lastig om voor iemand anders te kopen.' Dan komen we langs een winkel met allemaal gadgets. Maarten lacht om een wekker die heen en weer wiebelt op een soort veer. 'Dit is misschien wel iets voor Peter.'

Ik lach mee. 'Misschien wel ja, maar laten we nog even verder kijken.' We struinen door de winkel.

'Dit is het!' Maarten pakt een enorme felgroene zak van de grond. 'Voor Jacq.'

'Nou, ik weet niet of ze dat echt leuk vindt. Ik heb haar nooit gehoord over een zitzak.'

'Je hebt gelijk. Geen goed idee. Ze komt er waarschijnlijk ook nooit meer uit.'

'Nou zeg.' Ik kijk mijn vriend verontwaardigd aan. De zoektocht gaat door.

'Ik heb iets moois gezien!' roept Maarten blij. 'Het is niet zomaar mooi, het is onwaarschijnlijk mooi, prachtig, schitterend gewoon, maar het is vast onbetaalbaar.' Maarten pakt zijn portemonnee uit zijn broekzak en begint zenuwachtig zijn geld te tellen.

'Ik kan het wel betalen,' zeg ik vlot en ik ben verbaasd over het feit dat hij geen creditcard of andere pasjes schijnt te hebben. 'Wat is het?'

'Ach, weet je,' zegt hij terwijl hij zijn portemonnee weer dichtklapt en wegstopt, 'ik steel het gewoon.' En hij tilt mij op, gooit me over zijn schouder en loopt de winkel uit.

Kijk! Het is me gelukt. Ik ben precies zo'n verliefd koppeltje als ik altijd van een afstandje gezien heb. Maar nu kijken ze naar mij en zijn jaloers. Nee, wijven, deze is van mij. En kijk eens: hij adoreert me. Mij, om mezelf. Om mij en ik alleen. En om mijn lekkere tieten natuurlijk.

Zes dagen na die eerste nacht zag ik hem weer. Ik was eigenlijk alleen maar naar de kroeg gekomen om te zeggen dat ik geen type ben voor een vaste relatie en zo. Maar om de een of andere reden wilde ik mijn pleidooi tegen de liefde steeds een paar minuten uitstellen. Uit nieuwsgierigheid, om te kijken, heel even nog, hoe het verder ging. Na drie glazen wijn wist ik niet meer wat mijn doel was, hadden we de voorgenomen film gemist en leek de daghap in de kroeg ineens een veel beter idee dan dat sterrenrestaurant. Maarten en ik bleken ongelooflijk veel gemeen te hebben: twaalf ambachten, dertien ongelukken; te veel verbroken relaties; een slechte band met zijn ouders, in zijn geval met zijn vader, want zijn moeder stierf toen hij nog een kind was; geen broers of zussen om de klachten mee te delen; positief; ambitieus; verwend; en merkgevoelig. Kortom, een perfecte match.

We duiken een groot warenhuis in. We dagen elkaar uit bij de lekkere geurtjes, bij de hoeden en sjaals, bij de tassen, en komen ten slotte uit bij de boeken. 'Wie leest er nou nog tegenwoordig,' zegt Maarten.

'Ik,' zeg ik nuffig, 'maar dan alleen als ik niet verliefd ben.'

'Een goed idee voor Peter en Jacq dus,' zegt hij alsof hij het zelf bedacht heeft.

'Je haalt me de woorden uit de mond.'

'Hoe dan? Zo?' vraagt Maarten en hij stopt zijn tong in mijn mond.

'Bijboobeetlfd.' Over de titels worden we het niet eens. Hij komt met een boek over fluisterende paarden. 'Voor zover ik weet heeft Jacq niks met paarden, en of Peter iets met paarden heeft, dat wil ik niet weten.' Ik kies een boek over een hond die vermoord is. Maarten lacht me uit. Hij houdt iets omhoog over een verwend prinsesje. 'Niet doen,' zeg ik beslist. 'Da's geschreven door een actrice en die kunnen niet schrijven.'

'Kom op nou, Max, het is vijf voor negen; we moeten opschieten.'

'Oké, oké.' Ik grijp achter me, van elk van de twee hoge stapels een boek. Kookboeken. Een van een man, en een van een vrouw.

'Heel goed, schatje. Doen!' Het belletje klinkt, gevolgd door de zalvende warenhuisstem: 'Wij willen u erop attent maken dat het negen uur is. Onze winkel gaat sluiten.'

We rennen terug naar de auto, springen over de plassen en zigzaggen tussen de fietsers door. Buiten adem komen we aan en zien meteen het gele blaadje op de voorruit zitten. 'Shit, vergeten te betalen.' Maarten pakt voorzichtig het natte velletje achter de ruitenwisser vandaan.

'Dat is toch geweldig?' zeg ik vrolijk.

'Ja, zeker omdat jij het niet hoeft te dokken.' Maarten kijkt naar het slappe papiertje en verfrommelt het dan.

'Nee, omdat we nu lekker naar mijn huis gaan en we geen parkeergeld meer hoeven te betalen.' Ik sla mijn armen om zijn middel, en druk hem stevig tegen mij aan.

'Daar zeg je inderdaad iets.' Hij kijkt me glimlachend aan, gooit het propje over zijn schouder en trekt me dan mee. Samen lopen we zo snel onze voeten ons kunnen dragen, naar mijn straat, naar mijn huis en naar mijn bed.

We zeggen elke dag tegen elkaar dat we het kalm aan doen. Dat we het niet kapot willen maken door te hard van stapel te lopen. Nee, dat is ons al te vaak overkomen. Wij bouwen het rustig op. Houden afstand. Echt waar. We houden geen rekening met elkaars agenda, maar het moet gewoon zo uitkomen, spontaan blijven. Je weet wel: 'Och, dan ben ik toevallig ook vrij.' 'Nee, dan kan ik niet. Maar misschien gaat de afspraak niet door…' 'Ik ga daar heel vaak lunchen ja, dus als je zin hebt om een keer mee te gaan…' 'Nee, ik was niet aan het wachten op je telefoontje, tuurlijk niet, daar heb ik het toch veel te druk voor.'

Het is een dunne lijn waarop ik balanceer. Vindt hij me leuk genoeg? Vind ik hem leuk genoeg? Is hij niet te claimerig. Ben ik niet te klef. Is hij wel knap genoeg. Ben ik interessant genoeg. Is hij niet wat te saai voor mij. Ben ik niet te veeleisend. Hij kan niet leuk zijn, want anders zou hij niet zo verliefd zijn op mij. Misschien is hij wel leuk, te leuk zelfs, maar heeft hij nog niet door dat ik niet voldoende inhoud heb. Enz enz enz. Een ietwat vermoeiend proces, maar vooralsnog gaat het en blijf ik in een wankel evenwicht overeind, in de hoop dat dit 'm is.

We kijken elkaar aan in het schemerdonker. Maarten streelt zachtjes mijn gezicht met zijn vingertoppen. 'Wat ben jij toch ongelooflijk mooi,' fluistert hij.

Ik glimlach. 'Misschien ben ik wel niet zo mooi als jij denkt.'

'Hoe zou dat kunnen?' vraagt hij zacht.

'Nou, omdat ik misschien wel anders ben.' Ik twijfel. 'Wat ik bedoel is dat ik niet zo makkelijk mijn minder mooie kanten laat zien.'

'Welke minder mooie kanten zouden er in jou verstopt kunnen zitten.' Maarten lacht en gaat nog dichter tegen me aan liggen. 'Ik heb een goed gevoel voor wat echt is en wat niet echt is, en jij bent echt. Echt mooi.' Zijn stem zoemt zacht tegen mijn gezicht.

'Is dat zo?' vraag ik en ik richt me op om zijn ogen te kunnen zien.

'Ja, dat is zo. Het enige wat ik me afvraag is hoe je zo mooi komt. Ik bedoel: wie heeft er zoiets goddelijks kunnen maken?'

Ik zucht. 'Laten we het daar maar niet over hebben.' Geen gedachten of beelden van mijn ouders nu. Niet nu. Ik duw Maarten op zijn rug, rol me op hem en blijf voor dood liggen. Even is er niks, en dan kietelt hij me weer tot leven.

16

Stille nacht, heilige nacht

We vieren kerst bij mij omdat ik het grootste huis heb, omdat ik de lekkerste cateraar heb en omdat ik de duurste wijn heb. Verschil moet er zijn. Mijn vrienden vermaken zich bij het haardvuur. Grapje. Heb je opgelet? Ik heb geen open haard, maar ik heb een dvd gekocht met anderhalf uur brandend haardvuur. We hebben net gegeten en ik trek de vierde fles St. Emilion Grand Cru open. 'Het was heerlijk, wat kun jij toch lekker koken,' zegt Jacq smalend.

'Maar dat kun jij binnenkort ook, lieve vriendin.' Ik pak twee cadeaus uit de kast en geef er een aan Jacq en een aan Peter.

'O, dank je…' zegt Jacq als ze het heeft uitgepakt.

'Sorry, Max, en natuurlijk jij ook Maarten,' begint Peter, 'maar ik ben er heel eerlijk in; ik heb 'm al drie keer.'

'Dan ruilen jullie toch?' zegt Maarten.

'Nou, daar heb ik er ook al twee van,' antwoordt Jacq opgelaten. 'Van deze heb ik nog maar één exemplaar in mijn kast staan.' Ze strijkt met haar hand over de foto van de kokkin, alsof ze haar persoonlijk kent.

'Ja, die heb ik ook al,' zucht Peter.

'Hier met die kookboeken,' zeg ik en ik gris ze uit hun handen. 'Stelletje ondankbare krengen.'

'Misschien moet je ze zelf houden,' zegt Maarten. 'Het wordt echt tijd dat jij leert koken.' Hij kijkt me aan met zijn plagerige lachje.

'O mijn god, mijn zogenaamd geëmancipeerde vriend blijkt

een ouderwetse kerel te zijn die de pot op tafel belangrijker vindt dan de schoonheid en intelligentie van zijn vrouw.'

'Het begin van het einde,' doet Peter er nog een schepje bovenop.

'Nou, uiteindelijk is het ook best belangrijk wat je eet,' zegt Jacq serieus.

'Eindelijk iemand die het met mij eens is,' valt Maarten haar bij en gebroederlijk slaat hij een arm om haar heen.

'Kom op nou Jacq, hoe durf je mij zo af te vallen.'

'Het is toch zo,' zegt ze verdedigend. 'Ik durf te wedden dat sec genomen een man gelukkiger is met een vrouw, of een vrouw met een man, dat maakt niet uit, ik bedoel het maakt niet uit wie het doet…'

'Ja, ja, maak nu maar je punt.'

'Mijn punt is dat schoonheid snel gaat vervelen, maar dat elke dag een heerlijke maaltijd voorgeschoteld krijgen nooit gaat vervelen.'

'Wat een ongelooflijke bullshit!' zeg ik.

'Vind ik ook,' zegt Peter, 'tegenwoordig kookt de supermarkt toch voor je.'

'Oké,' zeg ik, 'een aantal morele dilemma's. We doen of/of. Je moet kiezen. Maarten de eerste vraag is voor jou: schoonheid of kookkunst?'

'Schoonheid.'

'Dank je, lieveling.' Ik zoen hem innig op zijn mond. 'Nu jij.'

'Eehm, Jacqueline: wat kies je, vriendschap of liefde?'

Jacq twijfelt. 'Liefde.'

'Belachelijk! Vriendschap duurt veel langer, dat hebben wij toch al meerdere malen bewezen,' reageer ik heftig.

'Mond dicht, jij,' zegt Jacq, 'ik ben aan de beurt. Peter: rijkdom of roem?'

'Roem!' schalt Peter, 'al sterf ik straatarm, iedereen zal weten wie ik was!'

'Waarom?' vraagt Jacq verbaasd.

'Omdat anonimiteit de grootste armoede is die er bestaat. Roem geeft je liefdes om uit te kiezen, vertier om elke dag naar toe te leven en een eeuwig leven!' Peter is erbij gaan staan alsof het om een heiligverklaring gaat, armen gespreid, en hoofd naar de hemel gericht.

'Maar Peter,' Jacq probeert hem aan zijn hemd weer naar beneden te trekken, 'wat heb je daaraan als je dood bent?'

'Leven in de hoofden van anderen is ook leven,' zegt Peter nog even euforisch.

'Dus jij vindt het belangrijker wat er in andermans hoofden speelt dan wat er in je eigen hoofd speelt?'

'Niet te diep op ingaan, we moeten door, want we moeten verder!' zeg ik vrolijk. 'Peter, jij bent aan de beurt.'

Peter gaat weer zitten en vraagt op intimiderende toon: 'Max: seks of geloof?'

'Seks of geloof? Wat is dat nou voor een idiote vraag. Wat bedoel je met geloof?'

'Religie. Je geloof in God bijvoorbeeld.'

'Seks natuurlijk,' zeg ik droog, 'anders was ik toch wel een non geworden.'

'Nee, liefie, zo bedoel ik het niet. Ik bedoel geloven als hogere vorm van zijn. Geloven in iets wat boven ons beesten hier uitsteekt. Als essentie van het bestaan. Geloven in Allah, Boeddha, God of whoever, als metafoor voor een bovenmenselijke moraal?'

'Jezus, Peter, wat kun jij slap lullen.'

'Jezus. Je zei "Jezus". Dus je kiest voor geloof?'

'Nee,' gil ik, 'ik kies niet voor geloof. Ik kies voor seks!'

Maarten legt zijn handen op mijn borsten. 'Dank je, schatje.'

'Graag gedaan, lieverd.'

'Geen onderonsjes,' zegt Peter streng, 'morele dilemma's!'

'Ja, kom op Max,' zegt Jacq, 'maak het 'm moeilijk.'

'Oké, sssst, ik moet me concentreren.' Ik kijk Maarten aan, hij lacht lief terug. Zijn haar heeft hij achterovergekamd. Het litteken boven zijn linkerwenkbrauw is nu heel duidelijk zichtbaar. Zijn ogen kijken onschuldig helder.

'Maarten Haarhuis, je moet kiezen: gewoon leven zonder heldendom, of sterven en daarmee duizend mensen redden.'

'Dus ik moet sterven om leven te geven?'

'Ja, net zoals Jezus dat deed.'

'Goeie, Max,' fluistert Jacq en ze geeft een knipoog.

'Ik zou op zich best dood willen voor een goed doel, maar is daarmee ook een probleem opgelost? Bijvoorbeeld een oorlog?' vraagt Maarten hoopvol.

'Helaas,' is mijn antwoord. 'Je redt het leven van bijvoorbeeld duizend hongerende Afrikanen of je redt het leven van duizend doodvriezende Pakistanen, maar er zijn wel tienduizend hongerende Afrikanen en doodvriezende Pakistanen.'

Peter lacht. 'Wat ben jij erg, Max.'

'Hoezo?' zeg ik, 'ik stel alleen maar de vraag? Om de slechte boodschap hoeft de boodschapper toch niet dood.'

'Ik begrijp de vraag en hier komt mijn antwoord.' Maarten schraapt zijn keel. 'Ik ben niet bereid om te sterven voor het leven van anderen. Ik hoef geen wereldheld te zijn, als ik mijn moed maar kan tonen voor mijn vrienden en familie.' Hij kijkt mij pedant aan.

'Probeer het niet mooier te maken dan het is.' Ik verhef mijn stem. 'Jij bent een vuile egoïstische eikel. Jij vindt jezelf belangrijker dan duizend mensenlevens. Nu weet ik wat ik aan je heb.' Maarten kijkt me strak aan. De cd is al een tijdje afgelopen en het is ineens stil in de kamer. 'Geintje, jongens. Ik zou het ook niet doen.' Opluchting. Iedereen lacht. Gelukkig geen echte ruzie in de tent.

'Nou, ik weet niet of ik het niet zou doen…'

'Kom op Jacq, doe niet zo schijnheilig, als jij zo'n wereld-verbeteraar was, dan werkte je toch niet bij die domme spelle-tjesprogramma's, die er alleen maar op uit zijn om geld uit de zakken van werkloze losers te kloppen, want wie anders heeft er tijd om overdag uit verveling tv te gaan zitten kijken. En natuurlijk ben je lief, voor de mensen om je heen. En natuur-lijk stort je maandelijks wat van je slecht verdiende geld aan een paar goede doelen. Maar dat maakt jou nog niet tot een wereldverbeteraar. Geen van ons allen is een wereldverbete-raar. We zijn egoïsten pur sang. Denken alleen maar aan wat er voor ons in zit. We grijpen elke ramp aan om er een natio-nale happening van te maken. Om ons de illusie te geven dat saamhorigheid nog bestaat. We zingen "You'll never walk alone" en zwaaien met onze armen van links naar rechts en van rechts naar links. We scheppen een oneindig genoegen in andermans ellende. Het is kerst en wat doen we? We eten, we drinken en we maken flauwe grappen. Het betekent niets meer. Niets betekent nog iets.' Ik kijk rond in het kringetje: Peter heeft een stapeltje cd's van de vloer gepakt en is zorgvul-dig elk hoesje aan het bestuderen, Jacq staart naar het open-haardvuur en Maarten kijkt naar mij. Ik kijk naar hem maar vind hem niet. Ik sla mijn ogen neer. Mijn glas is leeg. 'Wie wil er nog wijn?'

Maarten praat met dubbele tong. We hebben het onderwerp weten terug te brengen naar waar het met kerst uiteindelijk al-tijd om gaat: eten. Hij vertelt wat zijn lievelingsgerecht was vroeger. Kip uit het pannetje. 'Ik vond het wel een beetje een rare uitdrukking, want iedere kip die mijn moeder klaarmaak-te kwam toch uit een pannetje. Maar deze "Kip uit het panne-tje" was heel speciaal. Het zachte vlees waar je de botjes zo uit kon plukken, de zoetige aardappelen, en zelfs de wortels, pa-prika en spruitjes smaakten lekker. Later, toen mijn moeder niet meer leefde en mijn vader het probeerde te maken, smaakte het naar hondenvoer. Dat heb ik ook tegen 'm gezegd.' Maarten hikt en lacht tegelijk. 'Ik heb het daarna nooit meer gegeten.'

'Ik at het liefst kaantjes,' giechelt Jacq. 'Dat ís eigenlijk een soort hondenvoer. Je weet wel, van die uitgebakken spekjes. Ik vond dat zo heerlijk dat ik de kaantjes van een heel varken in één keer op kon eten.' Ze zit onderuitgezakt tegen de bank en haar mond is paars van de wijn. 'Ik hou eigenlijk van alles wat slecht voor me is,' murmelt ze, 'bij mij is het kinderlijke trekje van altijd maar willen snoepen nooit overgegaan. Ik denk wel eens dat het bij iedereen zo is, maar dat de meeste mensen hun driften beter onder controle hebben dan ik.'

'Iedereen heeft wel een paar driften die hij niet onder controle heeft,' zegt Peter troostend.

'O ja, wat zijn die van jou dan?' Maarten krijgt de slappe lach om zijn eigen vraag.

Peter maakt zijn middelvinger nat met zijn tong en steekt 'm in de lucht. Maarten krijgt weer een lachaanval. We heffen onze glazen en klinken nog een keer op deze geslaagde avond. Jammer alleen dat ik er niet in kom. Ondanks de vele glazen wijn die ik inmiddels achterover heb geslagen word ik niet dronken. Het is alsof ik hier niet echt ben. Ik zit erbij en kijk ernaar. Peter begint te vertellen en iedereen giert het uit door de bloemrijke omschrijvingen van zijn lievelingseten. De heksenpotjes die zijn moeder voor hem bereidde. De nagelkaas en de oesterzwammen waar hij dol op is. Boerenkool die hij zum kotzen vindt, net zoals rookworst en vlees dat van het bot gekluifd moet worden.

'Max,' zegt Peter plotseling, 'waar hou jij van?' Ik heb geen idee. Ik kan me geen eten voor de geest halen. Waar hou ik van? Wat vind ik lekker? Ik weet niks te verzinnen. Ik weet zelfs niet meer hoe smaak smaakt. Ik kan me niet herinneren

wat mijn moeder vroeger klaarmaakte. We hadden ongetwijfeld een paar vaste gerechten. Bloemkool met een sausje of
iets van hutspot met worst, en later moeten we ook rijst en
pasta gegeten hebben, maar wat precies. Ik heb geen idee.
Toch hou ik van eten, tenminste ik vind het soms best wel
lekker, maar waar zou je mij nou voor wakker kunnen maken?

'Mahax, jij bent.' Maarten schudt aan mijn schouder.

'Ik vond wat we vanavond aten wel lekker,' zeg ik ten slotte.
En terwijl de rest uitbundig lacht om deze grap die niet als grap
bedoeld is, probeer ik te bedenken wat we gegeten hebben en
hoe het smaakte.

'Max houdt niet van eten, hè Max.' Mijn moeder stond met
haar zus Annie te praten die zichzelf later Annabel is gaan
noemen. Ze leunden allebei tegen het aanrecht met een kop
koffie in de hand en keken toe hoe ik mijn brood opat. Er zat
iets viezigs op, appelstroop geloof ik. Langzaam kauwend
werkte ik me door de vier sneeën heen, onder toeziend oog
van mijn moeder en tante. Ze praatten ondertussen over me
alsof ik er niet bij was. Over dat ik als baby al zo slecht dronk.
Mijn tante vroeg of ik uit de fles of uit de borst had gedronken. 'Uit de fles natuurlijk!' had mijn moeder geantwoord.
Iets wat mij heel logisch leek. Daarna ging het gesprek over
borsten. Ik kon het niet zo goed volgen maar vond het reuze
interessant. Mijn moeder zei dat ze ze zo mooi had gehouden, maar dat hij ze niet meer aanraakte. Ik keek op. 'Waarom moet papa je borsten aanraken?' had ik toen gevraagd.
'Eet jij nou maar gewoon je brood op en bemoei je niet met
een gesprek voor volwassenen.' Ik nam een grote hap en probeerde niks te proeven. Mijn tante had gevraagd hoe het was
tussen mijn vader en mijn moeder. 'Op en neer,' was mijn
moeders antwoord. Weer begreep ik niet wat ze bedoelde

maar tante Annie moest plotseling zo lachen dat ze de koffie uitproestte. Snel pakte mijn moeder een doekje en begon daadkrachtig de gemorste koffie weg te wrijven. 'Sorry Mia, sorry,' grinnikte mijn tante nog na. Met een geel doekje ging mijn moeder behendig over de keukenvloer. Spoelde haar lapje uit en begon de tafel te boenen. Er was ook op mijn brood geknoeid, want er zaten bruine zompige vlekken op. Ik zag mijn moeder kijken naar mijn bordje. Ik zag haar kijken, en ik zag dat ze het zag. Ze zag hoe vies mijn brood geworden was. Even twijfelde ze en toen zei ze: 'Til je bord eens op.' Met drie halen maakte ze de plek schoon waar mijn bord gestaan had en zei toen: 'Zo, dat is weer netjes.' 'Mama, mijn brood...' Ik hield mijn bord nog steeds in de lucht. Ik had verwacht dat ze het aan zou pakken. 'Gewoon opeten. Ik wil er niks meer over horen.' Ze spoelde het doekje nog een keer goed uit, hing het over de kraan en zei tegen haar zus: 'Zullen we lekker in de kamer gaan zitten?'

Later, als ik naast mijn vriend in bed lig, maalt het nog altijd door mijn hoofd. Keuzes.

Een lekkere smaak of een lekkere geur?

Een lelijke ketting als erfstuk of een mooie zelf uitgekozen ketting?

Een telefoonverbinding of televisieaansluiting?

Een zonnige winterdag of een bewolkte zomerdag?

Een boterbloem of een narcis?

Een beekje met stromend water of een rimpelloos meertje?

Een broek met wijde pijpen of een broek met smalle pijpen?

Een baard of een snor?

Een gehandicapte broer of helemaal geen broer?

Een ongeneeslijke lieve moeder of een kerngezonde vervelende moeder?

Cremeren of begraven?

Warm of koud?

Ik ga met mijn borsten en mijn buik tegen de rug van Maarten liggen, ik sla mijn arm om zijn arm en krijg het ietsje warmer.

17

Zullen we het nog een keertje overdoen

Tweede kerstdag. In Frankrijk bestaat dat niet. Daar hebben ze er maar één, net zoals in veel andere landen. Welke Nederlander zou bedacht hebben dat er nóg een kerstdag moest komen? Vast iemand die een rottige eerste kerstdag had beleefd en vroeg of het nog een keertje over mocht. De machthebber in die tijd, koning Willem ii of zo, heeft toen gezegd: 'Vooruit dan. Maar dat is echt de laatste hoor, dan is het afgelopen.'

Het is niet dat ik een slechte eerste kerstdag heb gehad, maar ik kwam er niet echt in. Ondanks de versierde boom, de feestelijke maaltijd en de lieve vrienden. Ik doe bijna nooit aan kerst, dus misschien ben ik vergeten hoe het moet. Voor zover ik dat ooit geweten heb. In elk geval mag ik nog een poging wagen. Het begon vanmorgen al goed. Maarten bracht me een heerlijk ontbijt met verse jus en croissantjes. Toen hebben we gevreeën tussen de kruimels. Gisterenavond was het er niet meer van gekomen, en ja, in zo'n feestweekend moet je natuurlijk ook geneukt hebben, anders is er iets mis met jou of met je relatie. Dus hop de benen wijd en beuken maar. Holadihee. Holadihoo. Allebei klaar? Zo, de dag kan beginnen.

Toen we gedoucht hadden vroeg Maarten of ik toch niet mee wilde naar zijn familie. Ik kuste hem op zijn neus en zei dat we nog jaren kerst konden vieren bij zijn familie. Op zich had ik best wel mee gewild, indruk maken op familie en vrienden van anderen is een van mijn grote talenten, maar daar zouden dan weer zo veel verwachtingen uit voortvloeien en daar had ik nog even geen zin in. Bovendien zou Maarten dan ook snel aan mijn moeder voorgesteld willen worden en daar had ik al helemaal geen zin in. Laten we elkaar nog even niet lastigvallen met onze achterban. Met ons onuitwisbare en onvermijdelijke verleden. Ik heb al genoeg om handen met mijn eigen verleden, dus dat van hem hoef ik er nog even niet bij te hebben. Nee, nee, nee.

Ik ben vrolijk. Ik ben vandaag vrolijker dan gisteren. Misschien ben ik het omdat ik het niet meer hóef te zijn. Ik kan pas iets als het niet hoeft. Autoriteitsprobleem. Bindingsangst. Verlatingsangst. Borderline. You name it. Ik ben vrolijk.

Maarten is net de deur uit en ik kan elk moment worden opgehaald door mijn lieve oom Eugene. We gaan Ben opzoeken. Het is de eerste keer dat hij Ben ontmoet en ik geloof dat hij nog steeds twijfelt aan mijn verhaal. Ik bedoel, hij vertrouwt me wel, hij denkt niet dat ik lieg of zo, maar waarschijnlijk moet hij hem eerst met eigen ogen zien om het echt te geloven. Ik merkte ook dat hij zenuwachtig was, want hij vroeg of hij een knuffelbeer kon kopen of liever lego, of misschien toch alleen maar een bosje bloemen. 'Muziek,' zei ik, 'daar houdt Ben van. En van mooie plaatjes van heiligen. Je weet wel, van die kitsch uit Lourdes. Ik denk dat er ooit een doos met dat spul van een vrachtwagen is gevallen in de buurt van het verzorgingstehuis, want het hangt er daar helemaal vol mee.' 'Vraag je je moeder niet mee?' vroeg mijn oom nog. 'Nee,' had ik geantwoord. Mijn moeder had me een kerstkaart gestuurd, dit jaar en ik had haar een leuke kerstkaart teruggestuurd en daarmee waren we van onze verplichtingen af. Bovendien had ze na 'de grote confrontatie' nooit meer iets gezegd of gevraagd over haar zoon. Onbegrijpelijk. Hij werd achtendertig jaar doodgezwegen, toen werd hij even benoemd, waarbij iedereen een traantje liet en daarna werd hij weer doodgezwegen. Maar ik vond het niet erg. Ben was inmiddels van mij geworden en mijn moeder moest met haar poten van hem afblijven. Mijn oom was heel anders. Hij had er elke keer opnieuw naar gevraagd. Hoe dat nou toch kon. Dat hij dat niet verwacht had van Mia. En niet van Bernard. Sinds wanneer ik het wist. Of het een gelukkige jongen was. Wie er voor hem betaalde. Enzovoort enzovoort. Ik had rustig antwoord gegeven op elke vraag die hij stelde, en na elke zin werd het lichter in mijn hart. Na elk woord over Ben leek het alsof ik meer zuurstof binnenkreeg. Eindelijk was er iemand met wie ik kon praten over mijn broer.

De bel! Ik pak mijn tas, jas, handschoen en sleutels, en ren de deur uit. Oeps, bijna vergeten. Ik ren terug en pak de grote ingepakte doos uit de gang. 'Dag lieverd.' Mijn oom probeert me te omhelzen maar hij heeft in zijn handen een even grote doos, wat resulteert in een soort onhandig gebots.

'Hoi oompje,' zeg ik vrolijk, 'zo te zien is het gelukt met je cadeautje?'

'Ja,' snuift mijn oom, 'wat zit er in jouw doos?'

'Nou, zeg! Wat is dat nou voor een impertinente vraag.' Niemand is gemakkelijker op de kast te krijgen dan mijn oom. Ik pak hem bij zijn vrije arm en zeg: 'Op naar de auto.'

'O, dus we gaan gelijk al?'

'Ja, wat wilde jij dan, uitstel van executie?'

'Neu, neu.' Mijn oom lacht schamper. 'Ik kon de auto niet kwijt,' zegt hij, 'dus het wordt een eindje lopen.' Ik trek de kraag van mijn jas nog wat omhoog en laat me leiden door mijn oom.

Het is een witte dag. Het heeft niet gesneeuwd, maar toch is alles wit. De stoep is licht uitgeslagen door het eerder gestrooide zout, het is wat heiig door de laaghangende wolken, de takken van de bomen zien er breekbaar uit, over de auto's liggen dekentjes van ijs en zelfs de voorbijgangers hebben bleke gezichten. Mijn nieuwe laarsjes met dunne hakken klinken dof op de tegels. Het geluid van de kou.

Je kunt de kou ook horen als je goed luistert. Luister maar eens naar het waaien van de wind op een dag in december. Het klinkt koud. Net zoals er een verschil wordt gemaakt tussen de feitelijke temperatuur en de gevoelstemperatuur, zo zou je ook de gehoorstemperatuur kunnen meten. De wind klinkt koud door de bomen.

Mijn tenen worden stijf en mijn kaak zit klem. 'Zijn we er bijna?' vraag ik hoopvol.

'Ja, hier om de hoek.' Eugene drukt mijn arm stevig tegen zich aan. Ik denk om me te beschermen tegen de ijzige lucht die aan het eind van dit huizenblok op ons wacht. Ik zet me schrap, maak kleine spleetjes van mijn ogen en dan slaat ze vol in ons gezicht. Wow, dat doet pijn. Mijn oom houdt zijn pas in. Kom op, ik wil doorlopen. Dan een bekende stem. Mijn moeder staat tegenover ons in een keurige lange jas met bontkraag, opgestoken haar en een tasje met kleine zwarte kraaltjes, dat ik nog ken uit de tijd dat ik nog thuis woonde. 'Dag Eugene, dag Maxime.'

'Hai, mam.'

'Zalig kerstfeest, Mia,' zegt mijn oom en hij geeft haar drie formele zoenen. Ik weet dat ik hetzelfde moet doen, maar het is zo koud, zo ontzettend koud, en ik ben bang dat ik aan mijn moeder vastvries als ik haar zoen. Maar het moet, het moet. Ze wacht op me.

'Zalig kerstfeest, moeder.' Ik buig me voorover en zoen een, twee, drie keer. En weg. Het is gelukt. We kijken naar elkaar. Het is altijd raar om bekenden te zien op onverwachte momenten, op onverwachte plekken. Vertrouwd en niet vertrouwd tegelijk. Onbedoeld. Ik zie ons zoals mijn moeder ons moet zien: gearmd, met aan weerszijden een groot pakket. Ze zal zich afvragen waarom ze geen deelgenoot is van dit feest. Als ze maar niet vraagt waar we naartoe gaan.

'Waar gaat de reis heen?' vraagt mijn moeder beleefd. O mijn god, niet zeggen Eugene. 'Euh, we gaan…' begint hij twijfelend.

'Naar het centrum voor thuis- en daklozen,' maak ik zijn zin snel af. En ik vraag me af of je dat inderdaad zo noemt.

'O,' zegt mijn moeder verbaasd, 'dat zit toch in Zuid?' Hoe weet zij dat nou weer, alsof zij ooit iets heeft gedaan voor de minder bedeelde medemens.

'D'r is er hier een eindje verderop ook een gekomen,' bluf ik.

'Och, wat leuk, dat wist ik niet.' Leuk? Hoezo leuk? Vind je het leuk dat er meer daklozen zijn, of vind je het leuk dat er een nieuw centrum is waar ze je nog niet kennen, óf vind je het leuk dat we daarnaartoe gaan? Wat is hier in godsnaam leuk? We staan hier in die teringkou een lullig beleefdheidsgesprek te voeren over niks. Kom, opbreken die handel. Wegwezen hier.

'Waar ga jij heen?' vraagt mijn oom, die blijkbaar mijn ergernis niet deelt.

'Naar de opera,' zegt mijn moeder geaffecteerd. O-PE-RA. En met wie ga jij dan wel niet naar de O-PE-RA? Wie wil er nou met jou naar de O-PE-RA?

'Goh, wat leuk,' zegt mijn oom op een manier waardoor ik de indruk krijg dat hij zelf ook liever naar de O-PE-RA was gegaan. 'Welke wordt er opgevoerd?' Ik druk de arm van Eugene even aan als teken dat ik door wil. Hij heeft niks in de gaten.

'*Die Zauberflöte.*' Een toverfluit, ik had het kunnen weten. Welke toverfluit moet zij gaan bespelen om een happy end te krijgen.

'Goh, wie spelen erin mee?' Eugene, houd je bek!

'Dat zou ik voor je moeten opzoeken.' Mijn moeder wil haar tasje al openmaken.

'Laat maar mama, wij moeten weer door, anders gaan die arme sloebers van hun stokje. Ze hebben al twee dagen niet gegeten.' En ik hou het cadeau omhoog alsof het om een voedselpakket gaat.

'O, nou veel plezier da… ik bedoel: goed van jullie.'

'Dank je mama, jij ook plezier en ook goed van je.' We nemen afscheid en mogen eindelijk uit de koude luchtstroom stappen. Zo, weg.

Als we in de auto zitten, vraagt Eugene of ik er geen probleem mee heb om zo te liegen. 'Nee,' zeg ik, 'ik heb alleen een probleem met zo'n moeder.' Eugene zegt niets. Ik weet dat hij het vreselijk vindt als ik zo praat, maar hij zal er nooit tegen ingaan. Hij wil graag dat de wereld bedekt wordt met een laag suikerspin, waardoor je niet goed kunt zien aan wie je blijft vastkleven. Iedereen een beetje aan iedereen. Lekkere zoetige roze wereld. Ik heb spijt. Ik wil aardig zijn tegen hem. Gewoon aardig en oprecht.

'Sorry, maar we konden echt niet tegen haar zeggen dat we naar Ben gaan.'

'Nee, dat begrijp ik,' zegt hij zacht, 'maar je moeder is ziek, Max. Misschien kun je wat liever voor haar zijn?' Niet jij ook. Ik was zo vrolijk vandaag. Ik moet me mijn hele leven al schuldig voelen over wat ik mijn moeder aandoe, maar niemand heeft het over wat zij mij aandoet. Ik zwijg en kijk uit het raam naar de lege weilanden.

Als we de snelweg af rijden en ik mijn oom de weg wijs, breekt ineens de zon door. De winterzon die fel in je ogen schijnt en het landschap een gouden gloed geeft. De wereld is niet meer wit. De wereld is geel.

'Wat zit er eigenlijk in jouw pakje?' vraag ik voordat we de deur van Bens kamer binnengaan.

'Een cd-speler…' zegt hij met een twijfelende blik. 'Jij ook?'

'Nee,' zeg ik, 'een plastic kerstboompje met lichtjes en een zingende kerstman.' Mijn oom doet drie passen naar achteren om mij voor te laten gaan. Ik voel met hem mee. Ook ik word nu zenuwachtig. Alsof ook ik voor de eerste keer mijn broer opzoek. De deur kraakt akelig als ik 'm openduw. Ben zit zoals gewoonlijk in zijn stoel voor het raam.

'Vrolijk kerstfeest, Ben,' zeg ik op mijn allerliefst. Geen reactie. Mijn oom duwt de deur achter mij nog iets verder open waardoor het weer oorverdovend kraakt. 'Hallo…' zegt hij aarzelend. Ben blijft onbeweeglijk zitten.

'Ben, ik heb iemand meegenomen. Kijk eens.' Ik duw Eugene naar voren alsof hij een cadeautje is, maar Ben vertrekt nog steeds geen spier. 'Ben…?' Ik loop naar hem toe en dan pas zie ik het elastiek dat door zijn haar loopt. Van links naar rechts, eindigend aan de voorkant in iets voor zijn gezicht. Ik kom nog dichterbij en hoor hem snuiven door zijn neus. Steeds sneller. 'Ik ben het, Ben. Wil je je omdraaien?' Het ademen stopt plotseling. Voorzichtig leg ik mijn arm op zijn schouder en dan draait hij zich om. 'BBBOOOOEEEEEEHHHH!!!!!' Ik deins achteruit door het enorme geweld waarmee mijn broer zich op mij stort, stuiter tegen mijn oom die achter me staat en bots met mijn neus tegen Bens onderkaak. AUAUAUAUAUAU- AUAWWWWW! Ik grijp naar mijn neus.

'Hahahahahah. Jij schrikt. Ben gedaan. Hahahahaha.' Ik kijk omhoog en zie een vrolijk maskertje van Rudolph the red-nose reindeer voor het gezicht van mijn lachende broer. 'Jij ben geschrikt, jij ben geschrikt.' Heftig schuddend giert hij het uit. Ik probeer het bloed op te vangen in het kommetje van mijn handen, maar het druppelt tussen mijn vingers door over mijn Anna Sui-blouse, over mijn Girbaud-broek en over mijn Marc Jacobs-laarsjes. Waar is de wasbak? Schuin achter Ben.

'Ben, ik moet er even door.' Ben staat plotseling stil. Door de twee kleine gaatjes in het masker kijkt hij naar mijn oom.

'Hallo Ben,' begint Eugene voorzichtig, 'ik ben oom Eugene. Je mag me best oom noemen.' 'Niet zeggen oom. Ben vindt oom eng.'

'Dan noem je me gewoon Eugene,' zegt mijn oom vrolijk.

'Oom is eng. Altijd oom eng.'

'Hij is niet eng hoor, hij is lief,' klinkt mijn stem nasaal door mijn druppelende neus. 'Ben, ik moet er even langs want ik heb een bloedneus.' Nu heb ik eindelijk de aandacht van mijn broer.

'Bloed waar, waar?'

'Het is niet erg, het is alleen mijn neus, net als Rudolph.'

'Hij is Eugene,' zegt Ben en hij wijst naar mijn oom.

'Ben, laat mij nou even bij de wasbak.'

'Wasbak. Waar?'

Ik zucht. Het bloed stroomt nu via mijn pols in mijn mouw. Ik mag niet mijn geduld verliezen. 'Zet even je masker af, Ben, dan kunnen we beter praten.'

'Praten!' roept hij blij. Hij haalt enthousiast zijn armen omhoog, en stoot daarbij keihard tegen de onderkant van mijn gevouwen handen, waardoor het zorgvuldig opgevangen bloed, vol in mijn gezicht terechtkomt, alsof ik het probeer terug te gooien in mijn neus. Mijn broer, die het kennelijk gelukt is om zijn masker af te zetten, begint hysterisch te gillen. 'BLOEOEOEOEDDD!'

Het bloed prikt in mijn ogen. Op de tast zoek ik de kraan. Ik struikel over Ben, die zich op de vloer heeft gestort. Kruipend gaat mijn weg verder. Ik hoor de sussende stem van mijn oom tussen het gegil door. Als ik het koude steen van de wasbak voel trek ik me omhoog. Ik heb de kraan gevonden en draai 'm open.

'Ben, nu is het afgelopen!' hoor ik mijn oom ineens boven alles uitkomen. Ik stop mijn hoofd onder de waterstraal. Dan gaat er een deur open en klinkt de stem van Bens verzorgster mevrouw Zwanenbeek: 'Waarom is het hier zo'n herrie?' Ik draai de kraan dicht, droog mijn gezicht af en probeer iets te bedenken. Eugene is mij voor. 'Hallo, mag ik mij even voorstellen, ik ben de oom van die twee.' Hij zit naast Ben op de vloer in kleermakerszit. 'Die jongen heeft ons wel aan het schrikken gemaakt, zeg.' Mijn oom pakt het masker van de vloer en houdt het voor zijn eigen gezicht. 'Boe! Goed gelukt hoor, kerel.' Hij slaat een arm om Ben heen. Ben kijkt hem aan en ik hou mijn adem in. Ik weet dat als hij weer overstuur raakt we direct onze biezen kunnen pakken. Dan begint hij te lachen.

'Ha ha, oom Rudolph, hahaha.' Ik loop op mevrouw Zwanenbeek af en ik steek spontaan m'n hand naar haar uit. 'Zalig kerstfeest, mevrouw Zwanenbeek.' Ze kijkt me onderzoekend aan. Ik hoop dat er geen bloed meer uit mijn neus loopt.

'Insgelijks,' zegt ze dan. Ze draait zich om en loopt de kamer uit. Opgelucht haal ik adem en ga naast mijn familie op de vloer zitten.

'Jij oom Rudolph,' zegt Ben nog een keer en hij schuift wat dichter naar mijn oom. Eugene kijkt me trots aan. Het ijs is gebroken.

18

Afscheid

Hoe kan het dat iemand die gaat sterven er zo normaal uitziet? Gewoon normaal, geen rare bulten of abcessen op het
lichaam, geen zweren op het gezicht of haaruitval. Ik kijk
naar mijn moeder, die in een keurig mantelpakje, een glaasje
wit in haar handen, rondloopt op mijn afscheidsborrel. Eugene heeft zijn best gedaan om er een feestelijke gelegenheid
van te maken. Hij heeft slingers opgehangen en een poster
gemaakt met allemaal foto's van mij en mijn collega's, waar-
boven met grote letters geschreven staat: WE ZULLEN JE
MISSEN, MAX! Bovendien heeft hij niet alleen de directe collega's uitgenodigd maar ook een paar vaste klanten en wat
mensen van de holding. Hij vroeg me of ik er een probleem
mee had als hij mijn moeder ook uit zou nodigen. 'Natuurlijk niet,' had ik geroepen alsof het de grootste vanzelfsprekendheid was. Ondertussen dacht ik: die komt toch niet. Is
bang, of heeft geen zin, of moet weer naar de O-PE-RA. Maar
ze was er wel en had zelfs een cadeautje voor me meegenomen. Een badhanddoek met mijn voor- en achternaam erop.
'Goh, handig!' zei ik enthousiast, 'kan ik me niet meer vergis-
sen bij de gymles!'

'Waarom valt mijn moeders haar niet uit?' vraag ik zachtjes
aan mijn oom.

'Ze heeft medicijnen en volgt een speciaal dieet, maar che-
mo heeft geen zin meer.' Kut, had ik maar niks gevraagd.
'Praat je nooit met je moeder over haar ziekte?' vraagt mijn
oom. Hij kijkt me aan op een manier die me buikpijn bezorgt.

'Ik heb geen zin om het er nu over te hebben, het is tenslotte feest vandaag,' zeg ik en ik hou mijn glas in de lucht voor een chin chin, een nostrovia of een cheers.

'Ja, gezondheid,' zegt mijn oom en hij tikt zijn glas tegen het mijne aan.

Hannie heeft het woord genomen. 'Wij vinden het natuurlijk heel jammer dat je weggaat, Maxime, maar we hebben er ook profijt van. Dit klinkt misschien raar maar ik heb samen met je andere collega's een lied gemaakt over je minder leuke kanten. Om je vertrek een beetje te verzachten, zeg maar.' Ze giechelt. Goh, die Hannie, eindelijk wraak. Twee collega's voegen zich bij haar en dan beginnen ze te zingen.

'De A is van Aardig, dat ben je niet vaak. De B is van Brommen over ons en de zaak. De C is van Computer, die laat je vaak aan. De D van de Deur, die je open laat staan.' Nou, het is haar gelukt hoor, ze heeft de lachers op haar hand gekregen. Ha ha, wat leuk. 'De E is van Ellende, die jij ons vaak geeft. De F van fiasco, en dan zeg ik het beleefd. De G is van Geestig, dat ben je soms wel. Maar de H is van Hevig, je springt snel uit je vel. Van je hela hola, van je helada jodelidee. Van je hela hola.' Er wordt leuk meegezongen en -geklapt met het refrein. Mijn oom heeft bij me ingehaakt en ik kan niet anders dan meegaan in zijn bewegingen van links naar rechts en van rechts naar links. Aan de zijkant van de kamer staat mijn moeder mee te lachen en te klappen. Waarom in godsnaam. Was gewoon thuisgebleven. Een beetje hier de schijn op lopen houden. Meelachen om dit domme lied is echt te kansloos. Dat ze dat zelf niet in de gaten heeft. 'De I is van Interesse, die heb je niet veel. De J van Jacqueline, die bel je het meest. De K is van Koffie, die drink je…' De deur stoot vol tegen mijn fragiele moeder aan en Jacq stapt met dikke winterjas, gekleurde sjaal en rode konen de kamer binnen.

'Als je het over de duivel hebt!' roept Eugene. Iedereen lacht.

'Oh pardon, het spijt me,' zegt mijn vriendin schuldbewust.

'Nee, joh, maakt niet uit!' roep ik lachend, ik ben blij dat ze er is. Ze kijkt me vragend aan en wendt zich tot mijn moeder: 'Weet u zeker dat het gaat?' Dan begrijp ik dat haar verontschuldigingen voor mijn moeder waren bedoeld. Er wordt opnieuw ingezet.

'De K is van Koffie die drink je met bakken. De L is van Luiheid, je bent voorzien van alle gemakken. Van je hela hola, van je helada jodelidee.' Jacq staat nog steeds naast mijn moeder, ze heeft haar hand op mijn moeders schouder gelegd. Mijn moeder voert het woord, maar ik kan niet verstaan wat ze zegt.

Mijn moeder mocht Jacqueline niet, al vanaf de eerste keer dat ik haar mee naar huis nam. Ze was de dochter van de plaatselijke Hubo-eigenaar en dat was verre van chic genoeg. 'Wat heeft dat meisje onverzorgde kleren. Hebben ze die zelf gemaakt?' 'Weet ik niet, mam, maar mag ze komen logeren?' 'Nee, Maxime, het komt echt niet uit dit keer.' Een volgende keer vroeg ik het weer, maar het kwam nooit uit. Tot ik aankondigde dat ik bij Jacq mocht logeren. Haar ouders hadden al goedkeuring gegeven. Mijn moeder was ineens om. 'Eh, nou vooruit, ze mag vanavond wel hier komen slapen, maar dan gaan jullie eerst in bad.' 'Hoezo, we gaan toch nog niet naar bed?' 'Nee, maar je kunt er maar beter van af zijn. Schoon is schoon.' 'Maar mam, het is vier uur.' 'Maxime, je hebt me gehoord.' Die avond, toen we keurig in onze pyjama aan tafel zaten en mijn moeder het eten opschepte, zei ze: 'Zo Jacqueline, ik geef jou wat minder, want ik neem aan dat je op dieet bent.' Toen mijn moeder even weg was om de telefoon op te nemen hebben we snel onze borden omgewisseld. Om haar aandacht af te leiden vroeg ik wie er gebeld had. 'O, dat was je vader, dat hij niet kwam eten omdat hij in een hele belangrijke bespreking zit.'

'Nou, dan zit hij wel heel vaak in een belangrijke bespreking,' zei ik, 'want hij is er bijna nooit met het eten.' Mijn moeder gaf me een standje met haar ogen.

'Mijn vader heeft nooit een bespreking want die is er altijd,' zei Jacq en ze nam nog een stevige hap van het draadjesvlees.

'Ik wou dat mijn vader er altijd was. Veel gezelliger.' Met ingehouden woede keek mijn moeder me aan. Ik wist dat ze die avond niets zou doen om me te straffen. Die avond niet. Ik at het laatste boontje op, liet een boer en legde mijn bestek netjes schuin op mijn bord. 'Zo, opperdepop!'

De volgende dag, toen ik uit school kwam, kon ik meteen naar mijn kamer omdat ik zo'n vreselijk brutaal kind was.

'De Y is van Yvonne, die komt in jouw plaats. En de Z is van Zorgen, die ze ons nu al bespaart.' Applaus. Hannie straalt van de aandacht en maakt zelfs een kleine buiging. Dan herpakt ze zich en zegt op formele toon :'Beste Maxime, je begrijpt natuurlijk wel dat het een grapje was.'

'O?' zeg ik verbaasd. 'De pointe is me even ontgaan.'

'Je bedoelt waarschijnlijk de clou.' Hannie. Denkt altijd dat ze het beter weet. 'In elk geval willen we je nog een cadeau aanbieden.' Ze pakt een groot pakket van de tafel achter haar.

'Nou, daar kan gelukkig geen koffiemok in zitten,' zeg ik vrolijk en ik neem het cadeau van haar aan. De doos die tevoorschijn komt als ik het papier eraf gehaald heb verraadt nog niets van de inhoud. Ik maak de klep open en zie: een reuzekoffiebeker! Als ik 'm eruithaal kan ik de ludieke tekst lezen. HANNIE GAAT NIET MEER VOOR JE IN DE BENEN, DUS KUN JE BETER EEN EMMER KOFFIE NEMEN. 'Wat leuk! Dank jullie wel.' Ik kijk naar het blije gezicht van Hannie en vergeef haar in één klap alles. Ik loop naar haar toe, geef haar drie klapzoenen en til haar nog een laatste keer op.

'Euhm… dames en heren, ssst, mag ik even jullie aandacht?' Eugene heeft het woord genomen en vouwt het papiertje dat hij achter uit zijn broekzak haalt open 'Graag wil ik nog het woord richten tot mijn ex-collega, mijn nichtje en mijn oogappel, Maxime.' Lieve oom Eugene, altijd bereid tot een complimentje. 'Je gaat ons verlaten omdat je verder wilt. Je hebt de wens om een groot actrice te worden. Er is moed voor nodig, dames en heren, om je zekerheid in te ruilen voor hoop. Hoop dat het onwaarschijnlijke waarschijnlijk wordt. Dat je lang gekoesterde droom werkelijkheid wordt.' Over zijn blaadje kijkt hij me ernstig aan. 'Jij hebt al je moed bijeengeraapt om die stap te durven zetten. Dat is heel knap. Maar ik wil je waarschuwen, meisje.' Hij laat een dramatische pauze vallen. 'Verlies nooit uit het oog waar je vandaan komt. Daarom verzoek ik je, wat zeg ik, ik *gebied* je, om zo nu en dan een kaartje te sturen of een belletje te doen. Dankjewel, lieve Maxime, voor het plezier, de gezelligheid, de opwinding en de stress die je ons bezorgd hebt de afgelopen jaren. Dames en heren, mag ik een daverend applaus voor onze Max!' Applaus. Shit, ik ben hier niet goed in. Waarom raken deze pathetische teksten mij het meest?

'Dank allemaal, bedankt.' Ik omhels mijn oom en fluister in zijn oor 'Je hebt je roeping gemist oompje. Je had predikant moeten worden.'

'Da's waar', hij strijkt vaderlijk over mijn haar, 'maar gelukkig ga jij je roeping niet missen.'

Mijn moeder staat nog steeds naast Jacq. Ze veegt met een papieren zakdoekje onder haar ogen en doet haar best om mijn blik te mijden. Mijn oom beweert dat ik moedig ben, laat me dat dan ook maar bewijzen. Kordaat stap ik op hen af.

'Hoi, Jacq! Jullie hebben elkaar al gevonden, zie ik.' Mijn moeder kijkt me verschrikt aan.

'Ja, we hadden het er net over dat het zeker een jaar of vijf, zes geleden is dat we elkaar voor het laatst hebben gezien,' zegt Jacq op een niets-aan-de-handtoon.

'Precies vijf jaar en zeven maanden,' zeg ik opgewekt. 'Je weet wel, op de begrafenis van papa. O nee, daar was jij helemaal niet bij, mama.' Als blikken konden doden. Ho, ho, ik wist niet dat-ie zo hard aan zou komen. Het was een grapje. Er worden hier voortdurend grapjes gemaakt. Het is het soort gelegenheid. Toe, hou op met kijken. Kan ik er wat aan doen dat hij je rot behandelde? Kan ik er wat aan doen dat hij je uit zijn testament heeft geschrapt?

Ik wil weglopen, maar dan zegt Jacq: 'Je moeder vertelde dat ze met een speciaal dieet bezig is. Het klinkt wel hoopgevend.'

'Wat voor dieet volg je, mama?'

'Het Moermandieet, dat is speciaal ontwikkeld voor mensen die de ziekte op een natuurlijke wijze willen bestrijden.'

'Geloof je dat het helpt?' vraag ik oprecht geïnteresseerd.

'Op zich wel.' Ze stopt het zakdoekje terug in haar tas. 'Ik voel me er in elk geval een stuk beter door.'

'Dat is ook wat waard,' zeg ik en ik hoor mijn woorden nagalmen in mijn hoofd.

'De artsen zeggen dat het mijn leven met een of twee jaar kan verlengen.'

Hoe breng ik dit gesprek weer naar een luchtiger onderwerp? 'Je wordt er in elk geval niet kaal van.'

'Nee.' Ze verplaatst haar gewicht van het ene naar het andere been.

'Wilt u zitten?' is Jacq me voor. Ze gaat een stoel zoeken, en laat mij alleen achter bij mijn moeder. 'Heb je al werk als actrice?'

'Nee, zo snel gaat dat niet,' antwoord ik.

'Ik hoop maar dat het je lukt. Je hoort altijd dat het een harde wereld is.'

'Ach mam, maak je maar geen zorgen, ik ben wel wat ge-wend.'

Ze kijkt me aan en weet niet hoe ze mijn woorden moet in-terpreteren. 'Wist je dat ik vroeger danseres wilde worden?' vraagt ze.

'Nee, dat heb ik nooit geweten. Waarom ben je het niet ge-worden?'

'Omdat mijn vader het niet goed vond.'

Ze strijkt een grijsblonde lok uit haar gezicht. Ik zie het in-eens voor me. Mijn moeder op haar twintigste in een tutu. Zou ze daarom zo verbitterd zijn geraakt?

'Waarom ben je niet tegen hem ingegaan?' vraag ik nieuws-gierig.

'Ik was niet zo rebels als jij.' Mijn moeder glimlacht naar me. 'Ik durfde niet tegen hem in opstand te komen.'

'Goh.'

'Maar goed dat jij het wel durft. Ook natuurlijk pas nu er geen mannen meer in je leven zijn.'

'Wat bedoel je?' Geen idee wat dit nou weer voor een insi-nuatie is.

'Dat je vader er niet meer is maakt het voor jou natuurlijk ook gemakkelijker. En je hebt geen vriend…'

'Wat bedoe…'

'Hoezo, komt hij niet?' Jacq heeft mijn bureaustoel uit mijn kantoor gerold en staat opgewekt voor ons. 'Sorry, het duurde even. Gaat u zitten.' Ze helpt mijn moeder in de stoel en vraagt nog een keer: 'Komt Maarten niet?'

'Nee.'

'Wie is Maarten?'

'Gewoon een vriend van ons,' zeg ik snel.

Jacq heeft het eindelijk door. 'En Peter?' vraagt ze alsof ze het daarmee oplost.

'Peter is een homo,' zeg ik, 'en hij moest werken.'

'Fijn dat je zo veel vrienden hebt, lieverd. Vrienden zijn belangrijk in je leven.'

Wat is dit? Krijg ik nog een soort instant les in de belangrijke dingen des levens.

'Jullie zijn ook al zo lang vriendinnen, dat moet je koesteren.'

'Dat doen we ook, mam. We zitten de hele dag door te koesteren. Ik koester me gek, echt waar.'

'Fijn voor je.'

'Ja, fijn voor je, Max,' voegt Jacq eraan toe, en ik moet moeite doen om mijn lachen in te houden.

'Hoe gaat het eigenlijk met jouw ouders, Jacqueline?'

'Oh, goed hoor. Ze doen het nog altijd zelf.'

'Wat doen ze zelf?'

'Nou, de zaak.'

'O, ja…' en ik hoor dat mijn moeder geen idee heeft.

'De Hubo, mam.'

'Och ja. Is dat niet een doe-het-zelfzaak?'

'Bingo!' roep ik.

'Ik ga er maar weer eens vandoor.'

'Goed hoor, mam. Zal ik een taxi voor je bellen?'

'Ik neem liever de bus, taxi's zijn zo duur tegenwoordig.'

'Ik betaal 'm wel.'

'Da's lief van je, meid.' Ze pakt me bij mijn arm en komt moeizaam overeind.

'Speechen! Speechen! Speechen!' hoor ik dan achter me. De groep met inmiddels aangeschoten collega's en relaties, staat vrolijk te klappen en te stampen. 'Speechen, speechen!' Terwijl ik mij omdraai voel ik de armgreep van mijn moeder niet verslappen maar eerder versterken. 'Speechen!' Er zit niets anders op. Met m'n moeder aan mijn arm begin ik te praten.

'Beste collega's, vrienden, familie.' Mijn oom kijkt trots naar me. 'Ik heb er ongeveer drie jaar over gedaan om hier te wennen, maar het ontwennen zal me nog geen vijf minuten kosten.' Gelach. Hoe ging het ook alweer verder? Ik had iets voorbereid, maar ik kan me niet concentreren met mijn moeder aan mijn zij. 'Ik heb genoten van de eh... dossiers. Ik bedoel, van de punten en de komma's.' Ha ha ha. 'Maar ik eh... heb minder genoten van de lastige klanten, de saaie vergaderingen en de slechte koffie.' Kut, ik weet mijn tekst niet meer. 'Ik wil graag iedereen bedanken die ik het lastig heb gemaakt. Ik bedoel iedereen die ik heb uitgescholden of geschoffeerd.' Ik moet me concentreren. Mijn moeder kijkt me bemoedigend aan en heeft mij daarbij in een soort houdgreep. Ik wou dat ze wegging. Ik heb haar aanmoediging niet nodig. Te laat. Veel te laat. 'Ik euhm... ben best wel blij dat ik wegga, eigenlijk. Maar ik zal jullie nooit vergeten. Jullie hebben me veel geleerd. Jullie hebben mij... eeuh... opgevoed op een bepaalde manier, zeg maar. Jullie hebben het voor elkaar gekregen dat ik toch nog iemand ben geworden.' Haar arm brandt in mijn zij, maar ik zal me niet door haar laten tegenhouden. Fuck it. Fuck it. Fuck. Fuck. 'Hier heb ik mijn gevoel voor eigenwaarde teruggekregen. Een gevoel dat ik jaren daarvoor was kwijtgeraakt. Heel lang geleden in mijn jeugd.' Het zenuwachtige lachje van Jacq doorbreekt de stilte die gevallen is. 'Vroeger dacht ik dat ik het niet waard was om te leven. Het vertrouwen in mijzelf en in de wereld was ik kwijt en er waren momenten dat ik niet meer verder wilde.' Jacq kijkt me kwaad aan. Eugene smeekt me met zijn ogen om te stoppen. 'Ik heb verschrikkelijke dingen meegemaakt, waar ik jullie nu niet mee lastig wil vallen. Ik heb dingen ontdekt die misschien beter geheim hadden kunnen blijven. Mijn levensmoraal was zo laag dat ik ervan overtuigd was dat de enige reden dat ik op de wereld was gezet puur sadisme was. Maar inmiddels heb ik geleerd dat het leven de moeite waard is en dat we dankbaar moeten zijn voor alles wat we gekregen hebben: voor de mooie en de lelijke dingen. Dank jullie wel!' Het blijft angstvallig stil. Mijn moeder heeft al zeker een paar minuten niet bewogen. Zou ze nog wel ademen? Ik durf niet te kijken. Dan gooi ik de handdoek in de ring. 'Geintje! Kom op jongens, dit was mijn eerst oefening: acteren voor een live publiek! Was ik geloofwaardig?' Dan barst het lachsalvo los en begint iedereen te klappen. Gered, mama, ik heb je gered.

Later, als ik dronken in de taxi zit, op weg naar huis, bel ik Maarten. Ik krijg slechts zijn stem op de voicemail. Mannen. Waarom zijn ze er nooit als je ze nodig hebt.

Auditie

Twee maanden zijn verstreken. Ik heb een ander leven gecreëerd. Ik heb een serieuze relatie, een moeder die ik duld en vrienden die ik geregeld zie. En, last but not least, een nieuwe carrière. De workshops verlopen heel goed en werpen hun eerste vruchten af, want ik mag auditie doen! Ik heb mijn eerste officiële uitnodiging gekregen: een test voor een reclamespotje. Ik heb drie zinnen tekst. Dat is weliswaar niet veel, maar het is een begin. Het is voor een van de grootste banken van Nederland en ik moet een cliënt spelen die heel tevreden is. Terwijl ik moe van het shoppen met allerlei chique kledingtassen op een zonnig terrasje zit moet ik tegen de camera zeggen: 'Met mijn smaak zit het wel goed. Met mijn bankzaken ook. Goed geregeld, hè!'

Ik wacht op Peter die me, na maandenlange coaching, de laatste aanwijzingen gaat geven voor de test. Hij is al zeker tien minuten te laat. Ik kan absoluut niet tegen wachten, terwijl ik wel heel goed ben in op me laten wachten. De bel! Ik heb tegenwoordig zo'n automatisch deuropeningssysteem en een intercom. Heeft Maarten voor me geregeld, de schat. 'Peter?' vraag ik. 'Pierre!' hoor ik door het apparaatje terug. Ik druk op de knop van de deur en hoor aan het kabaal dat het gelukt is.

Peter heeft naast zijn werk in *Vader Jacob*, een rol gekregen in de best bekeken soap van Nederland, *Liefde en Haat*. Hij speelt daarin Pierre, de broer van een van de vaste acteurs. Hij was vroeger de zus en heette toen nog Petra, maar hij is twintig jaar

geleden weggevlucht uit de familie omdat hij in het conserva-
tieve milieu niet kon zijn wie hij was. Hij voelde zich altijd al
een man in een vrouwenlichaam en heeft in Zuid-Amerika
zijn wens om een man te worden eindelijk kunnen realiseren.
Na al de operaties gaat hij terug naar zijn familie, die uiteraard
niet weet wie deze Pierre is. Hij geeft zich uit als verre achter-
neef en probeert ondertussen, voordat hij de waarheid vertelt,
zijn broer Leo te leren kennen en een band met hem op te bouwen. Leo is een *bad character* en begrijpt niet zo goed waar deze verre neef op uit is. Waarschijnlijk op zijn geld, denkt hij, en
hij probeert hem op allerlei manieren te testen op zijn be-
trouwbaarheid.

'Goh mevrouw, bent u toevallig niet die shopaholic van de
bank?' vaagt Peter terwijl hij hijgend van de lange trap binnenkomt.

'Ja meneer, dat ben ik toevallig.' Ik omhels hem en zeg: 'Als
je nog een keer te laat komt, hoef je nooit meer te komen, lul.'
Peter draait zich abrupt om, duwt de deur open en vertrekt
weer. SHIT! 'Peter, het was een grapje, kom terug, please!'

Hij gilt terug: 'Nee, dame, ik weet heel goed wanneer het bij
jou een grapje is, en wanneer niet. Ik ben weg!'

'Blijf hier! Het spijt me!' Mijn stem sterft weg in de herrie
van de denderende voetstappen naar beneden. De voordeur
slaat dicht. Fuck! Kut! Had ik maar een kat, dan had ik 'm nu
een trap gegeven.

Hij is echt weg. Ik ga me maar omkleden. Ik hoef pas over
anderhalf uur bij het castingbureau te zijn maar ik moet iets
doen om mezelf af te leiden. Ik heb totaal geen zin meer in
die stomme auditie. Ik ga liever zelf shoppen en bergen met
geld uitgeven. Spullen kun je kopen, vriendschap niet, denk
ik bij mezelf, sentimentele clichétrut, die ik ben. Misschien
moet ik 'm bellen. Je kunt toch bellen zonder je te schamen
en zeggen dat je je schaamt. Of zonder echte spijt, het zou me

namelijk zo nog een keer kunnen gebeuren, spijt laten door-klinken in mijn stem. Je kunt toch zonder gekwetstheid, ge-woon kwetsbaar zijn. Of kan dat niet? Wordt het dan alleen maar nog erger. Kun je liegen zonder leugen? Ik bedoel eer-lijk zijn, zonder eerlijkheid? Kan dat? Begrijpt u nog wat ik bedoel, meneer?

Ik toets zijn telefoonnummer in en hoor dan de bel. Ik druk op de knop van de intercom. 'Hallo?'

'Ja, hallo, met mij. Jezus, wat duurt het lang voordat je me belt. Ik sta hier al zeker vier minuten te wachten.' Ik druk de deur weer open en hoor in de verte gestommel en gelach. Wat kan die Peter lol hebben om zijn eigen grappen. Ik ken maar weinig mensen die zo veel pret om zichzelf kunnen hebben. Ik zou daar wat van kunnen leren.

'Lieve gestoorde vriend van mij.' Ik trek hem naar binnen en omhels hem nog inniger dan de vorige keer. Peter lacht zijn gierende lach, met af en toe een knorretje tussendoor. Ik ga maar thee zetten, want dit kan nog wel even duren. Als ik met twee kopjes uit de keuken kom, zit Peter in een fotoalbum van mij te neuzen.

'Wat doe je daar?' vraag ik.

'Ik ben je aan het afleiden. Van de auditie, de tekst en de bergen geld die je ermee zult gaan verdienen.'

'Ik doe het niet om het geld,' zeg ik schaapachtig. Peter ne-geert mij en zegt: 'Wat was je moeder een mooie vrouw vroe-ger! Prachtig, dat lange haar, die mond, die hoge jukbeende-ren, net Fay Dunaway. Alleen jammer van die bril.' Ik lach en zeg: 'Ja, jammer hè.'

Ruim een uur later en heel veel woorden verder zegt Peter plotseling: 'Goed Maxie, je moet gaan.' Ik kijk op mijn horloge en zie dat ik nog precies elf minuten heb om er te komen. Ik begin als een dolle rondjes te lopen.

'Mijn make-up!' roep ik. 'Waar is mijn make-up?'

'Op je gezicht, lieverd.'

'En mijn tekst. Waar is mijn tekst?'

'In je hoofd, sufkut. Zo en nu alleen nog maar je jasje en je fietssleuteltje.' Peter houdt de twee items triomfantelijk voor mijn neus. Ik gris ze uit zijn handen en wil wegrennen, maar dan gaat mijn gsm. 'Laat gaan,' zegt Peter.

'Ja,' zeg ik en ik neem op.

'Hai, mijn schatje,' klinkt het aan de andere kant, 'ik wens je heel veel succes zo meteen.'

'Dank lief, maar ik moet nu rennen. Ik heb nog maar tien minuten.'

'Negen,' corrigeert Peter mij.

'Negen?! Ik hang op. Daag.'

'Dag, meisje.'

'Dag, jongen.'

'Dag, lief mooi meisje van mij.'

'Dag, stoere sterke jongen van…' Peter rukt de telefoon uit mijn handen, drukt Maarten weg en zegt: 'En nu fietsen jij!'

Als ik precies op tijd binnenkom blijkt de hele stress onnodig, want er zijn nog drie wachtenden voor mij. Het meisje van het castingbureau legt met een overdreven kinderlijke stem uit dat ze 'ietsje' zijn uitgelopen. Vervolgens geeft ze me een formulier met linksboven het nummer 52 in de hoek. Of ik het even zou willen invullen. Mijn hemel, ze willen alles van me weten: van mijn bh-maat tot mijn specialiteiten. Ik spiek snel bij de vrouw naast me die bijna klaar is met invullen. Bij specialiteiten heeft ze geschreven: vloeiend Limburgs. Ach ja, dát bedoelen ze natuurlijk met specialiteiten. Of je goed bent in accenten en zo. Of je kunt zingen en dansen terwijl je jongleert. Ik vul in: vloeiend Drents en bijna vloeiend Russisch. Een glansrijk modellenverleden. Veel ervaring in klassiek, jazz- en modern ballet en gewerkt in de hedendaagse moderne kunst. Of het relevant is zou ik niet weten, maar je kunt maar beter het zekere voor het onzekere nemen. Ik zou heel goed een Drentse ex-danseres kunnen spelen, die na haar danscarrière in Rusland haar geld heeft geïnvesteerd in de Nederlandse hedendaagse kunst.

De deur gaat open en er komt een frisse blonde vrouw met appelwangen en hysterische ogen naar buiten, gevolgd door een man van ruim veertig, met puntlaarzen en een stoppelbaard.

'Bye, Kees, ik vond het hartstikke leuk om te doen, en ik hoor het wel weer, hè,' zegt de dolle blonde alsof ze net een lekkere pijpsessie achter de rug heeft voor de contest 'Blowjob of the year!', en ze zoent hem innig net naast zijn mond.

Hij lacht en zegt: 'Oké, lekker dier, we zien elkaar.'

Wie is die man? A) De snelle reclamejongen. B) De regisseur. C) De directeur van de bank. D) De cameraman. Ik kies voor... A! Of B?

'Volgende!' roept de man opgewekt. Nummer 50 staat op. Een lange vrouw met kort, donker haar en een vrij markante neus. Ik ken haar ergens van, maar ik kan haar even niet thuisbrengen. Ze geeft Kees weifelend een hand terwijl ze haar ogen neerslaat. Het integere type. Ach, ik weet het ineens. Zij is van zo'n experimentele kleine theatergroep, De Essentie. Ik ben er een keer naartoe geweest met Jacq, en toen ging het over goden en godinnen in onze ziel. Zij speelde een godin die door middel van een ingenieus systeem, letterlijk over het toneel vloog. Op een gegeven moment zat haar rechterbeen vast in het touw of zo, in elk geval kon ze niets meer doen zonder dat haar been helemaal omhoogstak in een onmogelijke hoek. Ze bleef echter stug doorgaan met de zwaar mythologische teksten, terwijl dat been van haar een geheel eigen leven leidde. Jacq en ik kregen daar zo de slappe lach van dat we de zaal voortijdig en op dringend verzoek van de andere theaterbezoekers hadden moeten verlaten.

De deur gaat open en er komen nog twee vrouwen binnen. Dat zullen nummer 53 en 54 zijn. Een rode en een brunette. Ze hebben echt van alles wat uitgenodigd.

Nummer 51 kan ondertussen nauwelijks op haar stoel blijven zitten. Wat een neuroot. Gelukkig is ze aan de beurt, want Kees komt weer heel voldaan uit zijn hokje met de godin aan zijn zijde. Raar, ze zeggen niets, en nemen ook geen afscheid. Wat zou daar gebeurd zijn? De nerveuze nummer 51 glipt door de deur de auditieruimte binnen. 'Dag meisjes, jullie zijn zo aan de beurt hoor.' Kees werpt een brede glimlach naar ons en sluit dan de deur weer voor de volgende performance. Ik voel mijn zenuwen groeien. Zolang je mensen om je heen ziet die banger zijn dan jij heb je alle reden om relaxed te zijn. Je zelfvertrouwen groeit. Je weet dat je zult winnen. Lekker lachen om iedereen die zichzelf voor lul zet. Kijken en lachen. Tot je er zelf moet gaan staan. Een gênante vertoning. Mensen zullen om mij lachen tot de tranen over hun wangen rollen. Ze zullen mij gaan imiteren bij de bakker en in de supermarkt. Op scholen hangen ze dartborden aan de muren, met mijn hoofd erop. Er worden dvd's gemaakt met als titel 'De grootste blooper van het jaar' en ik speel de hoofdrol. Misschien is dit geen auditie maar een candidcamerajoke...

Rustig blijven. Ik ga me echt niet druk maken over zo'n simpel testje met zo'n overjarige macho. Ik wend me naar de twee meiden die naast me zitten en vraag: 'Sorry, weten jullie toevallig wie die Kees is?' De twee kijken me aan alsof ik getikt ben.

'Kees van Beuningen!' zegt de brunette. 'Je kent dé Kees van Beuningen toch wel, van *Kikkers op oorlogspad*?'

'Ach ja, natuurlijk,' zeg ik, maar ik heb werkelijk geen idee. Het zal dus wel een bekende regisseur zijn. Ik kijk weer voor me uit en doe alsof ik nooit iets gezegd heb. Zij gaan weer door met hun domme roddels over wie het met wie heeft gedaan, welke rollen ze hebben gespeeld en door welke plastisch chirurg ze zijn opgelapt. Is dit mijn voorland? Word ik net zo… zo… zo… je weet wel, zo typisch als al die andere meiden die zo graag iemand willen zijn. Ik wil weg. Nee, ik wil blijven! Mijn tanden laten zien. Ik moet aan iets anders denken.

Laat er een gedachte in mij opkomen die de moeite van het denken waard is. Iets waardoor alles hier verandert in het decor van een tragikomische film. De kale wachtruimte met enkel stoelen en een tafel, de formulieren met nummers en de pennen. Kees, de twee meiden, het castingbureauvrouwtje, het zijn slechts figuranten die alleen maar 'rabarber rabarber rabarber' zeggen. Het gaat niet om hen, maar om mij. Om mijn gedachtekronkels. Om mijn filosofische diepzinnigheid. Ik ben echt, de rest is schijn, een speling van mijn fantasie. De echte wereld zit alleen maar in mijn hoofd. Hersengolven vertaald naar gedachten. Materie bestaat niet, slechts tijd. Tijd maakt beweging mogelijk die de illusie schept van leven.

Ik wou dat Maarten hier was. Ik mis hem. Zijn eindeloze onzintheorieën. Zijn stelligheid. Zijn ongenuanceerdheid. Zijn aanrakingen. Zijn…

De deur gaat open en nummer 51 komt opgelucht naar buiten. 'Echt waar,' zegt ze, 'ik had het niet gedacht, maar ik vond het hartstikke leuk om te doen.'

'Ja,' zegt Kees afwezig en meteen daarna: 'We moeten door, want we moeten verder.'

Ik sta op. 'Hai, ik ben Max en ik ben de volgende.'

'Komt u maar!' roept Kees met een 'nieuwe-ronde-nieuwe-kansenenthousiasme'.

'Max, komt dat van Maxima?' vraagt Kees als we eenmaal binnen zijn. Deze vraag heb ik sinds de komst van onze kroonprinses zo'n keer of dertigduizend moeten beantwoorden.

'Nee, van Maxime.' De vraag die daarop volgt kan ik ook dromen.

'Is dat niet een jongensnaam?' En ja hoor, ook deze man is zo ad rem.

Ik glimlach op mijn verleidelijkst en zeg: 'Zie ik eruit als een man?' Zijn overdreven lach met die grote gele tanden, dat oude stoppelhoofd met grove poriën, het uitgezakte lijf, zweetvoeten die zelfs door zijn cowboylaarzen heen nog te ruiken zijn. Ineens kan ik de neiging niet onderdrukken om te bedenken hoe Kees er naakt uitziet. Hoe zijn hijgen klinkt, hoe de geilheid op zijn gezicht eruitziet, hoe zijn lijf op het mijne zou bewegen. Er loopt een rilling over mijn rug.

'Hallo,' klinkt het plots achter me. Ik draai me om en kijk in het gezicht van een jongen die vriendelijk zegt: 'Je hoeft niet zo te schrikken, ik bedien alleen de camera.'

'Ik begrijp dat we het meteen gaan opnemen,' zeg ik droog.

Harde lach van Kees. 'Is dit je eerste auditie?'

'Wel voor zoiets,' zeg ik om de waarheid uit de weg te gaan. Waarvoor dan wel? Ik ben ineens bang dat hij het totaal fout interpreteert en me gaat verzoeken om me alvast uit te kleden. 'Wat is de bedoeling?' vraag ik snel. Kees legt me uit wat ik moet doen en eindigt met: 'So, when you're ready.'

'Ja, laten we het maar een keer proberen.' Ik pak de tassen die aan de zijkant staan, loop ermee naar de stoel die in het midden staat en plof neer. Ik wil net met mijn tekst beginnen als Kees zegt: 'Stop, ik heb nog geen actie geroepen.' Wat een overdreven gedoe, denk ik bij mezelf, we weten toch allemaal dat het een oefensituatie is. 'Het is handig als de camera ook meedoet,' zegt mijn regisseur lachend.

'Daar zit wat in, ha ha ha.' Ik ga klaarstaan met de tassen.

'En... actie!'

Ik loop naar het midden, plof in de stoel en zeg... 'Kut, wat is mijn tekst?'

Kees lacht steeds vetter. 'Wil je nog even naar je tekst kijken?'

Ik realiseer me dat ik 'm niet bij me heb. 'Nee, dank je.' De camerajongen heeft door dat ik niet veel verder ga komen op deze manier en vraagt: 'Als je hebt gezegd "Met mijn smaak zit het wel goed, met mijn bankzaken ook, goed geregeld, hè," zou je dan nog even in de camera willen blijven kijken?' Dank je, jij bent een goede gast. Nu ga ik je inpakken Kees, let maar eens op. Er wordt weer actie geroepen en ik loop vol zelfvertrouwen de stoel tegemoet. Ik plof neer, zucht vol genoegen en merk dan de aanwezigheid van de camera op. Ik maak hem deelgenoot van mijn geheim door middel van de tekst en sluit af met een samenzweerderige blik die zelfs de grootste vijand tot bondgenoot maakt.

'Cut!'

'Was dit wat je bedoelde, Kees?' Kees komt op mij af, gaat voor me op zijn knieën zitten en zegt: 'Je was briljant!'

Met Maarten heb ik afgesproken bij Stennis, onze stamkroeg. Ik ben er eerder dan hij. Wat is dat vandaag dat ík op iedereen moet wachten in plaats van andersom? Ik krijg een sms van Peter. En van Jacq, met: 'Ik kom straks ook naar Stennis en dan wil ik alles horen.' Ellen-van-de-zware-shag stuurt me een sms: 'Hé Max, hoorde van mijn oude vlam Kees dat het goed ging vandaag.' Gatverdamme, Ellen! Mijn moeder belt me. Ik heb natuurlijk geen zin om op te nemen, maar dat ze me belt is op zich best aardig. En tot slot krijg ik nog een sms van mijn oude schoolvriendin Martine, maar dat is toeval. 'Zullen we weer eens wat afspreken?'

Terwijl ik ijverig zit terug te sms'en, heb ik niet door dat Maarten is binnengekomen. Hij legt zijn handen op mijn ogen en vraagt met een Donald Duckstem: 'Wie ben ik?'

'Guus Geluk!' Hij zoent me in mijn nek, op mijn oor, mijn

wang, mijn mond en mijn ogen. 'Hoe wist je dat?' vraagt hij.

'Gokje.' Ik kijk naar hem. Naar zijn lachende gezicht, naar het littekentje links boven zijn wenkbrauw en naar zijn slordige haar. Soms kan ik nog steeds niet geloven dat dit mijn vriend is. Ik heb een vriend die van me houdt zoals ik ben. Zoiets. Het is zo raar dat je altijd denkt dat het niet bestaat: één gevoel, één gedachte, één ziel. Maar het kan, echt waar, het kan! Maarten en ik weten precies van elkaar wat we denken en wat we voelen. We zeggen bijvoorbeeld vaak precies op hetzelfde moment 'Zullen we gaan?' of 'Ik heb honger'. Als we het gevoel hebben dat we wat meer afstand van elkaar moeten nemen hebben we dat ook precies op hetzelfde moment. En we hebben na exact evenveel dagen de behoefte om weer bij elkaar te zijn. We zijn minnaars en maatjes. Hij is degene die bij me past, die me begrijpt en aan wie ik me durf te geven. Eerlijk waar. Ik vertel hem natuurlijk nog niet echt alles, en doe heus wel mijn best om me van de meest gevatte kant te laten zien, en ik hou mijn buikje nog wel in als we seks hebben en zo, maar dat hoort erbij. Denk ik. De rest komt wel. Laatst zijn we bijvoorbeeld naar het Stedelijk Museum geweest en naar Artis. Nou, dat doe je niet elke dag. En verder hoeft het niet zo moeilijk te zijn. Je hoeft toch niet alles, álles, met elkaar te delen. Gewoon de dingen waar je over denkt en waar je mee bezig bent. Hoe je denkt dat de wereld eruit zou moeten zien en dat soort zaken. Gewoon leuk. Lachen.

Ik vertel in geuren en kleuren aan Maarten hoe de auditie verliep, hij lacht naar me en ik zie dat hij trots op me is. 'Hoe was jouw gesprek bij de uitgeverij?' vraag ik snel, omdat ik niet wil dat hij denkt dat ik het alleen maar over mezelf heb.

'Goed. Ze willen ons misschien wel een interessante deal aanbieden. Alleen onder die voorwaarde doen we het.' Maarten heeft samen met een compagnon een nieuwe glossy opgezet over 'jonge mensen met een droom', zoals hij het zelf altijd noemt. Volgende week verschijnt het tweede nummer. 'We zitten niet te wachten op een soort papafiguur die onze creativiteit aan banden legt, om vervolgens al onze ideeën in te pikken.'

'Is het dan überhaupt wel een goed idee om je te laten overnemen?' vraag ik zeer geïnteresseerd.

'Natuurlijk, we zouden niet meer hoeven sappelen, we kunnen alle inhouse knowhow en expertise gebruiken, alle faciliteiten zijn binnen handbereik en er staat een hele marketingafdeling achter ons, waardoor we, alles bij elkaar, een veel hogere productiecapaciteit hebben en binnen een paar maanden met honderd of tweehonderd procent kunnen groeien.'

'Door de verkoopcijfers te verdubbelen?'

'Dat sowieso, maar ook door niet één maar twee magazines per maand uit te brengen.'

'Goh, ja. Maar daar zal toch wel wat tegenover moeten staan.' Maarten kijkt me aan en zucht. Waarom zucht hij?

Hij neemt een slok van zijn wijn en zegt: 'Dat is natuurlijk het hele spel waar het nu om draait.'

'Dat begrijp ik ook wel. Ik begrijp alles, mits jij het goed uitlegt.' Ik lach naar hem. Hij lacht terug. Even is het stil. Wat zou ik kunnen zeggen? Welke leuke, grappige of zelfs stomme anekdote van de afgelopen twee dagen heb ik hem nog niet verteld? Ik moet iets zeggen om dit pijnlijke moment te doorbreken. 'Liefje, ken jij de film *Kikkers op oorlogspad*?' Maarten grinnikt. 'De film *Kikkers op oorlogspad*?' 'Ja,' zeg ik, 'die Kees schijnt 'm geregisseerd te hebben.'

'Dat is geen film schatje, dat is een commercial over een groepje kikkers die vechten voor een beter ontbijt. Het Kikkermulti-grainontbijt.'

'Wat stom!' zeg ik. Weer valt er een stilte.

Ik: 'Heb je nog...' Tegelijkertijd begint hij te praten.

'Ik heb nageda…'

'Zeg jij maar eerst,' zeg ik.

'Goed, ik wilde vragen of je nog hebt nagedacht over dat huis op de Vaartstraat?' Maarten heeft na zijn vorige relatie tijdelijk een huis gehuurd en is nu al een halfjaar op zoek naar een koopwoning. 'Nou,' zegt hij, 'ik wilde net vragen of we misschien niet samen kunnen gaan kijken?'

Hoor ik dit goed? Is dit een verkapte poging om te vragen of ik met 'm wil samenwonen? Of is het alleen maar een slimme manier om erachter te komen hoe afhankelijk of onafhankelijk ik ben? 'Waarom zeg je niks?'

'Ik, eh,' stotter ik, 'wat bedoel je precies?'

'Nou, wat ik zou willen weten is of je het ook een leuk huis vindt, omdat we daar dan misschien, op den duur, het hoeft niet meteen hoor, zouden kunnen gaan samenwonen.' Ik heb het ineens heel warm. Ik heb zin om naar buiten te rennen voor wat frisse lucht. Mijn hartslag stijgt. Sneller, sneller, rustig blijven, rustig ademen. Praten helpt.

'Weet je lief, het lijkt mij heel leuk om met je samen te wonen, maar mijn huis opgeven, dat lijkt me niks. Ik woon al twaalf jaar in dat huis en dat huis heeft me meerdere malen gered.' Maarten kijkt me aan en ik heb geen idee wat er in hem omgaat. Wie is deze vreemde jongen tegenover mij? Ik ken hem niet en heb geen idee wat ik met hem moet. Ik zie een verandering in zijn blik. Hij haalt adem en zegt dan kordaat: 'Ik kan natuurlijk ook gewoon bij jou komen wonen.'

'Hallo, tortelduifjes!' klinkt het plotseling achter ons.

'Jacq!' zeg ik opgelucht. 'Wat drink je van mij?'

19

Water Closet

Ik word wakker en laat mijn ogen langzaam wennen aan het felle ochtendlicht. Vannacht vergeten de gordijnen dicht te doen. Ik draai me om naar de minder zonnige kant en zie Maarten liggen. Hij slaapt nog. Zijn ademhaling is zwaar en regelmatig. Wat kan ik daar toch jaloers op zijn. Vast slapen. Zo'n diepe slaap, ver weg van alle realiteit, van al het gedoe om je heen. Alleen jij en je dromen. Ik ben nog zo moe en mijn hoofd is met een hamer en een paar spijkers bewerkt. Waarom dronken we zoveel? Het was geweldig. De ene goeie grap volgde op de andere. Ze vonden ons wel iets te luidruchtig, maar dat kon de pret niet drukken. Heb ik inderdaad op de bar staan dansen of was dat in mijn droom? Nee, ik weet het weer. Ik herinner me dat bewegende beeld van bovenaf, van al die mensen beneden, die klapten en joelden. O, mijn god, wat is er nog meer gebeurd? Heb ik me uitgekleed? Ik moet Jacq bellen voor Maarten wakker wordt. Zachtjes kruip ik mijn bed uit, ik pak mijn ochtendjas van de stoel, het koord blijft hangen en de stoel valt bijna om, maar gelukkig kan ik 'm net op tijd tegenhouden. Ik sluip de kamer uit en zoek de telefoon. Ik vind 'm naast de open pot pindakaas op het aanrecht en ik toets het nummer in. Snel naar het toilet, daar is het veiliger. Het duurt heel lang voor ze opneemt. Eindelijk hoor ik het krakende geluid van mijn vriendin.

'Wat is er gisteravond allemaal gebeurd?'

'Jezus, bel je me daarvoor wakker?'

'Ja, je moet me helpen. Heb ik op de bar staan dansen?' Het

blijft even stil. Dan begint ze langzaam te praten.

'Je was in een nogal uitgelaten stemming. Niet te remmen. Hyper, zeg maar. Je hebt ook nog een enquête gehouden onder de andere gasten wat de meest sexy bank van Nederland is en wat ze vonden van het fenomeen "hokken op je sokken".'

'Nee!' roep ik uit.

'Je hebt ook,' gaat Jacq rustig verder, 'aan Maarten gevraagd wat hij vond van seks met een heks en van neuken in de keuken. Je was nogal op dreef, zeg maar.'

'En wat zei Maarten?'

'Nou, Maarten vond je erg grappig en bleef maar wijn bijschenken. Ook bij zichzelf.'

'Was hij ook dronken?' vraag ik hoopvol.

'Raar genoeg leek hij heel nuchter, maar hij moet wel dronken zijn geweest na al die glazen.'

'En dat van die bar?'

'O, dat ja,' zegt ze droog, 'dat kwam meer door Maarten, want hij tilde je op de bar en riep: "Hier is ze jongens, de vrouw van mijn dromen!" Blijkbaar voelde je je toen zo gevleid dat je een soort rituele dans voor hem en alle andere mensen hebt opgevoerd.'

'Kleedde ik me ook uit?' Ik hou mijn adem in.

'Nee,' zegt ze, 'dat niet.' Opgelucht haal ik adem.

'Dat doe ik dan de volgende keer, oké?' zeg ik in een poging de hele situatie met een grapje te relativeren. Misschien glimlacht Jacq aan de andere kant van de lijn, maar ik hoor niks. Waar is mijn altijd vrolijke vriendin? 'Vond jij het een leuke avond, Jacq?'

'Om eerlijk te zijn,' zegt ze, 'heb ik me best wel vermaakt met het hele schouwspel, ik vroeg me alleen af of het goed met je gaat. En met jullie?'

'Ja, nee, heel goed zelfs. Echt heel goed. Hoezo?'

'Nou, je bent soms zo…' In haar denkpauze voel ik mijn

hart sneller kloppen. Wat is er mis met mij? Het gaat toch juist heel goed? Dan begint ze weer te praten. 'Nee, niks. Je bent gewoon anders, nu, soms. Sinds je gestopt bent met je werk eigenlijk. Hoe zal ik het zeggen, een beetje buitenkanterig, een beetje hysterisch of zo.'

'Ik ben eindelijk een beetje mezelf!' Ik voel me op mijn pik getrapt. 'Jij kunt gewoon niet blij zijn voor mij. Je bent zeker jaloers dat ik een vriend heb, hè.'

'Nee, dat ben ik niet. Zeker niet om jouw vriend.'

'Hoezo, wat is er mis met Maarten? Nou?' Stilte aan de andere kant.

'Niks. Ik wou dat ik niks gezegd had,' zegt ze met een klein stemmetje. Moet ik nou medelijden met haar gaan hebben, terwijl zij mij beledigt? Dacht het niet!

'Misschien moeten wij elkaar maar even niet meer zien,' zeg ik zakelijk. 'Ik heb vaker gehoord dat vriendschappen veranderen als een van de twee een vriend krijgt en ik dacht dat dat bij ons anders was, maar blijkbaar heb ik mij vergist.'

'Zo bedoelde ik het niet,' zegt ze. 'Ik vroeg me alleen maar af of je wel gelukkig bent.'

'Ik ben heel gelukkig, maar als jij liever een ongelukkige vriendin hebt, dan is dat jammer voor je. Dag.'

Ongelofelijk stom wijf. Kankertyfustrut. Dikke vieze pad. Als je zo dik bent als jij wil niemand je neuken. Zo! Net goed voor je, stomme jaloerse trol die je bent. Weer een zorg minder.

Ik zit op het deksel van de wc en kijk om me heen. Van dit hokje heb ik eigenlijk nooit iets gemaakt. Geen grappige foto's, of, zoals veel mensen hebben, kitscherige elementen zoals Jezus aan het kruis, Maria en plastic bloemen. Of nog erger, boekjes met moppen en tegeltjes met spreuken. Nee, mijn toilet is wit en kaal. Ik zou hier best in kunnen wonen, denk ik bij mezelf. Sterker nog, ik zou hier best in wíllen wonen. Jammer dat het net iets te klein is om te liggen, maar als ik over de diagonaal een hangmatje span, zou ik kunnen zitslapen. Je kunt lekker denken wat je wilt hier. Je mag letterlijk alles laten gaan. Er zou alleen een soort service moeten komen die mij voorziet van voedsel en toiletpapier. Zoiets als 'Tafeltje dek je', maar dan 'Toiletje strek je'. Vriendschappen zijn onmogelijk in zo'n leefruimte. Veel te klein om bezoek te ontvangen. Je vriend komt alleen soms langs om je lekker geil, zittend of staand, te nemen. Dan wordt het ook nooit saai en zo en hou je altijd een spannend element in je relatie. De deur op slot kunnen doen is een extra voordeel. Nooit meer ongenode gasten. Die schijten maar bij de buren. Ja, wie weet zou ik zo wel kunnen samenwonen. Ik op het toilet en hij in de rest van het huis. Hoewel, misschien is er niet genoeg zuurstof op den duur. Nou ja, het zou in elk geval mijn eigen uitgeademde lucht zijn waardoor ik zou stikken. Niet die van iemand anders. Sowieso een smerige gedachte dat je andermans adem inhaleert. En niet alleen andermans adem. Ook andermans zweet- en scheetlucht. Ik word onpasselijk bij het idee. God, wat voel ik me misselijk. Ik zou in mijn wc alleen mijn eigen geurtjes toelaten. Mijn vieze maar ook mijn lievelingsluchtjes. Waarom kan ik me nu geen lekkere geurtjes voor de geest halen. Voor de neus halen. Kenzo of Chanel. Nee, Dior. Ik voel me niet goed. Bidden voor een betere gezondheid! Ik ga op mijn knieën voor de pot zitten. Mijn ellebogen steunen op het deksel en mijn hoofd steunt in mijn handen. Als ik nu maar rustig blijf en niet denk aan alle drank van gisteravond, dan komt het wel goed. Niet denken aan de wijn en de vette hapjes. Minifrikandelletjes. Ik doe de deksel omhoog. Leverworst met Amsterdamse uitjes. Ik richt me op. Zweetkaas met zure mosterd. Ik buig mijn hoofd voorover. Bifi's en bitterballen! Een grote stroom kots spuit krachtig de wc in. Gelukkig goed gemikt. En daar gaat-ie nog een keer. De grotere brokstukken zijn nog te herleiden tot hun oorspronkelijke vorm, de rest is een grote bruine brij. En nog een keer. Mijn telefoon gaat. Nu even niet, ja! Ik spuug nog wat na. De telefoon blijft gaan. Zeker mijn moeder. Ik sta op, trek door en draai me om naar het wasbakje. Schoon water, altijd bij de hand in mijn toilethuisje. Mijn telefoon begint opnieuw. Zeker Jacq, om haar excuses aan te bieden. Nou, vergeet het maar. Op de display zie ik een onbekend nummer. Ik druk het groene knopje in en hoor een zware mannenstem aan de andere kant van de lijn zeggen: 'Hai Max, weet je wie ik ben?' O mijn god, dat is natuurlijk een van die gefrustreerde stamgasten uit de kroeg.

'Geen idee.'

'Ik ben het: Kees.' Kees? Kees? Wie is in godsnaam Kees?

'Al, sla je me dood, Kees.'

'Van gisteren.'

'Ja, was gezellig hè,' zeg ik terwijl ik de koppen van de kerels aan de bar de revue laat passeren.

'Het was zeker gezellig,' zegt Kees, gevolgd door een vette lach. Die lach, die ken ik ergens van. 'Jij bent het, wijffie!'

'O dank je,' zeg ik, 'dat zegt mijn vriend ook altijd.' Weer die vette lach.

'Wie is je agent, want we moeten er natuurlijk wel eerst financieel uit zien te komen.' Hoezo, agent? Wat heb ik gedaan... O Kees! Eindelijk beginnen mijn hersenen weer normaal te werken.

'Ja, ik zal je door mijn manager terug laten bellen.'

'Nou, dan zien wij elkaar over twee weken als het goed is. Je wordt ook nog gebeld door Esther van kleding en door Sanne van make-up.'

'Oké, ik hoor het wel.' Ik doe dit al jaren. Geen punt. Tuurlijk. Doei, de mazzel. Als er opgehangen is geef ik een gil van vreugde. Ik heb het. Ik ben het. Ik ben een actrice. Ik ben een vriendin armer, maar een rol rijker. Yes!

Als ik terugkom in de slaapkamer, zie ik dat Maarten nog steeds slaapt. Hij ziet er zo onschuldig uit. Ik zie ineens wat voor een kleine jongen hij ooit geweest moet zijn. Ik stel me voor hoe zijn moeder naar hem keek. Hoe ze hem over zijn bolletje aaide en lieve woordjes in zijn oor fluisterde. Ik wil hem zachtjes wakker kussen, maar bedenk me als mijn lippen zijn gezicht bijna raken. Laat hem nog maar even slapen. En laat mij nog maar even genieten van zijn aanblik. Ik ga voorzichtig naast hem liggen en kijk. Ik heb een vriend! We wonen bijna samen! Ik ben actrice! Ik kom op tv! Ik besta!

Nog even mijn ogen dichtdoen. Heel even maar. Ik val, eindelijk. Nog een stuipje van de schrik en dan laat ik me gaan.

In mijn droom zijn Jacq en ik weer kinderen. Zij is zes en ik ben zeven. We spelen op de stoep van ons huis. Zij tekent met krijt een hinkelveld en ik vul het schoensmeerblikje. Ik zie een gedroogde drol liggen. Met twee stokjes wip ik 'm in het blikje. Ik vul het nog wat op met zand en stamp het dan met mijn schoen aan. We beginnen. Ik zeg tegen haar: 'Ik ga winnen want dit is een speciaal geluksblikje.'

'Dan ga ik ook winnen,' zegt zij, 'want ik doe het met hetzelfde blikje.'

'Ja, maar jij weet niet welk geheim erin zit,' zeg ik.

'Wat zit er dan in?' vraagt zij.

'Zeg ik lekker niet.' Tot zover was de droom een herinnering.

In het echt zijn we toen gaan hinkelen en verloor ik. Ik was daar heel boos over en heb toen tegen Jacq gezegd dat zij gewonnen had met een drol in het blikje. Daarna schopte ik het blikje keihard tegen een lantaarnpaal waardoor het opensprong en er vreemd genoeg geen drol meer te bekennen was. Jacq zei dat het een groot verzinsel van mij was geweest en dat ik niet tegen mijn verlies kon. We kregen ruzie en ik noemde haar dikzak. Zij was daar zo kwaad over dat ze riep: 'En jij bent een ijskast, net als je moeder.' Ik moest daar zo om lachen dat zij uiteindelijk ook niet meer haar lachen in kon houden en we rollend over de grond eindigden. Later vroeg ik haar eens waarom ze mij een ijskast had genoemd. En toen vertelde ze dat haar moeder dat altijd zei over mijn moeder.

In mijn droom ging het anders. Jacq loopt op mij af en zegt: 'Je moet me jouw geheim vertellen. Ik ben je vriendin en vriendinnen hebben geen geheimen voor elkaar.'

'Ik kan best een geheim voor je hebben en toch je vriendin zijn,' zeg ik.

'Dat kan niet,' gaat zij ertegen in.

'Welles!' roep ik. 'Mijn vader en moeder hebben ook geheimpjes voor elkaar en toch zijn ze vrienden.'

'Oh ja?' zegt Jacq, 'welke geheimpjes dan?'

'Nou, dat mijn mama mij bijvoorbeeld pijn doet, dat mag mijn papa niet weten.'

'En je papa dan?' vraagt Jacq.

'Mijn papa geeft mij altijd snoepjes, en dat mag mijn mama niet weten.'

'O ja?' zegt ze weer. 'Laat dan eens zien.'

'Nee,' zeg ik.

'Dan is het ook niet waar,' zegt Jacq en ze begint me uit te schelden: 'Max die liegt. Max die liegt. Liegbeest, botervloot, je vader steekt je moeder dood!'

'Hou op,' zeg ik. Maar ze gaat gewoon door.

'Liegbeest, botervloot, je moeder steekt je vader dood! Liegbeest, liegbeest!' Ik pak het blikje en loop van haar weg. Achter me hoor ik haar nog steeds zingen. Dan draai ik me om en gooi het blikje met alle kracht die ik heb naar haar toe. Het blikje schiet recht in haar hoofd. Het bloedt. Ik kom dichter bij en zie het blikje half uit haar voorhoofd steken, links boven haar wenkbrauw. 'Haal het eruit!' schreeuw ik. 'Haal het eruit!' Ik ren naar haar toe maar kan niet dichter bij haar komen. Zij krijgt het blikje niet uit haar hoofd getrokken. Haar hele gezicht is nu bedekt met bloed. Ze gilt het uit van de pijn en valt op haar knieën. 'Blijf staan!' roep ik. 'Je moet blijven staan want anders ben je verloren.' Ze stort verder in elkaar. Ik ben buiten adem van het rennen. Ik moet dichter bij haar zien te komen. Ik moet haar redden. Sneller nu. Ik ren en kom vooruit, langzaam. Mijn longen branden, mijn hart bonkt uit mijn lijf. Eindelijk ben ik bij haar. Bewegingloos ligt ze in een enorme plas bloed op de grond. 'Neeeeeeeeeeee!'

'Stil maar, stil maar.' Het is Maarten, die me vastpakt en wiegt. 'Meisje van me, wat is er toch?'

'Niks. Een nachtmerrie.'

'Schatje toch. Dat zijn maar dromen, dat is niet echt.'

'Weet ik.'

'Meisje, mijn meisje,' zegt Maarten lief, 'je hoeft niet bang te zijn, ik ben bij je.' Zijn zachte armen houden me stevig vast. Ik kus hem in de holte van zijn elleboog.

'Maarten,' fluister ik dan, 'wil je bij me komen wonen?'

'Maar dat hadden we gisteren toch al afgesproken,' zegt hij lachend.

Schaapachtig zeg ik: 'Ach natuurlijk.'

Hij kust me op mijn voorhoofd en zegt: 'Ik zal goed voor je zorgen.' Ik kijk naar hem en zie de oprechtheid in zijn donkere ogen. Dan valt mijn oog weer op het lichte streepje boven zijn linkerwenkbrauw.

20

In de wolken

'En… actie!' Een smoezelig uitziende jongen van een jaar of dertig schreeuwt zo hard dat het hele Spui hoort dat we bezig zijn met filmopnames. Ik loop voor de zesentwintigste keer met mijn twaalf shoppingbags naar de bewuste stoel, waar ik neerplof, de camera in de gaten krijg, mijn tekst zeg en afsluit met een samenzweerderige blik.

Nooit geweten dat er zo veel mensen meededen aan een filmpje van dertig seconden. Ik geloof dat er wel veertig mensen rondlopen op deze filmset. En iedereen neemt zijn taak even serieus. Van de mensen die het verkeer moeten tegenhouden, tot het meisje dat steeds het menukaartje op het terrastafeltje twee centimeter naar links of naar rechts verschuift, ze doen allemaal even belangrijk. Misschien is het een soort performance voor het publiek van toeristen, studenten en zwervers, dat langs de kant staat te kijken. Iedereen van de filmploeg heeft een zendertje in zijn oor en een portofoon in zijn hand, van die enorme grote zwarte dingen met een antenne van een meter, die zo zwaar zijn dat de wat kleinere medewerker er bijna onder bezwijkt. Die moeten ze tegenwoordig toch ook veel kleiner kunnen maken? Maar dan is de crew natuurlijk niet meer zo herkenbaar voor het publiek op straat.

Kees, die vandaag ook mijn beste vriend is ('Je bent geweldig, Max, ge-wel-dig!'), staat samen met zijn assistente, de jongen van de make-up, de kledingmevrouw, de cameraman en de geluidsman voor een televisiescherm, waar ze de laatste drie takes nog een keer aan het bekijken zijn. Nog een keer overleg en nog een keer kijken. Waar hebben ze het in godsnaam over? Het zou prettig zijn als ze mij ook een beetje op de hoogte zouden houden. Een assistent van een assistent van een assistent, die ze verantwoordelijk hebben gemaakt voor mijn natje en mijn droogje, vraagt of ik nog iets wil hebben. 'Kopje thee, graag.' De opnameleider, degene die het geheel in de gaten moet houden, komt zeggen dat het nog een paar minuutjes duurt. 'Is oké.' De make-upassistente gooit weer wat poeder in mijn gezicht en de kledingassistente slaat een badjas om me heen en vraagt of ik weer wil gaan staan, omdat anders mijn blouse en rok zo kreuken. Ik ga een beetje aan de kant staan en denk: Het leven van een ster is net zo eenzaam als het leven van een niet-ster. Ik krijg een bekertje met gloeiend hete thee in mijn handen gedrukt. Dan komt er een man in driedelig pak naast me staan en vraagt of ik dit vaker heb gedaan. Ik bluf: 'Ja, ik heb jaren in Engeland gewerkt.'

'O, wat toevallig,' zegt de man. 'Ik heb ook een tijd in Londen gewoond. In welk deel van Londen woonde u?' Mijn leugentjes om bestwil worden altijd meteen afgestraft. Ik weet niks van Londen.

'Notting Hill,' zeg ik snel, 'van de gelijknamige film.' Hij lacht.

'Leuke wijk, ik woonde in Camden Town.'

'Ook niet gek,' zeg ik en ik probeer een smoes te bedenken om hier weg te komen.

'Mag ik mij voorstellen?' gaat de man vriendelijk verder. 'Jan van Eijsden, ABN/Amro.'

'Max van Bremen,' zeg ik, 'ING, maar daar ga ik morgen verandering in brengen.' Jan lacht weer.

'Hé, mooie succesvolle vrouw van mij!' hoor ik plotseling achter mij. Het is Maarten. Hij stapt over het afzetlint en loopt blij op me af. Een van de fanatieke wegafzetters rent naar hem toe en roept: 'Hallo, hállo, dit is verboden gebied.'

'Relax man,' zegt Maarten, 'ik hoor bij haar.' Nog voor ik het kan tegenhouden is het er al: mijn gegeneerde blik naar Jan de bankman. Ik kijk meteen voor me uit om me te generen voor mijn gegeneerdheid om mijn eigen vriend tegenover een vreemde. Maarten heeft het niet door. Hij zoent me enthousiast op mijn wang.

'Pas op voor mijn make-up,' zeg ik. Ook niet cool. 'Mag ik je even voorstellen? Maarten, dit is Jan van Dé Bank. Jan, dit is Maarten, mijn vriend.' Ze geven elkaar een hand.

'Leuk dat je even langskomt,' zeg ik tegen Maarten. Hij reageert niet en begint een gesprek met Jan over beurskoersen, grootaandeelhouders en slotcijfers. Jan reageert beleefd afstandelijk en ik sta er voor lul bij. Als ik in een adempauze probeer in te breken gaat Maarten, mij volledig negerend, verder met een monoloog over de weekbladproblematiek, de concurrentiestrijd en de monopoliepositie van de grote uitgeverijen. Hij eindigt met het noemen van zijn eigen blad en het overhandigen van zijn kaartje. Is dit nou netwerken? Jan neemt beleefd afscheid en wenst mij succes. Ik sta met mijn, inmiddels lege, bekertje te kraken. Ik heb geen tekst. Echt nul.

'Leuke man,' zegt Maarten dan.

'Kende jij hem al?' vraag ik, met het gevoel dat ik iets gemist heb.

'Dommie, iedereen kent hem. Jan van Eijsden, hij is de CEO van ABN/Amro International.'

'O.'

'Max!' klinkt de stem van Kees. 'Kom eens hier, we willen dat je even komt kijken.'

'Is dat de regisseur?' fluistert Maarten.

'Ja, ik moet nu gaan.'

'Ik loop wel even mee om me voor te stellen.'

'Nee!' zeg ik zacht maar heel duidelijk, en ik loop weg. Maar als ik opzij kijk zie ik dat mijn vriend me gewoon volgt. Jezus, wat een eikel.

'Max,' zegt Kees, 'je moet echt eens kijken…'

Maarten onderbreekt hem met een vrolijk: 'Hallo, ik ben de vriend van Max, Maarten Haarhuis, geen familie van. Ha ha ha.' Kees geeft hem snel een hand, zegt: 'Ha die Maarten', slaat een arm om mijn schouder en neemt me mee naar het clubje dat bij de monitor staat te kijken. Maarten blijft achter en ik kijk niet meer om.

'We hebben zeer bruikbaar materiaal, Max,' zegt Kees. 'De take die ik je ga laten zien vind ik echt ge-wel-dig. Toe maar, Vanessa.' Gebaart hij naar zijn assistente. Ik voel de kriebels in mijn buik. Bang dat ik mezelf belachelijk ga vinden, dat ik dik en lelijk ben en dat mijn stem afgrijselijk klinkt. Ik krijg een koptelefoon op mijn hoofd gedrukt en het krukje voor het beeldscherm wordt voor mij vrijgemaakt, en dan begint het. Ik zie mezelf het beeld in lopen met de tassen, ik ga zitten, merk de camera op. Wat zie ik er goed uit. Zo knap. En wat een mooi figuurtje. Ik zie iemand die ik zou willen zijn. Ik zie een vrouw van de wereld, die het op elk gebied gemaakt heeft. Een vrouw die weet wat ze wil en die krijgt wat ze wil. Mooi, zelfverzekerd en intelligent. De scherpe piep in mijn oor brengt me terug in de realiteit. Het filmpje is afgelopen. 'En hoe vind je het?' vraagt Kees. 'Best wel leuk,' zeg ik onderkoeld.

'Best wel leuk!?' herhaalt Kees, 'schat, je bent fantastisch. A star is born, en ik heb haar ontdekt!'

Wauw. Dit is geweldig! Het is alsof ik een klap op mijn kop krijg. Ik lach breeduit en groei. Ik voel mezelf groeien. Ik word groter en groter. Ik ben ineens de grootste van het gezelschap. Ik kan op ieders kruin kijken, en nog steeds groei ik door. Ik heb nu uitzicht over het hele plein en zie de mensen die staan te kijken. Ik zwaai naar hen. Ze zwaaien terug en roepen mijn naam. Ik lach en voel mezelf nog hoger stijgen. Ik ben nu bijna zo groot als de bomen. Ik zie toeristen in bootjes op de grachten, ze maken foto's en roepen 'Ohhh' en 'Aahhh'. Ik zie twee auto's op elkaar botsen. De bestuurders stappen uit, ze beginnen niet te vloeken, maar kijken omhoog naar mij. Mensen pakken elkaars hand. Ze grijpen elkaar vast en beginnen te huilen. Kinderen lachen en gillen. En ik groei nog steeds. Ik ben nu net zo groot als de grachtenpanden. Ik zie een vrouw die naakt ligt te zonnen op haar dakterras. Ik zie een stelletje dat ligt te vrijen. Ik zie studenten met flesjes bier. Betrapt kijken ze op, maar beginnen dan te lachen. 'Max,' roept een jongen, 'neem me met je mee!' Ik werp hem een kushandje toe en hij grijpt met beide handen naar zijn hart. 'Liefste, laat me niet alleen!' Ik roep: 'Later! Later krijgen jullie allemaal een handtekening van mij.' De lucht om mijn hoofd wordt koeler. Ik ben nu zo groot dat er vliegtuigjes om mijn hoofd cirkelen. De piloten zwaaien naar me, de Japanse passagiers filmen alles met hun nieuwste digitale camera's. Een reclamevliegtuigje raast voor me langs met achter zich aan een doek met de slogan: MAX FOR PRESIDENT! 'Te veel eer,' roep ik, 'doe maar gewoon, dan doe je al gek genoeg.' De piloot schudt nee, en maakt een looping. Een ander vliegtuig komt voor mij vliegen en maakt met witte rook een hart in de lucht. Dan zet hij er een pijl door en tot slot schrijft hij mijn naam. Ik lach, geniet en stijg weer op. Ik kan nu geen mensen meer onderscheiden. Ik zie de horizon. Hij loopt in een cirkel om mij heen. Ik sta in het midden van de wereld. Het centrum van het hele universum, dat ben ik. Boven mij hangen de wolken. Ze kriebelen al aan mijn haar. Ik buk om ze niet te hoeven raken. Ik wil niks van dit uitzicht, niks van dit gevoel kwijt. Maar ik groei door en kan er niet meer aan ontsnappen. Langzaam wordt het mistig voor mijn ogen, ik kan nog net de contouren van de aarde zien. Dan wordt het helemaal wit. Ik zie niks meer. Mijn hart bonkt in mijn keel. Mijn ademhaling wordt sneller. Nee, ik wil niet in paniek raken. Geen aanval, ik smeek het, het kan niet hier. Niet doen! Waar ben ik? 'Help!' Mijn hart gaat nu als een razende tekeer. Ik kan niet stoppen met ademen, de pijn in mijn hart. Waar zijn mijn zakjes? Ik zal vallen, eindeloos diep vallen, te pletter slaan op de puntige daken, de huizen, de tegels van de stoep. 'Help me! Mama! Papa!' Plotseling hoor ik een stem. 'Hier, Max, hierheen.' Ik kijk om me heen maar zie niemand. Dan kijk ik boven me en zie dat het daar lichter is. 'Hierheen, Max. Kom maar, je kunt het wel.' Kom op, groeien! Ik moet daarheen. Daar is de uitgang. Het lukt. Ik groei weer en kom steeds dichter bij het licht. Nog een dun laagje mist en ja, ja, ja! Eindelijk breek ik door. Even ben ik verblind door het felle zonlicht. Dan zie ik de wolkendeken waar mijn hoofd boven uitstijgt. 'Hier ben ik, Max,' hoor ik achter me. Ik draai me om en zie een klein vissersbootje dat mijn richting uit vaart. In het bootje zit een man. Ik zie zijn rug bewegen terwijl hij roeit. Als het bootje vlakbij is, draait het een halve slag, waardoor ik eindelijk kan zien wie me roept. Het is een oude man met een baard en een hoed. Hij lacht naar me en zegt: 'Kijk eens, lieverd, wat ik allemaal gevangen heb.' En hij laat trots een net vol met spartelende vissen zien. 'Wie bent u?' vraag ik. De man zet zijn hoed af en veegt met een zakdoek het zweet van zijn voorhoofd. Dan ineens zie ik het. Ik zie wie deze eenzame visser is die op de wolken drijft.

'Papa,' zeg ik. Hij kijkt me met zijn groene ogen aan en zegt: 'Ja, kindje, ik ben het.'

'Wat doe je hier?'

'Ik ben dood, dat weet je toch?'

'Jawel,' zeg ik, 'maar je ziet er zo anders uit, en je hield toch helemaal niet van vissen?'

Mijn vader lacht. 'Dat is waar. In het begin was ik hier alleen maar op en neer aan het scheuren in mijn rode Ferrari, maar dat ging al snel vervelen. Dus heb ik mijn bolide ingeruild voor dit bootje en ik moet zeggen: ik trek er elke dag weer met plezier op uit.'

Ik kijk naar hem. 'Wat is er, waarom huil je, meisje?'

'Mama gaat dood,' zeg ik, 'dan is er niemand meer. Alleen Ben en ik.' De tranen stromen over mijn wangen en maken gaten in de wolken. Mijn vader kijkt naar me en zegt: 'Ik zou heel graag dichterbij willen komen om je in mijn armen te nemen, kindje, maar het kan niet want dan verdwijn ik in de waterval van jouw verdriet.' Hij zwijgt even. Ik zie mijn vader in zijn bootje zitten. Ik zie zijn onvermogen om mij te troosten. Dan praat hij verder: 'Ik moet je iets vertellen. Ik ben geen goede vader geweest. Ik heb mijn leven vanaf deze plek nog een keer kunnen bekijken en ik heb mijn fouten gezien. Ik heb een kind doodgezwegen, ik heb je moeder genegeerd en ik heb jou aan je lot overgelaten. Ik wil je zeggen dat het me spijt. Als ik iets zou kunnen doen om het goed te maken, dan zou ik het doen. Maar het kan niet meer. Mijn leven is voorbij, kindje, maar jij hebt de toekomst nog voor je.'

Ik vraag: 'Papa, waarom heb je mama genegeerd?'

'Omdat ik de pijn in haar ogen niet kon aanzien. Omdat ik niet wilde weten…' Mijn vader stopt.

'Wat wilde je niet weten, papa?'

'Niks. Ga terug, mijn kind, en luister goed naar het verhaal van je moeder.'

'Nee,' zeg ik, 'ik wil mama's verhaal niet horen. Ik haat haar.'

'Ik moet gaan, Maxime, vergeef je moeder.'

'Ik kán haar niet vergeven.'

'Kun je míj vergeven?'

'Ja papa, niet weggaan.'

'Mijn daden waren erger,' zegt mijn vader. Hij draait zijn boot en begint te roeien. 'Zorg goed voor je broer.'

'Papa, blijf hier, ik weet niet waar ik naartoe moet gaan!'

Mijn vader zwaait en roept me nog na: 'Blijf zoeken, kind, blijf zoeken!'

Ik voel iets kouds en nats op mijn gezicht. 'Max, Maxime!' klinkt het vlak bij mijn oor. Ik probeer mijn hoofd van het geluid weg te draaien. Au, mijn hoofd! Ik slaap. Waarom slaap ik? Ik doe voorzichtig mijn ogen open. Waar ben ik? Boven de wolken? Dan schuift er een schaduw voor de zon in de vorm van een groot hoofd. 'Maxime, gaat het weer?' Dat is… Kees! Kut, wat doe ik hier op de vloer. Ben ik flauwgevallen? Wat gênant. Waar is Maarten? Is hij er nog? Ik kom half overeind. Er rolt iets van mijn voorhoofd in mijn decolleté. Ik schrik.

'Rustig, maar,' zegt Kees. Hij pakt het washandje van mijn borst en drukt het weer zachtjes tegen mijn voorhoofd.

'Wat is er gebeurd?' vraag ik, totaal versuft.

'Er is een statief met een lamp omgevallen en die is precies op jouw hoofd terechtgekomen.'

'Wanneer gebeurde dat?'

'Net nadat we de laatste shots hadden gedraaid en ik je het resultaat had laten zien.'

'O,' zeg ik, 'en is het oké geworden?'

'Ja, kleine pechvogel,' zegt Kees, 'het is prachtig geworden.' Hij lacht naar me, en ik vind hem ineens niet meer zo afstotelijk. Ik lach naar hem. 'Ik lig hier op zich wel lekker,' zeg ik, 'maar mag ik nu weer opstaan?'

'Tuurlijk,' zegt Kees, 'maar je moet wel een beetje rustig aan doen. Je bent een paar minuten buiten westen geweest, dus het zou kunnen dat je een hersenschudding hebt.'

Ik voel aan mijn hoofd. 'In ieder geval een bult,' zeg ik. Kees helpt me overeind en ineens hoor ik een enorm applaus. Ik denk nog: Waar is het te doen? Maar dan zie ik dat iedereen mijn kant op kijkt. Shit, ik slik. 'Ja, jongens, ik doe al mijn stunts zelf,' grap ik. Ze lachen. Mijn hemel, wat ben ik populair. Dan komt er een ambulance met gillende sirenes en piepende banden de hoek om scheuren.

'Te laat!' roept Kees. *'It's a wrap*, mensen, *let's call it a day!'* Nog een klein applausje en vanuit het niets worden er bergen met lekkere hapjes en blikjes bier tevoorschijn getoverd. Iedereen praat druk door elkaar heen. Het ambulancepersoneel schijnt met een lichtje in mijn ogen, meet nog het een en ander op en dan mag ik eindelijk ook bier en bitterballen.

Als ik een paar uur later licht aangeschoten op de fiets naar huis zit, denk ik aan mijn visioen. Wat wilde mijn vader niet weten? Ik heb geen idee. Ik wil niets meer weten. Alles wat ik weet is genoeg. Ik wil niet aan mijn moeder denken, maar toch verschijnt haar beeltenis in mijn hoofd. Op het moment dat je niet aan iemand wil denken, denk je al aan diegene. Dat lijkt een contradictie. Wat verschijnt er eerder? De gedachte of het beeld? Of zou het gelijk opgaan? Als ik gedronken heb, vind ik mezelf altijd vreselijk filosofisch.

Ik krijg een sms'je. Als het maar niet mijn moeder is. Nee, dat kan niet want ze weet niet hoe ze moet sms'en. Ik open het berichtje en lees: 'Waar ben je liefste? Je Maarten.' Dat kan ik beter aan jou vragen. Waar was JIJ, Maarten? En ik fiets harder naar huis om bij hem te zijn. Mijn vriend.

Sunny Day

'Goedemorgen!' klinkt het opgewekt en meteen daarna valt er een enorme bundel licht mijn slaapkamer binnen. 'Hoe laat is het?' vraag ik hees. 'Tijd om op te staan, schatje, je moet naar je lesjes.' Zo irritant dat Maarten mijn acteerworkshop 'lesjes' noemt. 'En jij moet zeker naar je blaadjes,' zeg ik droog. Maarten heeft deze sneer niet door, of hij dóet of hij het niet doorheeft, in elk geval komt hij in zijn giga walm Dolce & Gabbana op mij af en zoent me. 'Fijne dag, schatje.' En daar gaat hij in zijn driedelige krijtstreep. Ik blijf achter in ons warme bed. Dat is misschien wel de grootste meerwaarde van het samenwonen: het samen slapen. Alleen slapen krijgt dan ineens iets heel treurigs. Soms twijfel ik over deze hele relatie. Tot we samen in bed liggen en we na het vrijen, of soms na het niet-vrijen, elkaar 'slaap lekker' of 'welterusten' wensen, en dan niks meer tegen elkaar zeggen. Vanaf dat moment is het geoorloofd om te zwijgen. Je mág zelfs niks meer zeggen, want anders kan de ander niet slapen. In die stilte luister ik naar hem. Ik hoor zijn ademhaling, zijn nog onrustige bewegingen, de stuipjes als hij in slaap valt en het zachte gesnurk als hij eenmaal diep slaapt. Dan ga ik tegen hem aan liggen en voel ik zijn hartslag tegen mijn hoofd. Het gelijkmatige bonzen van zijn hart is mijn houvast, mijn stabiliteit. En al het andere neem ik voor lief. De ruzietjes overdag, de totale miscommunicatie, de ergernis en de onoprechtheid.

De commercial van Dé Bank is nu zes weken op de buis en vanaf de eerste uitzending slooft Maarten zich erg uit. Hij komt met bloemen thuis, koopt dure lingerie, lacht om mijn grappen, ook om de slechte, en noemt me 'mijn actrice' in gezelschap. Ik heb liever dat hij niet zo z'n best doet. Maar hij bedoelt het goed. Joris Goedbloed noemt Peter hem. Natuurlijk hebben we geen eindeloze gesprekken meer over de zin van het leven, is de seks veel pragmatischer geworden, valt er wel eens een te lange stilte als we uit eten zijn, maar dat is normaal. Toch? We zijn tenslotte al bijna een halfjaar samen.

Ik stap uit bed en zet de douche aan. In plaats van te wachten tot het water warm is, spring ik er meteen onder. Jezus, wat koud. Ik ben in één klap uit mijn melancholische overpeinzingen. Wat moet ik allemaal doen vandaag. Om halfelf begint mijn les. Ik moet nog even naar de monoloog kijken die we voor vandaag moesten voorbereiden, ik moet een kaars meenemen, en ik moet nog een taart kopen. Waarom? Fuck, ik ben jarig. Dat was het, ik ben vandaag vierendertig jaar geworden. En ik leef nog steeds! Ja, je weet van tevòren nooit of je Jezus wel zult overleven. Toch had hij heel wat meer fans dan ik. Daarom hebben ze me waarschijnlijk nog een paar jaar respijt gegeven. Werk aan de winkel. Ruw droog ik mezelf af en ik kies een mooi verjaardagsoutfitje uit. Ik wil snel terug naar de badkamer om mijn haar te föhnen, maar ik glijd uit over iets glads en val achterover. Au, mijn stuitje! Ik dacht dat mijn onhandige jaren nu achter de rug waren. Niet dus. Ik sta op en zie de zijden stropdas van Maarten. Sukkel, ruim je rotzooi op. Dan ineens realiseer ik me dat Maarten niets heeft gezegd. Hij heeft me niet gefeliciteerd. Hij is het gewoon vergeten. Gisteravond wilde hij vroeg slapen omdat hij vandaag een belangrijke bespreking had. Ik dacht nog, dan zal het morgen wel komen. Maar niks. Wat een boerenlul, wat een hufter. Ik maak het uit. Nu weet ik het zeker. Ik heb het zo gehad met zijn egocentrische gelul dat alleen maar gaat over

166

wannabe's. Het geaffecteerde toontje als hij indruk wil maken. De lucht van zijn foute aftershave. Of nog erger, de lucht van zijn angstzweet. Maar nooit toegeven, hè Maarten? Nooit zeggen dat jij het ook niet weet of dat iets jou kwetst. Nee, jij hebt het allemaal onder controle. Nou, mooi niet! Ik ruik je, Maarten. Ik ruik jouw paniek. Ik ruik de kleine jongen die je nog steeds bent. Misschien moet je er gewoon voor uitkomen dat je een zielig klein jochie bent dat door zijn vader nooit serieus genomen is. Misschien, heel misschien, is er dan nog een kans voor jou om volwassen te worden. Een man op wie je ooit, in de verre toekomst, echt trots zou kunnen zijn. En niet het schijnleven leidt dat je nu voor jezelf hebt opgebouwd. Met je actricevriendin, die jouw ego moet opvijzelen. Met de snelle vrienden, die jou gebruiken en die jij gebruikt als het zo uitkomt. Goede deal, wel. Met je glossy blaadje, dat je de status moet verschaffen waar je altijd van gedroomd hebt. Met je vette leaseauto, waarmee je het bescheiden maatje van je geslacht probeert te vergroten. Lul. Jij geeft niks om mij. Jij houdt alleen van het beeld dat je van jezelf hebt gemaakt. Maar het bestaat niet, Maarten. Het is een idee-fixe. Lul. Lul. Lul. Lul. Lul. Lul.

Woedend loop ik de trap af naar beneden. Ah, daar zijn de schoenen die ik zocht. Naast die van Maarten. Gisterenavond uitgedaan toen we op de bank televisie gingen kijken. Lul. Waar is dat papier met die klotemonoloog? Ik kijk op tafel en zie een briefje liggen met een pen ernaast. 'Lieve vriendin van mij,' staat er. Ik schrik. Heb ik mij vergist? Heeft hij me een lief briefje geschreven om mij te feliciteren en om me uit te nodigen voor een romantisch dinertje? Mijn handen trillen als ik het papiertje oppak. Ik lees: 'Ik ben vanavond pas laat thuis. Heb een eetafspraak met een ex-collega. Je hoeft niet wakker te blijven.' Lul. Lul. Lul. En hoezo hoef ik niet wakker te blijven?

Moet ik normaal wel wakker blijven? Om je te pijpen? Hoe be-staat het dat ik al bijna zes maanden lang met die eikel samen ben?

Ik vind het blaadje waar de monoloog voor de toneelles op staat en ik doe de woedende versie. Dat is wel fijn van acteren, je kunt jezelf er inderdaad in kwijt. Ik neem een besluit. Maar-ten gaat eruit! Ik maak het uit. Dat rijmt, maar het kan me geen fuck schelen. Ik wil niet gaan janken. Snel de monoloog nog een keer. Ik doe nu de verdrietige versie, waarbij de tranen over mijn wangen rollen. Mijn besluit staat vast, vanaf van-daag ben ik weer vrijgezel. Ik doe nog een keer de monoloog in een gelaten versie. Dan gooi ik wat make-up op mijn gezicht, smijt een kaars in mijn tas en vertrek.

Bij de bakker bespaar ik geld noch moeite en ik neem voor ruim dertig mensen de lekkerste taartjes. Ik wil net met alle dozen en tassen de winkel uit lopen als mijn gsm gaat. Peter.

'Hallo, lieverd! Gefeliciteerd met je verjaardag en nog heel veel jaren!' Peter, dat is mijn enige echte vriend.

'Dank je,' zeg ik oprecht.

'Al plannen voor vanavond?'

'Nee, niet echt concrete plannen.' Welke muts heeft er nou geen afspraken op haar verjaardag.

'Heb je zin om vanavond mee te gaan eten?' vraagt Peter.

'Lijkt me leuk. Waar en hoe laat?'

'Laten we van tevoren even gaan borrelen bij Stennis. En dan zien we daarna wel waar we precies heen gaan. Halfzeven?'

'Goed plan,' zeg ik. 'Tot dan, vriend, en bedankt voor het bellen.'

'Tot dan, jarig jobje.'

Er zijn minstens twintig gebakjes over, en bij een van mijn me-decursisten is het mokkataartje er na haar monoloog weer meteen uitgekomen, maar verder vond iedereen het lekker. Ik breng de rest straks langs bij de daklozen.

Mijn monoloog ging goed. Ik nam me voor om me niets voor te nemen. Moeilijke opdracht, maar het is gelukt. Ik heb de woorden gewoon uit mijn mond laten rollen. Acteren is een raar vak. Je neemt je eigen ervaringen, overdrijft het gevoel, doet er wat details bij die het voor de situatie toepasbaar maken en je kiest een geheim. Het doet er niet toe wat het geheim is, je mag er toch niets over zeggen. Mijn docente vraagt er achteraf wel vaak naar, maar dan verzin ik een heel ander interessant geheim. Ze knikt dan en zegt steevast: 'Dat dacht ik al.'

'Neem nu allemaal de kaars die je meegenomen hebt uit je tas,' zegt de docente. Ik pak mijn bordeauxrode kaars en zie dat ik de enige ben met een gekleurde kaars.

'Wat we gaan doen is het volgende,' begint ze, 'verzin voor jezelf een situatie waarin deze kaars van groot belang is. Een situatie waarbij het licht dat deze kaars je geeft, essentieel is. Speel dit verhaal voor jezelf. Daarna komt er een moment dat ik je vlammetje uitblaas. Er zal een omwenteling plaatsvinden. Ga dan door met acteren. Laat zien wat er gebeurt in die, voor jou misschien wel levensbedreigende, situatie. Zijn er nog vragen?'

'Ja,' zegt een jongen uit de groep, 'kan er interactie plaatsvinden tussen jou en de anderen?' Braafste jongetje van de klas. Stelt die vraag alleen om te laten merken dat hij de term 'interactie' waar we het zeven weken geleden over gehad hebben, heel goed begrepen heeft.

'Nee,' zegt de docente, 'dit is een individuele oefening. Hier zijn lucifers. Steek je kaars maar aan en begin maar.' De lucifers gaan rond en ieder doet zijn kaars aan. Zo, in de kring met die kaarsen, krijgt deze cursus iets sektarisch. Dit is een geheime bijeenkomst van een stelletje freaks. Ik merk dat ik geen zin heb. Soms is het lastig om de motivatie te kunnen opbrengen om je in zoiets in te leven. Ik bedoel, een levensbedreigende situatie, kom op jongens. Maar ik zie om me heen dat anderen daar minder moeite mee hebben. Sommigen zijn zelfs al begonnen. Eén iemand zit op de vloer een brief te schrijven. Een ander zit te bidden en weer een ander loopt balancerend, alsof ze aan het koorddansen is, van de ene naar de andere kant. De rest zit heel serieus na te denken over wat zij zouden kunnen verzinnen. Ze willen natuurlijk niet ook schrijven, bidden of balanceren. De oudere vrouw naast me staat op en begint te zingen. Waar dat nou over gaat? Concentreer je op jezelf, Max. Wat kan ik bedenken? Ik ben een moeder die haar kinderen martelt door hun handjes boven het vuurtje te houden. Nee. Ik ben een vrouw die net gescheiden is van haar man en hij heeft de energierekening niet betaald. Nee. Ik ben een buitenaards wezen en ben voor het eerst op aarde geland, het is midden in de nacht in de polder. Nee. Ik ben een hoer die de onderkant van brandende kaarsen gebruikt om klaar te komen. Nee. Ik ben een kaarsenfabrikant die wil weten wat de echte levensduur van zijn kaarsen is. Nee. Help, ik weet niks te verzinnen. Op nog één iemand na is nu iedereen druk in de weer met zijn kaars. Ik moet snel opstaan voordat de docente naar me toe komt om met zalvende stem te vragen of ik persoonlijke problemen heb met deze oefening. Ik loop door de zaal en heb nog steeds geen idee wat ik ga doen, maar het lopen met deze kaars voelt wel prettig. De meeste cursisten beginnen behoorlijk op dreef te raken. Er wordt steeds harder gelachen, gepraat en gehuild.

'Waar ben je?' hoor ik plotseling in mijn oor. Ik kijk om. Schuin achter me staat de docente.

'Niet omkijken,' zegt ze, 'blijf gewoon in je situatie.' Ik draai me terug en loop langzaam door. 'Waar ben je?' klinkt het dan weer.

'Ik ben verdwaald in een grot,' zeg ik uit het niets.

'Waarom ben je daar?'

'Ik was met een groepsexcursie mee in de mergelgrotten, maar ik ben de groep kwijtgeraakt.'

'Is het je eigen schuld,' gaat de fluisterstem verder, 'of heeft de groep je expres achtergelaten?'

'Het is mijn eigen schuld,' fluister ik.

'Hoe lang ben je al alleen?' vraagt de stem weer. Rot op, denk ik.

'Twee uur,' zeg ik.

'Nou, dan ben je behoorlijk rustig,' zegt ze betekenisvol en ze vertrekt naar een volgend slachtoffer. Ja, ik ben inderdaad rustig voor een vrouw in paniek. Om mij heen breekt wel de pleuris uit. De docente heeft twee kaarsen uitgeblazen en de gevolgen daarvan kunnen niet onopgemerkt blijven. Ik vind het vreselijk om mensen zo dramatisch te zien. Ik geloof ze ook niet, hun theatrale bullshit wekt slechts gêne op. Ik probeer niet te kijken. Ik kan het beter, denk ik bij mezelf. Ik kan beter spelen dan dit stelletje losers. Godver, Max, doe dan iets.

Oké. Nu! Ik begin om hulp te roepen. Ik zoek steeds koortsachtiger mijn weg door de grot. 'Kan iemand mij helpen. Iemand!! Help!!!' Ik ga steeds harder lopen. Ik ben gevangen in dit labyrint van donkere gangen. Ik moet de uitgang vinden. Ik ren sneller en sneller. In razende paniek bots ik tegen een wand en ik val. Mijn kaars is uit. Het is pikdonker in de grot. Ik ben zo bang. Kruipend en tastend probeer ik verder te zoeken. In totale ontreddering roep ik om mijn moeder. Ik huil. Vanuit mijn ooghoeken zie ik dat mensen gestopt zijn met hun eigen verhaal en naar me kijken. Het is heel stil geworden om me heen, waardoor mijn gesnik door de ruimte echoot.

'En stop maar allemaal,' zegt mijn verlosser. Ik sta rustig op en ga weer in de kring zitten. Zo, volgens mij was dat wel de bedoeling, denk ik tevreden. De docente vraagt aan verschillende cursisten wat hun situatie was en hoe ze de oefening hebben ervaren. Ten slotte zegt ze: 'Wat mij het meest is opgevallen tijdens deze opdracht, is dat jullie allemaal ophielden met spelen toen er iets bijzonders gebeurde. Toen Max' kaars uitging en ze in paniek raakte, stopten jullie met spelen en keken alleen nog maar naar haar. Wie van jullie dacht dat dit geen acteren meer was, maar echt?' Wat krijgen we nou, denk ik. Vier mensen steken hun hand op en drie zeggen aarzelend: 'Ja, ja.' Stelletje collaborateurs! 'Dat dacht ik al,' zegt de docente, 'maar laat me jullie één ding vertellen. Ik bepaal of iemand te ver gaat of niet. Ik stop wel als ik iemands privéleven voorbij zie komen. Maar wat Max deed was absoluut niet privé. Zij speelde de opdracht zo realistisch mogelijk. Het was een poging die ik de rest van jullie nog niet heb zien doen. Zij speelde, en ontroerde.' Ik voel me trots en ongemakkelijk tegelijk en weet niet waar ik moet kijken. 'Dit was het voor vandaag, mensen, tot donderdag.'

Iedereen staat op, pakt zijn spullen en loopt de zaal uit. De docente houdt me tegen. 'Max, kan ik je even spreken?'

'Natuurlijk,' zeg ik en ik blijf een beetje onhandig staan wachten tot iedereen weg is.

'Ik hou je al een tijdje in de gaten en na vandaag weet ik het zeker. Veel mensen in deze groep zullen het nooit leren, een paar spelen er niet onaardig, maar er is er maar één met talent en dat ben jij. Het niveau van de groep trekt je naar beneden en dat is jammer, want dat betekent dat je tijd verliest en je hebt al zo veel tijd verloren. Ik stel voor dat ik je in een professionele groep plaats, maar dat houdt wel in dat je meer lessen krijgt en je serieus aan de bak moet. Wat vind je daarvan?'

'Leuk,' zeg ik en ik denk: Leuk? Leuk? Dit is geweldig! Ik heb talent! Talent om te spelen en talent om iets te creëren, om iets te maken en niet alleen maar het talent om dingen stuk te maken. Ik heb Maarten niet nodig, ik heb talent!

Nadat ik de gebakjes in het daklozencentrum heb afgegeven voel ik me de meest getalenteerde weldoener op aarde. Ik ben zo vrolijk dat ik besluit een nieuw verjaardagsoutfitje in de stad te kopen voordat ik naar Peter ga. In mijn favoriete winkel pas ik een simpel zwart jurkje van Miu Miu, dat door de eenvoud van het unieke ontwerp absoluut zijn hoge prijs waard is. Omdat ik het waard ben, denk ik als ik voor de spiegel sta. Ik ben een A-merk, dus ik moet me niet langer kleden in B- of C-merken. Je kleren zijn de spiegel van je ziel. Ik heb mezelf jaren te laag ingeschat, ik heb mezelf niet serieus genomen, ik ben uit angst klein gebleven. Maar die tijd is nu voorbij. Met minder neem ik geen genoegen meer. Ik kies geen mannen meer die het niet halen bij mijn intellect en bij mijn talent. Ik neem geen baan meer die niet past bij mijn niveau. Ik ga alleen nog maar voor het beste, het leukste en het liefste. 'Ik hou 'm aan,' zeg ik tegen de verkoopster. Als ik bij de kassa sta af te rekenen besluit ik ook nog een mooie tas te nemen die achter de toonbank staat. 'Staat leuk bij mijn jurkje,' zeg ik tegen de verkoopster. 'Ja, héél leuk,' zegt ze enthousiast en ze slaat 430 euro extra aan. Wel een beetje jammer dat ik nu met mijn nieuwe jurk op mijn oude fiets moet springen, maar het is niet anders. Lopen is geen optie, want ik ben al te laat.

Om kwart voor zeven loop ik de kroeg binnen. Ik zie Peter niet aan de bar staan, maar wel mijn oude schoolvriendin Martine. Wat toevallig, denk ik nog, en ik wil haar net roepen als ik ineens een enorme gil hoor aan de andere kant van het café. Ik schrik en kijk waar de ruzie is. Dan begint het hele café plotseling te zingen: 'Lang zal ze leven, lang zal ze leven, lang zal ze leven in de gloria.' Een voor een herken ik hun gezichten. Peter staat vooraan, dan zie ik Kees staan, dan twee acteursvriendinnen van Peter die ook mijn vriendinnen geworden zijn. Ellen, die met een sjekkie in haar mond vrolijk staat mee te klappen. Maarten, mijn god, Maarten is er ook. Oom Eugene staat als een trotse vader achter het groepje en zingt lachend mee. Martine is inmiddels naar mij toe gekomen, slaat haar arm om me heen, en neemt me mee naar de groep. Ik strek mijn armen uit om ze te kunnen omhelzen en te bedanken, maar mijn vrienden wijken uiteen, en dan wordt achter hen zichtbaar wat de hoofdact is van deze party. Op een stoel zit trillend, met de handen voor de ogen, mijn broer Ben. Ik kijk verschrikt naar Eugene, die naast hem staat. Hij kijkt me gerustellend aan. Ik loop naar Ben toe en hurk voor zijn stoel. Voorzichtig leg ik mijn handen op zijn knieën en zeg: 'Hai lieverd, ik ben het, Max.' Mijn broer spreidt zijn vingers zodat hij stiekem kan kijken. Dan haalt hij zijn handen langzaam weg. Hij kijkt me angstig aan. 'Ik ben het,' zeg ik nog een keer en ik begin zachtjes een liedje voor hem te neuriën. Dan breekt de zon door en begint Ben te lachen.

'Max mooi,' zegt hij, 'Max lief', en ik word helemaal nat gezoend. De rest zet nog een keer 'lang zal ze leven' in. Ik val om door het gezoen van Ben en kom languit op de vloer terecht. Mijn nieuwe jurk! denk ik nog, maar door de enorme bulderende lach van mijn broer ben ik het meteen vergeten. Ik grijp de hand die zich naar mij uitstrekt, kom bijna vliegend overeind, en word dan door een andere hand weer stevig op mijn benen gezet. Ik sta oog in oog met Maarten.

'Gefeliciteerd, lieverd.'

'Dank je,' zeg ik en ik sla mijn ogen schuldig neer.

'Je hoeft niet verlegen te worden,' zegt hij en hij duwt mijn kin een stukje omhoog. Betekenisvol kijkt hij me aan en zegt: 'Ik hou van je Max', en dan zoent hij me, met al de liefde die hij in zich heeft.

'Mag ik even jullie aandacht?' schreeuwt Peter boven het gepraat uit. De muziek wordt zachter gezet en het geklets verstomd. 'Beste Max, allereerst natuurlijk heel hartelijk gefeliciteerd met je vierendertigste verjaardag. Het hele idee van deze verrassing kwam van je lieve vriend Joris Goedbloed, sorry, ik bedoel Maarten Haarhuis.' Applaus. Ik zie Maarten stralen. Hij draait zijn hoofd naar mij toe en ik kijk net op tijd weg om zijn blik niet te hoeven vangen. Peter gaat door. 'Jij was een leuke meid, Max, maar helaas heb je nu de leeftijd bereikt waarop je je niet langer kunt beroepen op dat imago. Dus bij deze maken we je leuke meid af, en geven we je de nieuwe titel: "bijzondere vrouw". We zijn het unaniem eens over deze benaming en hopen dan ook dat jij je kunt vinden in dit besluit.' Peter kijkt me dwingend aan en ik knik braaf. 'Een bijzondere vrouw verdient een bijzonder cadeau en wij hebben ons dan ook al weken, wat zeg ik, maanden lopen bezinnen op een geschenk dat jouw bijzonderheid kan evenaren. Helaas zijn we er niet uit gekomen. Jij blijkt namelijk alles al te hebben. Dus zat er maar één ding op: jou verblijden met een cadeau in natura. Nou was ook dat een vrij moeilijke opdracht voor de meesten van ons, behalve natuurlijk voor Maarten, en wij hebben allen een identiteitscrisis geriskeerd door het uiterste van onszelf te vergen. Maar we zijn eruit gekomen. Een voor een gaan we onze cadeaus aan je presenteren. Ellen mag beginnen.' Peter zet een stoel voor me neer, duwt me naar beneden en gebaart de rest ook te gaan zitten.

Ellen gaat voor de groep staan met haar sjekkie in haar hand en zegt: 'Beste vriendin. We kennen elkaar al zo'n tien jaar en in die jaren is er heel wat gebeurd. Ik ben tot de conclusie gekomen dat jij niet zonder mij kunt, ook al heb je zelf meerdere malen het tegendeel proberen te bewijzen. Ik wil jou graag zo lang mogelijk laten genieten van mijn wijze raad. Dat kan echter alleen als ik nog een tijdje op deze aarde rondloop en daarom heb ik besloten om te stoppen met roken. Ik neem nu mijn laatste haal.' Ze inhaleert heel diep, houdt haar adem in en blaast dan heel langzaam de rook uit. Dan drukt ze haar peuk uit in de asbak en zegt: 'Zo, dat was het. Gefelici-

175

teerd, lieverd.' Ik zoen haar en druk haar heel stevig tegen me aan.

'Geen tijd voor sentimentaliteit,' roept Peter, 'we moeten door! Kees.' Kees komt traag en kreunend overeind.

'Max, ik ken je nog maar tien minuten, maar ik voel nu al zo'n sterke band met je dat ik je mijn vertrouwen wil geven. Het vertrouwen dat je er altijd voor mij zult zijn, ook als ik oud en hulpbehoevend ben. Nou komen de gebreken soms eerder dan je verwacht. Zo ben ik gisteren door mijn rug gegaan en ik heb iemand nodig om me op de Nederlandse filmpremière van de Amerikaanse hit *Sparkle* te begeleiden. Volgende week vrijdag mag jij me, met goedkeuring van je vriend natuurlijk, komen halen en me de hele avond helpen, ondersteunen en pamperen. Gefeliciteerd, zuster Max! Ik vertrouw op je.'

Die Kees. Dan komt mijn oom Eugene. Hij geeft me een gratis pensioenadvies. Martine geeft me een dagje babysitten cadeau en van Annet en Julie, de twee actrices, krijg ik tien gratis dans- en zanglessen.

Dan gaat Maarten voor de groep staan. 'Lieve Max. Sinds jij in mijn leven bent gekomen ben ik zoveel gelukkiger. Jij hebt me geleerd om spontaan te zijn, om onbevangen te zijn en om liefdevol te zijn.'

'Aaaahhhh,' klinkt het door het café. Ik lach met mijn lippen op elkaar.

'Maar,' gaat Maarten verder, 'dat is nog niet alles. Je hebt me ook geleerd dat geld moet rollen.' Míjn geld, ja, schiet het door mijn hoofd. 'En dus wil ik je iets geven dat spontaan, onbevangen en liefdevol is en waarbij veel geld gaat rollen. Ik geef jou tijd met mij, in een lekker hotel aan de Franse Rivièra!'

'Dank je, lieverd,' zeg ik en ik probeer net zo spontaan te reageren als bij de rest.

Peter staat op. 'Ja, en dan is het nu mijn beurt. Lieve Max, feitelijk ken ik je nog niet zo lang, maar gevoelsmatig ken ik je al mijn hele leven. Wij hebben het woord soulmates uitgevonden. Er is veel gebeurd in je leven sinds ik je heb leren kennen. Je hebt grote keuzes gemaakt en nou wil ik dat niet allemaal aan mezelf toeschrijven, maar toch voel ik me een beetje verantwoordelijk voor het acteren. Ik heb jou ontdekt. Omdat ik heilig in jou geloof, grijp ik iedere kans aan om je te promoten. Met succes kan ik wel zeggen. Want het is mij gelukt! Mijn cadeau aan jou is een auditie voor een vaste rol in *Liefde en Haat*!!'

Ik vlieg Peter om de hals en druk hem heel stevig tegen me aan.

'Lieve Maxie,' zegt Peter terwijl hij zich van mij af duwt, 'we hebben nog één iemand over die zijn cadeautje wil geven: Ben, kom maar.'

Ben beweegt zich niet. Hij staart als een konijn in de schijnwerpers.

Mijn oom pakt hem bij zijn hand en zegt: 'Kom maar jongen, weet je nog wat je voor Max zou doen?' Dan knikt Ben en hij laat zich door mijn oom meenemen. Als hij voor de groep staat, en nog even met zijn ogen langs alle mensen gaat, begint hij. Hij zingt de mooiste psalm die ik ooit gehoord heb.

22

Echte liefde

'Vond je het fijn, liefje?' Maarten kijkt naar me en streelt mijn
buik. Ik probeer me in het geheel iets meer naar hem toe te
draaien op de krappe bank. 'Natuurlijk,' zeg ik, 'het was geweldig. Dankjewel.' En ik zoen hem op zijn mond. Hij lacht. 'Daar
hoef je me toch niet voor te bedanken.' Ik realiseer me dat hij
het over zijn orale kunsten had, en niet over het feest. 'Meisje
toch, lief meisje,' gaat Maarten verder alsof hij het tegen een
klein kind heeft, 'ik ben zo trots op je. Ik ben er zo trots op dat
jij mijn vriendin wilt zijn.' Zijn haar is te lang, waardoor de lok
over zijn gezicht valt. Het litteken is verborgen en ik kan alleen
zijn rechteroog zien. Hij snuift tevreden door zijn mooie rechte neus. Ik voel de koele lucht van zijn adem tegen mijn wang.
Ik ruik mij. Ik glimlach naar hem. Hij lacht terug. Een mooie
zachte glimlach waar de scherpe lijntjes rond zijn mond een
contrast mee vormen. Ik ben in de war, weet niet meer wat ik
moet denken of voelen. Ik wil hem liefhebben, deze man. Ik
wil van hem houden en hem nemen zoals hij is. Ik wil datgene
waar het altijd om gaat in boeken en films: liefde.

'Liefde van mij,' oefen ik zacht.

'Jij bent zo mooi,' fluistert Maarten en met een vinger
volgt hij de lijn van mijn gezicht. Het kriebelt, maar krabben
zou het moment bederven. Kan ik houden van een man? Ik
pak zijn hand en breng hem naar mijn mond. Met mijn tong
haal ik zijn vinger naar binnen. Ik zuig en raak hem zachtjes
met mijn tanden. Dan laat ik mijn tong om zijn vinger dansen. Natuurlijk kan ik van hem houden. Hij is de man waar

iedere vrouw van droomt. En hij houdt alleen van mij. Hij lacht en een rechte rij tanden komt tevoorschijn. Dit is het. Dit zijn de momenten waar het in het leven om gaat. Probeer in het moment te blijven door niet te denken maar te voelen. Nog gretiger lik ik zijn vinger. Ik schuif me dichter tegen hem aan en voel dat hij mij weer wil. Hij wil mijn lippen voelen. Hij wil mijn tong zijn eikel voelen strelen. Mijn mond zijn hele lul naar binnen voelen zuigen. Mijn handen stevig om zijn ballen voelen. Zijn blik wordt omfloerst. Ik trek zijn vinger uit mijn mond en zak naar zijn borst, zijn haartjes strelen mijn wang. Alles om mijn weg naar beneden gemakkelijker te maken. Ik bijt even gemeen in zijn tepel. *Naughty boy*. Hij kreunt. Dan daal ik sneller naar mijn doel. Ik kijk naar zijn erectie. Zijn normaal wat kleine lul is nu groot en stevig. Ik maak mijn vinger nat en raak dan zachtjes zijn eikel aan. Met mijn andere hand streel ik de binnenkant van zijn dijen. Ik stop net voor ik zijn ballen raak. Ik wil hem ruiken. Ik wil hem proeven. Ik wil voelen hoe strak zijn ballen zijn. Hoe hard zijn erectie is. Maar ik wacht en laat hem lijden. Hij aait over mijn hoofd. Ik wacht. Mijn ademhaling, voelbaar dicht bij zijn lul, maakt hem gek van opwinding. Hij grijpt mijn haar met zijn handen en smeekt om actie. Dan kan ik zelf ook niet meer wachten. Ik pak zijn ballen beet en sluit mijn andere hand om zijn lul. Dan laat ik hem langzaam in mijn natte mond glijden. Zijn ademhaling wordt zwaarder. Ik proef hem en zuig hem dieper en sneller naar beneden. Ik geniet van zijn geilheid en voel mezelf natter worden. Ik duw mijn benen iets uit elkaar en neem me voor om boven op hem te gaan zitten vlak voor hij komt. Hij kreunt en hijgt van genot terwijl ik hem afzuig. Zijn heupen beginnen mee te bewegen. Nog even en dan breng ik hem in mij. Ik voel dat zijn hoogtepunt nadert. Ik spreid mijn benen en wil omhoogkomen, maar Maarten pakt mijn hoofd met beide handen beet en duwt mijn mond terug op zijn lul. Hard stoot hij bij mij naar binnen. Hij hijgt zwaar en roept: 'Slik het door, slik het door!' Nog één, twee, drie harde rukken en dan spuit hij mijn mond vol. Ik proef de weeïge smaak van zijn sperma en wil slikken, maar het lukt niet. Nog een keer breng ik het dikke vocht achter in mijn keel en probeer het weg te krijgen, maar ik begin te kokhalzen. Gewoon in je mond houden zonder te proeven en daarna uitspugen in de wasbak. 'Wat kun jij toch lekker pijpen, schatje,' zegt Maarten nahijgend. 'Mmm hmm,' doe ik terug. Met zijn handen brengt hij mijn hoofd omhoog en hij kijkt me zwoel aan. Ik glimlach vriendelijk terug, sta op van de bank en loop naar de keuken. Daar draai ik de kraan open, spuug het goedje uit en roep: 'Ik heb ineens zo'n dorst, wil jij ook wat water?'

Als ik met twee glazen water de keuken uit kom zie ik mijn vriend in foetushouding liggen, zijn ogen zijn dicht. 'Slaap je?'

Hij opent zijn ogen. 'Nee, nee, natuurlijk niet, liefste.' Ik ga op de vloer voor hem zitten en reik hem een glas aan. Ik zie dat zijn hand licht trilt. Een erfenis van zijn vader, die nu zware Parkinson heeft. Ik weet hoe Maarten zijn trillende handen haat. Hij probeert het altijd te verbergen, en als hij ziet dat ik het toch gezien heb, zegt hij dingen als: 'Ik ben een beetje moe', of 'Ik moet niet meer zoveel drinken, ha ha'. Maar nu zegt hij niets. Hij kijkt me met een gelukzalige glimlach aan en zegt: 'Het was zo heerlijk lieveling.' Ineens voel ik het. Ik voel het van boven naar beneden gaan en weer terug. Een warme gloed schiet door mijn lijf. Dit is het. Nu Max!

'Ik hou van je, Maarten.'

'Ik ook van jou, Maxime,' zegt hij even plechtig terug. We lachen naar elkaar, en even, heel even, zijn we één.

De volgende morgen worden we wakker door het geboor van de buren. Het is zaterdag en mijn klusgrage buurman grijpt elke gelegenheid aan om bezig te zijn met zijn favoriete hobby: het huis opknappen. Het liefst begint hij daar om een uur of acht uur 's ochtends mee. Ik kijk op mijn wekker en moet constateren dat hij dit keer toch iets later begonnen is. Het is halfelf. Het was leuk en laat gisteren. Ik zie dat Maarten nog als een roosje ligt te slapen en ik ga dicht tegen zijn warme lijf aan liggen. Zo is het goed. Vierendertig, en eindelijk het leven dat je altijd gewild hebt. Maarten wordt wakker en kijkt me met kleine ogen aan.

'Ik heb raar gedroomd,' zegt hij. 'Ik droomde dat ik niet met jou hier woonde maar met Jacqueline. Je weet wel, jouw vriendin.'

'Ex-vriendin,' corrigeer ik hem. Maar ik voel een steek terwijl ik het zeg. Ze was er niet bij gisteren. Misschien moet ik haar vandaag bellen. Nou ja, ze kan míj natuurlijk ook bellen, tenslotte was ik jarig.

'Ze lachte de hele tijd om alles wat ik zei,' gaat Maarten verder, 'alsof ik steeds een goeie mop vertelde, maar ik vroeg gewoon dingen als "Is er nog koffie". Ik begreep niet wat ik hier met haar deed en wat er met jou gebeurd was.'

'Ik ben er nog, liefste, en ik ga niet weg.' Ik kus hem in zijn nek, op zijn wang en op zijn mond.

'Misschien komt het,' gaat hij weer door, 'omdat ik vergeten ben dat ik je iets moest geven van haar.' Hij stapt uit bed, loopt naar beneden en komt terug met een groene enveloppe. 'Hier. Ze heeft dit gisteren langsgebracht bij mij op kantoor. Alsjeblieft.'

Ik pak de enveloppe aan en maak 'm open. Het is de lelijkste bloemetjeskaart die ik ooit heb gezien. Ik vouw 'm open en lees in Jacqs meisjeshandschrift: 'Beste Maxime. Ik hoop dat je deze kaart net zo lelijk vindt als ik. Ik heb 'm voor je gekocht omdat we ruzie hebben, omdat ik je niet meer zie en omdat ik je mis. Gefeliciteerd. Jacqueline.' Ik sla de kaart dicht en wil niet dat Maarten ziet dat ik geraakt ben.

'En?' vraagt hij.

'O, gewoon een lelijke kaart, met gefeliciteerd,' zeg ik zo onverschillig mogelijk. 'Kom, opstaan!' Ik ruk het dekbed van ons af en probeer Maarten aan zijn arm omhoog te trekken. Hij trekt me weer in bed en begint me te kietelen. Ik smeek om genade en kan in een time-out ontsnappen aan zijn wurggreep. Ik gooi mezelf door de deur, ren door de gang naar de badkamer, maar glij uit over iets glads en terwijl ik achteroverval denk ik nog: Kutstropdas. Ik verwacht een harde klap en pijn, maar iets breekt de val. Maarten, die meteen achter mij aan is gerend, heeft mijn hoofd opgevangen in zijn handen. Ik zie zijn gezicht omgekeerd boven me en zeg: 'Dank je.'

Samen douchen, samen aankleden, samen ontbijten. Net voordat we de deur uit willen lopen zie ik het lampje van mijn antwoordapparaat branden. Ik druk het knopje in en hoor: 'Hallo Maxime, dit is je moeder. Ik wil je feliciteren met je verjaardag. Je zult wel iets leuks gaan doen met je vrienden vandaag. Ik wil... eh... Ik zou het leuk vinden om je te zien. Het hoeft niet vandaag. Morgen misschien. Ik heb een klein cadeautje voor je en dat wil ik je graag geven. Ik breng het anders morgen wel even langs om elf uur? Als het niet uitkomt moet je me maar even bellen. Dag. Dit was je moeder.' Ze had dus wel aan me gedacht gisteren. Ik kijk op mijn horloge en zie dat het vijf voor elf is. Shit.

'Ik ga wel snel weg,' zegt Maarten. In al die tijd heb ik hem nog niet aan haar voor willen stellen. Soms omdat ik het mijn moeder niet gunde, soms omdat ik het Maarten niet gunde.

'Nee, blijf maar hier,' zeg ik. 'Het wordt tijd dat je mijn moeder ontmoet.' Maarten zet thee en smeert wat crackers, ik ruim ondertussen de short, string, bh en sokken op die in de kamer zijn blijven liggen, trek de gordijnen open en zet de deur naar mijn balkonnetje open. Frisse lucht. Voor mijn moeder of voor mij?

Precies om elf uur gaat de bel. 'Mama!' roep ik enthousiast door de intercom. Een goed begin is tenslotte het halve werk. Ik denk dat het zeker twee jaar geleden is dat mijn moeder voor het laatst in mijn huis was. 'Vier trappen, hè mam, en dan de rechterdeur.' Ik trek snel de deur weer dicht.

'Wat doe je nou?' vraagt Maarten.

'De foto's, ik ben de foto's vergeten.' Ik heb een tijd terug alle familiefoto's met lijstjes en al in een kast geflikkerd. Gelukkig niet weggegooid, maar dat scheelde niet veel. Waar in de kast? Snel graai ik door de lades met rommel, en kijk tussen boeken en onder stapels tijdschriften. Jammer dan, denk ik bij mezelf, maar dan zie ik ze ineens achter de voorraad kaarsen liggen. Mijn moeder en ik in de tuin. Mijn vader, moeder en ik op vakantie in Oostenrijk en mijn moeder als jonge schone. Snel zet ik ze op het tafeltje naast de bank, waar al een foto staat van Ben op zijn aangepaste fiets en van Maarten en mij op het strand, en ik ren weer naar de deur. 'Kun je het vinden?' roep ik naar beneden. Ik hoor niks. 'Moeder?' Ik kijk om naar Maarten, die het hele schouwspel van een afstandje staat te volgen. 'Waar is ze?' vraag ik.

'Hoe moet ik dat nou weten?' Daar heeft hij gelijk in. 'Ga dan kijken,' zegt hij en hij kijkt me aan alsof ik niet goed bij mijn hoofd ben. Natuurlijk. Ik draai me om, loop de deur uit en ren de trap af. Net om de bocht van de bovenste trap staat ze. Ik bots bijna tegen haar op. Met kloppend hart sta ik nog geen decimeter van mijn moeder af. Nu ik zo dicht bij haar sta, valt het me op dat ze kleiner is dan ik me kan herinneren. We waren toch altijd even groot, maar nu komt mijn neus precies tussen haar ogen.

'Wat doe je hier? Waarom kom je niet boven?'

'Ik moet na iedere trap even rusten,' zegt ze met een zwakke stem.

'Hoezo, heb je wat aan je benen?' vraag ik.

'Nee, niet aan mijn benen.' Fuck! Denk ik. Hoe kan ik zo stom zijn. Hoe kan ik vergeten dat de kanker haar aan het opvreten is? Ik ben echt alleen maar met mezelf bezig. Ik sla een arm om haar heen en zeg: 'Kom maar, ik help je wel.' Ik voel haar botten door het dunne vestje. Ik heb de neiging om mijn arm terug te trekken, maar dat kan niet meer. Ik voel en ruik haar. Ze heeft haar luchtje weer op, maar nu zit er ook iets anders doorheen. Urine? 'Gaat het?' Tree voor tree gaan we naar boven. 'Ik moet je wat vertellen, moeder. Ik heb je een tijdje terug toch verteld dat ik een vriend heb?'

'Ja, die tennisser,' hijgt mijn moeder.

'Nee, dat is *Paul* Haarhuis. *Maarten* Haarhuis is mijn vriend.'

'O, Maarten.' Mijn moeder neemt de laatste tree. Na het uithijgen zegt ze: 'Ik las dat hij gestopt is met spelen.' O mijn god, zou de kanker haar hersenen al hebben aangetast? De deur gaat open en daar staat Maarten.

'Klopt, mevrouw Bremer, hij is een paar jaar geleden gestopt.'

'Zie je wel,' zegt mijn moeder en ze recht haar rug om zich trots voor te stellen.

'Mevrouw Bremer, zeg maar Mia.'

'Maarten Haarhuis.' Maarten neemt haar galant aan zijn arm, en ze stappen samen over de drempel. Dat wordt gezellig.

Terwijl ik in de keuken thee, crackers en koekjes pak, hoor ik mijn moeder en Maarten klessebessen alsof ze elkaar al jaren kennen. Ik zucht, til het dienblad op en forceer een vriendelijke glimlach. 'De thee!' roepen ze in koor als ik binnenkom. 'De thee!' doe ik er nog een keer achteraan.

'Ik had het er net met je moeder over, Max, dat het misschien een goed idee is om een lift op de trap te laten monteren.' Ik geloof mijn oren niet.

'Zo'n lift zal niet goedkoop zijn,' zeg ik zwak.

'Kind, je hebt toch nog een heleboel over van de erfenis van papa.'

Wat is dit? 'Ja, ja,' mompel ik.

'Mijn man, sorry ex-man, zat behoorlijk goed in de slappe was, maar net voor zijn dood heeft hij mij uit zijn testament geschrapt.'

'Goh, wat vervelend,' zegt Maarten met een medelevende blik.

'Ja, anders had ik zo'n traplift natuurlijk gemakkelijk zelf kunnen betalen.'

'Maakt u zich geen zorgen. Max wil zo'n apparaat vast wel financieren, hè Max?' Ik heb zin om het hele dienblad in hun smoel te smijten. Helaas zitten ze te ver uit elkaar om ze allebei tegelijk te raken. Beheerst zet ik het blad op het tafeltje naast de bank en stoot per ongeluk expres de foto waar mijn moeder alleen op staat eraf.

'O, god, wat stom,' zeg ik schuldbewust.

'Gelukkig is hij niet kapot,' zegt Maarten, terwijl hij het lijstje opraapt en er liefdevol overheen strijkt. 'Bent u dat?'

'Jaha.'

'Wat ziet u er prachtig uit. Hoe oud was u hier? Een jaar of twintig?'

'Nou, doe er maar gerust dertien jaar bij,' zegt mijn moeder vals bescheiden.

'Dat meent u niet. Was u hier al drieëndertig?'

'Jaha, en al een kind van bijna zes,' glundert mijn moeder.

'En een kind van tien, hè mam.' Verschrikt kijken ze allebei mijn kant op. Mijn moeder door haar uilenbrillenglazen en

Maarten met maar één groot zichtbaar oog. Stilte. Wie durft het mes op te pakken?

'Ja, Maxime,' zegt mijn moeder dan voorzichtig, 'en een kind van tien.'

'Maarten heeft 'm gisteren ontmoet,' zeg ik vals. Verdeel en heers. 'Toch, Maarten?'

'Ja. Aardige knul,' zegt Maarten.

'Dat weet mijn moeder niet, want zíj heeft 'm nog nooit ontmoet. Hè mama?'

Mijn moeder slaat haar handen voor haar gezicht.

'Ja, wat nou? Ben je hier godverdomme gekomen om over een lift te praten, en om de vuile was buiten te hangen over ons gezin, over mijn vader? Probeer je soms mijn vriend te paaien met mijn geld?' Ik ben opgestaan en ga tekeer tegen mijn moeder. 'Wat doe je hier? Je hebt me nog niet eens gefeliciteerd met mijn verjaardag. Rot godverdomme op naar je eigen kutleven!' Mijn hart slaat op hol.

'Rustig Max, rustig,' Maarten pakt me bij mijn schouders.

'Wat nou, rustig, wat weet jij er nou van? Jouw moeder ging dood toen je tien was. Was je er lekker van af.'

'Je houdt je mond over mijn moeder! En je stopt met schreeuwen tegen je eigen moeder.'

'Dat bepaal ik zelf wel. Aan wiens kant sta jij eigenlijk? Slijmbal. Klootzak! Ik moet je niet meer. Rot jij ook maar op! Oprotten jullie allebei!!' Briesend sta ik tegenover ze.

In het moment dat volgt, waarop mijn moeder snikt, mijn vriend zwaar ademt en ik hijg, gebeurt er niets. Niemand staat op, niemand loopt weg. Dan begint het boren van de buurman weer.

'Blijven jullie maar lekker hier, ik ga zelf wel weg.' Ik trek mijn jas van de kapstok en ren naar beneden. Ik ren over straat, ren naar het park en laat me vallen in het gras.

23

De Dikke Uil

Met mijn plastic tasje sta ik in de lobby. Ik heb twee nachten in hotel De Dikke Uil geslapen, twee dagen door de stad gezworven, nieuw ondergoed, dagcrème, een oogpotloodje, mascara en lippenstift gekocht bij de Hema, uren gebeld met Peter en onverwacht bij Jacqueline aangebeld. Ze was niet thuis. Ik heb haar onderbuurvrouw gevraagd om door te geven dat ik langs was geweest. Ik had in dit hotel kunnen blijven wonen, maar ik ga naar huis. Over twee uur heb ik een afspraak bij de soap waar Peter me in geluld heeft. Dat wil zeggen, als ik inderdaad zo geschikt voor die rol ben als hij ze verteld heeft. Ik merk het wel. Drie dagen geleden dacht ik nog dat ik mijn leven perfect op de rails had, nu denk ik dat niemand een grotere puinhoop van zijn leven heeft gemaakt dan ik.

Maarten heeft me de eerste dag tweeëntwintig keer proberen te bellen, de tweede dag achttien keer en vandaag nog maar tien keer. Hij heeft me in totaal dertien sms'jes gestuurd, die ik allemaal ongelezen heb verwijderd. Mijn moeder heeft me in totaal vier keer gebeld. De eerste dag drie keer, de tweede dag één keer en vandaag nul keer. Hoeveel schuldgevoel en bezorgdheid kun je bij iemand oproepen? En hoe lang duurt het voordat het overgaat in boosheid om vervolgens in onverschilligheid te eindigen? Ik heb geen last van borderline. Nee, ook niet van psychische labiliteit of jeugdtrauma's. Ik zit gevangen in een leven dat niet van mij is, maar waar ik per ongeluk in terechtgekomen ben. Zoals er mensen zijn die het gevoel hebben dat ze in een verkeerd lichaam zitten, zit mijn lichaam in een verkeerd leven. Wanneer komen ze ooit bij elkaar, mijn leven en mijn lichaam? Misschien pas als ik dood ben. Misschien vind ik mijn leven in de wolkenzee waarin mijn vader met zijn kleine vissersbootje vaart. Ik moet blijven zoeken, heeft mijn vader me gezegd.

Ik reken bij de doorgerookte man achter de receptie tweehonderd euro af. Hij kijkt naar mijn handtekening op de bon en naar mijn creditcard. Mij kijkt hij niet aan. Hij hoest drie keer rochelend, en houdt daarbij mijn creditcard voor zijn mond. Dan kijkt hij naar de geldigheidsdatum. 'Is goed,' mompelt hij nors. Hij gaat weer in de bruine eikenhouten stoel zitten, slaat de krant weer open en schraapt nog een keer zijn keel. Ik veeg mijn betaalkaart zo onopvallend mogelijk af aan de broek die ik al drie dagen aanheb en loop dan zonder tas en zonder iets te zeggen de deur uit. Ik ben hier nooit geweest.

De zon schijnt, maar de buitenlucht is fris, dus ik knoop mijn spijkerjasje dicht. Naar mijn huis is het ongeveer zevenhonderd meter lopen. Dat is veertienhonderd passen. Een pas per seconde, dus daar doe ik drieëntwintig minuten over. Drieëntwintig minuten om te bedenken wat ik tegen Maarten ga zeggen. Denk, Max! Denk aan een verklaring waardoor Maarten begrijpend zal knikken en de romance weer gewoon kan voortleven. Het lukt me niet om in mijn hoofd te komen. Een fietser snijdt mijn pad af, de tram scheurt piepend de bocht om en ik moet stoppen omdat het voetgangerslicht op rood staat. Aan de overkant staat een groep Japanners druk te doen. Ze hebben honderden winkeltassen in hun handen en lachen, knikken en praten aan één stuk door. Een van hen gebruikt de tijd die ze moeten wachten tot het licht groen is, om een groepsfoto te nemen. Ik heb de neiging mijn leven te wagen door de straat over te rennen en me bij de groep aan te sluiten, zodat ik ook op het kiekje kom. Zodat ik vereeuwigd voor altijd een onderdeel ben van deze groep Japanse toeristen. Zodat ik over een week terug kan vliegen naar Tokio of Kyoto, en mijn leven daar weer kan oppakken. Groen. Ze passeren mij zonder mij op te merken. Alweer een kans gemist.

Tekst! Welke tekst ga ik zo meteen tegen Maarten uitspreken? Ik kan me niet concentreren op de woorden. Ik kan alleen maar kijken naar wat er om mij heen gebeurt. Alsof ik de wereld voor het eerst zie. De krioelende mensen op het plein, de schouwburg, de trams die in een file rijden, de fietsers, de taxi's, de Mexicaanse straatmuzikanten en de Burger King. Het zonlicht maakt het allemaal onwerkelijk mooi. Niet kijken, denken! Mijn hoofd is nog nooit zo leeg geweest. Ik herhaal de woorden van Peter: 'Je moet de confrontatie aangaan. Zeggen waarom je je gekwetst voelt.' En de vragen die hij stelde: 'Max, hou je wel echt van Maarten? En waarom probeer je je moeder nog steeds te veranderen?' En de verwijten die hij me maakte: 'Je kunt niet altijd blijven wegrennen. Je bent vierendertig, het wordt tijd dat je je daar naar gedraagt.'

Er poept een duif op mijn hoofd. Ik voel de vieze nattigheid in mijn haar. Ik heb niets om het mee schoon te maken. Mijn vingers veeg ik af aan mijn broek. Ze zeggen wel eens dat het geluk brengt als er vogelstront op je kop terechtkomt. Daar heb ik nooit in geloofd, net zoals ik niet geloof dat het ongeluk brengt om onder een ladder of een hijskraan door te lopen, maar vandaag ben ik bereid om alles te geloven, als het mij maar een stukje verder brengt in mijn zoektocht. Ik tuur naar de stoep. Misschien vind ik iets, een teken, een aanwijzing, een bijzonder voorwerp. Het enige dat ik zie, naast alle gebruikelijke troep, van sigarettenpeukjes, hondendrollen en papiertjes, is een gebruikte spuit. De junkenweg heb ik al eens bewandeld en het lijkt me geen optie om daarnaar terug te keren. Ik schop hard tegen het plastic ding. Met een boogje komt het in het water van de Singel terecht. Ik kijk over de rand om te zien of hij ondergaat of blijft drijven en zie een prachtige witte zwaan. Hij heeft de spuit ook zien vallen. Hij zwemt ernaartoe en reikt zijn hals uit om hem in zijn bek te nemen. Kunnen zwanen aids krijgen? 'Neeee!' roep ik keihard. De zwaan kijkt verschrikt omhoog. Even hebben we oogcontact en dan gaat hij er half zwemmend, half vliegend vandoor. Die heb ik in ieder geval gered.

Als ik mijn sleutel in het slot steek, krijg ik buikpijn van de zenuwen. Het is vijf voor halftwee. Maarten zou normaal gesproken op zijn kantoor moeten zijn, hij zou dan tegen vijven gaan borrelen met zijn collega's en me om een uur of zeven proberen te bellen, om me met een licht aangeschoten stem te vragen of ik zin heb om een hapje te eten in de stad. Ik hoop dat dit een van die dagen is waarop de dingen gaan zoals ze gewoonlijk gaan. Ik hoop sowieso dat er niets verandert, dat we doen alsof er niets gebeurd is en ik niet drie dagen weg ben geweest.

Ik ben bijna boven. Ik moet mijn sleutel twee keer omdraaien. Dat betekent dat de deur op het extra slot zit en dat Maarten waarschijnlijk weg is. Nooit geweten dat mijn deur zo veel herrie maakt als je hem openduwt. Het snerpende gepiep is bijna oorverdovend en ik hou mijn adem in. Dan sta ik in de deuropening en kijk ik de gang in. Maartens jas is weg, maar zijn aktekoffertje staat recht voor mijn neus.

'Hallo,' roep ik voorzichtig. Geen antwoord. 'Maarten?' roep ik iets harder. Nog steeds niets. Als een indringer in een vreemd huis loop ik de gang door naar de woonkamer. Mijn hart gaat als een gek tekeer. Waarom ben ik zo bang? Hij zou me toch nooit fysiek iets aandoen? Ik verwacht in elk geval straf, maar ik weet niet in welke vorm ik deze zal krijgen. Ik duw de deur open en kijk om het hoekje. Leeg. Gelukkig. Maar dan kijk ik in de woonkamer en zie mijn straf. Het is één grote puinhoop. De tafel staat vol met etensresten en wijnglazen. Mijn fotoalbums liggen verspreid over de vloer. Er staan half ingepakte dozen in de kamer, er liggen kleren van Maarten over de bank verspreid en er staan verwelkte bloemen in de vaas. Er is nog meer straf, het ligt op het bureau en heeft de vorm van een brief. Ik loop ernaartoe, pak hem niet op maar buig me voorover en lees hem.

Lieve Maxime,   *11 mei*

Ik begrijp je niet. Ik begrijp niet waarom je zo vaak wegrent voor mij en voor onze liefde.
Dit is niet de eerste brief die ik je schrijf. De eerste was een liefdesverklaring. De tweede stond vol met verwijten over hoe je mij zo in onzekerheid kon laten zitten. Inmiddels heb ik van Peter begrepen dat je niet ergens dood in een gracht ligt.
Dit is mijn derde en laatste brief, Max. Ik hou van je om je zachte kant, maar ik ben bang voor je om je zwarte, ondoorgrondelijke kant.
Ik kies nu ook voor mezelf, net als jij.
Je bent mij geen verklaring schuldig. Het is te laat. Het is voorbij.

Maarten

PS Mocht je dit op tijd lezen: ik kom om zeven uur mijn spullen ophalen. Ik wil je niet zien. Ik zal de sleutel door de brievenbus gooien.

Mijn hoofd tolt. Mijn maag verkrampt. Ik loop naar de keuken voor een glas water. Ik ben nog niet genoeg gestraft. Op het aanrecht staat een keurig ingepakt cadeautje, met een soort fantasiebloem erop van hetzelfde inpakpapier. Er is er maar één die dit gemaakt kan hebben en dat is mijn moeder. Omdat mijn pijngrens toch al ver overschreden is pak ik het op en begin voorzichtig het papier los te maken. Er zit een bruin kartonnen doosje in. Ik maak het dekseltje open. Met mijn hand haal ik het voorwerp eruit. Het is een zilveren beker, zo'n traditioneel cadeautje dat je bij de geboorte van je kind krijgt. Ik begrijp niet wat de bedoeling hiervan is. Langzaam draai ik het rond en dan zie ik het:

Benjamin

In klassieke krulletters is de naam in het glanzende bekertje gegraveerd. In de beker zit een roze briefje. Ik vouw het open en lees:

Beste Maxime,

Gefeliciteerd met je verjaardag!
Ik weet dat er veel fouten zijn gemaakt. Door mij en door je vader. Sommige fouten zijn onvergeeflijk. Het spijt me dat ik jou daar ook mee gekwetst heb.
Je bent nu vierendertig jaar geworden. Dit geboortegeschenk voor je broer heb ik destijds van mijn moeder gekregen. Al die jaren heb ik het bewaard, maar ik weet dat ik het nooit heb verdiend. Ik hoop dat jij het wilt aannemen.

Je moeder

Dus dat kwam ze me brengen. Wat moet ik daar nou mee? Waarom is ze niet naar Ben gegaan? Waarom word ik elke dag meer belast met haar schuld en met haar leven? Ik heb de neiging om het bekertje door het raam naar buiten te smijten, maar in plaats daarvan klem ik het tussen mijn beide handen alsof het een kostbare schat is. Het voelt koud aan. Prettig, zo'n koel en duidelijk voorwerp tussen mijn handen. Ik wou dat ik dat bekertje was. 'Max? O, dat is dat koude bekertje daar.' Maar de kou verdwijnt. Mijn handen verwarmen het zilver, waardoor ik al snel geen temperatuur meer voel. Ik wil dat het weer koud aanvoelt. Te laat. Sommige dingen verliezen hun eigenheid als je ze aanraakt. Even blijf ik zo zitten, dan neem ik een besluit. Ik loop naar de koelkast, doe de deur open, trek onder luid gekraak het vriesvak open en stop het bekertje erin. Dan doe ik zorgvuldig alles weer dicht, loop naar boven en zet de douche aan. Ik doe mijn schoenen uit, gooi mijn kleren in de wasmand en ga onder de lauwwarme straal staan.

24

Opgeruimd staat netjes

Peter staat op me te wachten bij de achteringang van de televisiestudio's.

'Hoi lieverd! Keurig op tijd. Ik dacht: ik kom je maar even oppikken want het is een doolhof hier. Wat zie je er goed uit. Wel een beetje mager, maar dat is juist goed voor tv. Ha ha ha.' Het is alsof Peter auditie moet doen, en niet ik. Zenuwachtig gaat hij door met zijn gekakel, terwijl hij me ondertussen door een labyrint van gangen leidt. 'Heb je je tekst geleerd? Dat is wel echt beter, hoor. Ik bedoel, ze zeggen het niet expliciet, maar het staat toch een stuk professioneler als je je tekst goed kent. Natuurlijk gaat het uiteindelijk niet om de woordjes maar om wat je erin legt. Heb je het op verschillende manieren gerepeteerd? Het is het beste als je niet te veel vastzit in één ding. Je moet flexibel kunnen zijn en de regie-aanwijzingen kunnen opvolgen. Daarom, als je te veel vasthoudt aan één interpretatie vinden ze je misschien wel goed maar niet plooibaar genoeg. *Directable.* Kende je nou je tekst?'

'Ja Peter, ik ken mijn tekst.'

'Goed zo, ik wist dat ik op je kon rekenen. Goed hoor lieverd, want ik heb erg over je lopen opscheppen. Hoe is het trouwens met Maarten? En je moeder, hoe gaat het met haar?'

'Het is voorbij,' zeg ik droog.

Peter staat met een schok stil. 'O nee, wat vreselijk, lieve schat, en dat op deze dag. Wanneer is het gebeurd?' Ik kan door zijn stevige omhelzing nauwelijks ademhalen, laat staan antwoorden. 'Hebben jullie nog met elkaar gesproken, voordat, je weet wel?' Hij pakt mijn hoofd tussen zijn handen en kijkt me met tranen in zijn ogen aan.

'Nee,' zeg ik een beetje in de war van zo veel onverwachte compassie. Ik had gedacht dat hij opgelucht zou zijn dat het uit was. Met trillende lip gaat hij verder.

'Wat afschuwelijk, lieve schat. Wanneer is het precies gebeurd?' Ik kijk hem niet begrijpend aan. 'Wanneer is je moeder gestorven?'

Ik schiet in de lach. 'Mijn moeder is niet dood. Het is over met Maarten. Afgelopen. Uit.' De verbijstering op Peters gezicht gaat over in opluchting. Ik vraag me af of hij het ooit zo mooi had kunnen spelen.

'O, gelukkig.'

'Nou, echt "gelukkig" zou ik dat ook niet willen noemen,' zeg ik.

'Sorry, lieverd. We hebben het er straks nog wel over, maar je moet je eerst concentreren op je auditie.' Peter maakt de deur open en laat me binnen in de wereld van de soap.

In de open ruimte voor me staan verschillende bureaus waar mensen druk zitten te bellen. In het kantoor rechts van me is een serieus gesprek bezig; door het glas zie ik een actrice hevig snikkend tegenover een streng uitziende vrouw zitten. Daarnaast is nog een kantoor waar ik niet zo goed naar binnen kan kijken, maar waar hele vrolijke zingende geluiden uit komen. Vervolgens is een klein kantoortje waar iemand voor een televisie en een computer heel ernstig zit te werken. En tot slot is er rechts voor een ruimte waarin een gezelschap van vijf mannen in pak om een ronde tafel vergaderen. In de gang links van me lopen mensen heen en weer. Sommigen heel chic alsof ze naar een gala gaan, anderen lopen in hun badjas. Ik ben toch een beetje geïmponeerd en Peter gedraagt zich ook ineens anders. Afstandelijker.

'Hé Melanie,' zegt hij tegen een meisje dat net de telefoon had neergelegd, 'wil jij even aan Stan doorgeven dat Maxime er is?'

'Tuurlijk lieverd.' Ze begint meteen te bellen. In het grote kantoor klinkt de telefoon. Eén van de mannen staat op. Dat moet Stan zijn.

'Komt eraan, Peet.'

'Bedankt Mel!' zegt Peter en hij schudt zijn hoofd naar achteren, alsof hij lang haar heeft. 'Ga maar even zitten.' Peter wijst naar de luie bank naast ons. Ik zak te diep in de kussens. Peter gaat naast me op de leuning zitten. De mensen die voorbijlopen groeten joviaal en Peter groet populair terug. Wat is dit voor een rare vrolijke club? En waarom stelt Peter me aan niemand voor? Misschien heeft hij mijn komst doorgedrukt, maar zit er niemand op mij te wachten. Uit beleefdheid hebben ze me toch maar laten komen. Ik voel me erg overbodig in die té grote bank, met al die té leuke mensen. Om iets te doen te hebben pak ik mijn tekst en lees ik nog een keer de rolomschrijving door.

Julia Bergmeijer is een echte carrièrevrouw van begin dertig. Ze komt tijdelijk als troubleshooter werken voor het multimediabedrijf Face it! Met Face it! gaat het niet zo goed omdat Henk Franssen, de directeur van het bedrijf, stuk is door het overlijden van zijn vrouw Henny Franssen. Zij heeft een tijdje geleden zelfmoord gepleegd. Julia is niet alleen uit op een vaste aanstelling binnen dit bedrijf, ze is ook uit op een vaste relatie met Henk. Ze is namelijk niet toevallig terechtgekomen in deze functie. Ze volgt de familie al een tijdje via de media en een aantal privébronnen. Julia heeft er haar hobby van gemaakt om rijke mannen 'op te souperen'. Dat wil zeggen, ze te verleiden, ze financieel uit te kleden en ze vervolgens weg te gooien.

De deur gaat open en een lange, wat slungelige man van een jaar of veertig komt op mij afgelopen. 'Jij moet Maxime Bremer zijn. Ik ben Stan,' zegt hij terwijl hij zijn hand uitsteekt. Ik probeerde snel uit de diepe bank op te staan om hem vriendelijk de hand te schudden, maar schiet uit met mijn voeten, waardoor er een gênant geluid ontsnapt. Ik hoor Peter naast me giechelen. 'Zullen we naar beneden gaan?' vraagt Stan droog. 'We spelen de scène in het decor.'

'Logisch,' zeg ik en ik loop stoer achter hen aan de trappen af.

'Peet, wil jij Hans even halen? Hij wacht in zijn kleedkamer.'

'Peter heeft erg hoog over je opgegeven,' zegt Stan als we alleen verder lopen.

'Ik weet het,' zei ik. 'Ik hoop niet dat ik ga tegenvallen.'

'Het is niks persoonlijks hoor,' zegt Stan, niet reagerend op mijn opmerking, 'maar we werken bijna nooit met zulke onervaren acteurs. Dat fabeltje doet natuurlijk over soaps de ronde: dat we de mensen van de straat plukken, maar zo werkt het in de praktijk natuurlijk niet. De mensen die we casten zijn meestal heel ervaren of heel bekend. Dus.'

We zijn er. Hij maakt een zware deur met een grote vier erop open en laat mij voorgaan.

Ik heb nooit geweten dat de soapdecors er zo uitzien. Het is een grote hal met allemaal verschillende minihuiskamertjes, cafeetjes en kantoortjes. Ik kijk natuurlijk wel eens naar *Liefde en Haat*, en op tv ziet het er aardig gelikt uit allemaal, maar wat ik hier zie slaat werkelijk nergens op. Wat klein, wat boven op elkaar gepropt en wat sfeerloos.

'Gek hè,' zegt Stan, 'maar dit is het. Hier, en in de twee studio's hiernaast, maken we al dertien jaar *Liefde en Haat*.' We lopen door en komen bij het kantoor van Face it! Er staat een jongen met een camera klaar en ze zijn het licht aan het instellen. Peter komt druk babbelend met Hans binnengelopen. Ik schrik. Die Hans, die al dertien jaar Henk speelde, is precies hetzelfde als op tv. Ik weet niet wat ik me had voorgesteld, maar in elk geval iemand anders dan degene die ik al jaren bij het zappen tegenkom. Hij ziet er nog echter als Henk uit dan Henk, in tegenstelling tot de decors die er helemaal niet echt uitzien. Er worden handen geschud en er wordt uitgelegd wat de bedoeling precies is. Waar mijn eerste positie is, op welk moment ik moet gaan lopen naar positie 2, wanneer ik me dan weer moet omdraaien (positie 3) en in welke richting mijn 'eindblik' is. Dit is wel even wat anders dan mijn acteerlessen, waar ze het alleen maar over emoties hebben in plaats van posities.

'Goed, we gaan beginnen!' roept Stan. Blijkbaar mag Peter er niet bij zijn, want hij steekt nog even zijn duimen naar mij op en vertrekt.

Henk, of Hans, ik vergis me steeds, blijkt een aardige man te zijn, die me echt probeert te helpen met zijn serieuze tegenspel. Ook fluistert hij me af en toe een goedbedoelde tip in het oor, zoals: 'Blijf bij jezelf' en 'Eendimensionaal!' Ik begrijp niet echt waar hij het over heeft, maar ik knik betekenisvol terug. Na vijf keer, als ik eindelijk lol begin te krijgen in al die posities, zegt Stan ineens: 'Stop maar. Ik weet genoeg!'

Ik heb werkelijk geen idee wat ze ervan vonden, maar de snelheid waarmee iedereen de boel bij elkaar pakt om de studio te verlaten, belooft niet veel goeds. Hans geeft me nog vriendelijk een hand en Stan vraagt of ik zo even bij hem op kantoor langs wil komen. Weg is iedereen, behalve de cameraman. Ik moet verschrikkelijk plassen, dus ik vraag waar de wc is. Hij wijst naar een gang, en mompelt: 'Tweede deur links.' Het is moeilijk om de echte deuren van de decordeuren te onderscheiden, dus ik loop een beetje twijfelend een ruimte binnen. Dit is nog zo'n grote hal met allemaal decors. Ergens achterin hoor ik praten, dus ik besluit op het geluid af te gaan. Zigzaggend tussen de meubelstukken en de fake-muren, kom ik vlak bij de plek waar ik eerder stemmen meende te horen. Op goed geluk trek ik een deur open en ik zie een heleboel mensen in een soort hippe kantine zitten. Ah, dus dit is de hang-out van de soapies. Ik vraag aan een koppeltje waar de wc is, maar de twee gaan zo in elkaar op dat ze totaal niet reageren. De barman geeft me ook geen fatsoenlijk antwoord, maar wijst in de richting van de jukebox. Mijn blaas staat nu echt op knappen, zenuwachtig zoek ik verder, maar ik kan nog steeds geen wc ontdekken. Geërgerd trek ik aan de mouw van een jongen die met een andere jongen een luidruchtig gesprek voert en vraag waar ik hier in godsnaam ergens kan plassen. En terwijl ik mijn zin uitsprak, zie ik ineens de camera staan. Ik draaide me om en daar staat nog een camera. Ik zie een hengel met een microfoon, decorlampen boven me en een druk schreeuwende man met een portofoon die woedend op me afkomt. 'Ja, we zijn gestopt! Zeg, ben jij wel goed bij je hoofd?'

'Sorry,' stamel ik verontschuldigend. 'Ik zit geloof ik in de verkeerde film.'

'Dat weet ik wel zeker!' schreeuwt hij. Maar de jongens, waarin ik nu twee populaire soapsterren herken, beginnen te lachen.

'Ach, wind je niet zo op,' zegt de oudste van de twee tegen hem, 'ze wil gewoon weten waar de wc is.' Nu lacht iedereen. De andere acteur neemt me apart en legt me uit hoe ik bij de toiletten kom. Ik sneak ertussenuit en hoop dat ik niet aangenomen word voor de rol, zodat ik deze belachelijke anekdote nooit terug hoef te horen.

Eindelijk ben ik uit die doolhof van nepkamertjes en volg ik in de gang de bordjes naar de wc, waar ik verlost kan worden van minimaal twee liter urine.

Als ik klaar ben staat Peter op me te wachten. 'Waar was je nou, ik heb je overal gezocht. Je moet naar Stan.'

'Ik weet het,' zucht ik.

'Wat is er? Is het niet goed gegaan?'

'Nee.' Zwijgend loop ik naast Peter de trap op.

In het kantoor van Stan is het koud door de frisse wind die door het open raam kwam. Het stinkt er naar sigarettenrook en zweet. Stan kijkt op van zijn werk en richt zijn kritische blik tot mij. Dan spreekt hij langzaam en dreigend mijn naam uit. 'Maxime...'

Drie minuten later sta ik buiten. Aan mijn verschrikte gezicht denkt Peter meteen te zien dat het niet goed gegaan is. Maar het tegendeel was waar. 'Ik ben aangenomen,' zeg ik sip. Peter barst bijna uit elkaar van vreugde. En ineens is alles anders. Hij stelt me aan iedereen voor, laat me alles zien en nodigt me uit om in een echt BN'ers restaurant te gaan eten. Nadat ik vrolijk handjes heb geschud, gefeliciteerd ben door iedereen en enthousiast 'Tot volgende week!' heb geroepen, verlaten Peter en ik zo blij als kinderen het pand. In mijn cabriolet trotseren we de kou en zingen we keihard de smartlappen van weleer. En in het met rood pluche beklede restaurant, waar overigens geen enkele Bekende Nederlander te bekennen valt, ga ik me te buiten aan champagne en rode wijn. Ik klaag over Maarten, bloos om mijn wc-verhaal en verbaas me nog een keer over de woorden van Stan: 'We nemen een risico met je, omdat je nog zo onervaren bent. Maar je hebt talent en de rol is op je lijf geschreven. Jij bent onze nieuwe ster: Julia!'

Het is elf uur 's avonds als ik mijn huis weer binnenstap. Maarten heeft zich aan de afspraak gehouden. De dozen zijn weg, net als zijn kleren en de paar ingelijste foto's van ons. Ik kijk of er een nieuwe brief op het bureau ligt. Ik hoop het niet. De afscheidsbrief is weggehaald en er is niets voor in de plaats gelegd. Nu ben ik toch teleurgesteld. Hij had nog wel iets kunnen schrijven. Bijvoorbeeld dat hij het mij ook niet altijd makkelijk heeft gemaakt met zijn overdreven geldingsdrang en zijn waardeloze gevoel voor humor. Of dat het hem spijt dat hij niet wat vaker een cadeautje heeft meegebracht. Hij had ook een envelop neer kunnen leggen met geld, omdat hij de godganse tijd op mijn zak heeft geteerd. Misschien had hij hier gewoon nog zelf kunnen zitten met een rood behuild gezicht en een radeloze blik. Hij had me kunnen smeken om met hem door te gaan, omdat hij door mijn afwezigheid pas echt had gevoeld wat ik voor hem beteken. Hij had voor mij kunnen vechten door te vragen 'Wie is het?' om vervolgens daadkrachtig de telefoon te pakken om mijn verzonnen minnaar te bellen en hem verbaal in elkaar te slaan. Daarna hadden we heftige seks kunnen hebben op de bank, op de vloer, tegen de kast en op het aanrecht.

Ach, het was toch een klootzak. Ik heb genoeg drank op om onverschillig te zijn tegenover alles. Mijn bed is het enige waar ik naar verlang. Weer heerlijk alleen slapen. Asociaal breed liggen, en je scheten lekker laten gaan. Ik zwalk naar boven en doe het licht aan in de slaapkamer. Het bed is niet meer aangeraakt sinds die ochtend. Ik trek het dekbed recht, maar raak zelf uit balans waardoor ik voorover val op het matras. Met mijn neus kom ik precies op zijn kussen terecht. Ik ruik zijn haren en zijn gezicht. Ik ruik mijn lieve vriend. Mijn man. Mijn Maarten. Als een kind begin ik onbedaarlijk te janken. Zijn kussen wordt doorschijnend door mijn tranen en mijn snot. Ik kan niet meer stoppen. Dan verslik ik me in een snik waardoor ik hoestend naar de kraan moet lopen voor water. Ik stoot mezelf eerst een blauw oog tegen de kraan en laat dan het water in mijn mond lopen. Als ik schrokkend gedronken heb, laat ik een boer en ben ik weer een beetje bij zinnen. Uit de kast haal ik schone lakens. Ik stroop onze gezamenlijke lakens van het bed en bekleed het met een fris en nieuw omhulsel.

25

A star is born

De zwelling op mijn oog is gelukkig geslonken tot een kleine paarse verdikking die, als ik er wat foundation op smeer, niemand zal opvallen. Ik heb een prachtige paarse galajurk gekocht van Viktor en Rolf en sta nu voor de spiegel om de laatste details aan deze creatie toe te voegen: nieuwe strasoorbellen met zilveren roze en paarse steentjes, van Otazu, een collier van dezelfde ontwerper in enkel zilveren tinten, prachtige paarse lippencouleur van Mac en een tasje in exact de kleur paars van mijn jurk. Mijn ogen heb ik opgemaakt met La fête de l'été van Chanel en de wimper verlengende mascara komt van Lancôme. Ik draag open zwarte schoentjes van Guy Laroche en de nagels van zowel mijn handen als mijn voeten zijn gelakt met Shining Oyster van Dior. Mijn haar, tot slot, hangt los in een grove krul over mijn schouders, met een lok die precies over mijn blauwe oog valt.

Kees kan elk moment komen. We gaan naar de filmpremière die hij me op mijn verjaardag beloofd had. De laatste première waar ik met Jacq naartoe ben geweest was niet zo'n succes, en ik merk dat ik nerveus ben. Laat me in godsnaam geen blunder maken. Bovendien hangt er nu meer van af. Ik weet zeker dat ik toekomstige collega's zal tegenkomen, Peter met zijn musicalvrienden, een aantal werkloze acteurs van de masterclass, ik hoop niet dat Maarten via een van zijn netwerkvriendjes een kaartje heeft weten te bemachtigen, en misschien is Jacqueline er ook. Ik heb niets meer van haar gehoord nadat ik bij haar langs was geweest.

De bel! Als ik beneden kom staat Kees in een keurige smoking en met een stralende glimlach mij op te wachten. We lopen naar de dubbelgeparkeerde extra lange taxi. Ik weet dat ik er mooi uitzie en dat het allemaal bedoeld is om gezien te worden, maar toch voelt het raar als ik Kees passeer en hij me van top tot teen bewondert. Hetzelfde mechanisme waardoor mensen, als je ze een complimentje maakt over kleding, altijd zeggen: 'O joh, dat was maar vijfentwintig euro.' Waarom heb je altijd het gevoel dat je de boel moet relativeren als er eens een keer iets leuks gezegd wordt? Is het bescheidenheid of juist valse bescheidenheid? Ik neem me voor elk compliment dat ik vandaag krijg met gratie in ontvangst te nemen, zoals het eigenlijk hoort. 'Wat heb je toch een lekkere reet!' hoor ik achter me. Ik draai me meteen om en zeg bits: 'Houd je bek, Keeshond!' Hij lacht hard en opent het portier voor me.

De taxichauffeur rijdt ons helemaal tot voor de mooie oude bioscoop en ik schrik van het aantal mensen dat zich hier verzameld heeft. Achter de dranghekken staan honderden mensen de sterren op de rode loper toe te juichen en te fotograferen. Ik zie dat de eerste hongerige blikken van fans in onze richting worden geworpen als de taxideuren opengaan. Kees draait zich gewillig om en begint handtekeningen uit te delen. Iedereen gilt nu zijn naam en hierdoor hebben ook de professionele fotografen in de gaten dat ze moeten schieten. Zo werkt dat dus. Ik word verblind door het aantal flitsen. 'Nu nog even alleen Kees,' roept een van de fotografen en Kees duwt me zonder pardon van zich af. Ik heb werkelijk geen idee of dat nou extreem bot is of dat het zo hoort. Terwijl ik een beetje treuzelend doorloop naar de ingang hoor ik nog net voordat ik naar binnen stap: 'Hé, dat is toch die van Dé Bank. Bank! Hé, ba-hank!' Kijk eens om bank!' Ik doe alsof ik niets in de gaten heb en pak zeer gecontroleerd de vipkaartjes uit mijn tasje. Gelukkig dat Kees ze aan mij gegeven heeft, anders stond ik nu helemaal voor lul. Net voordat ik wanhopig wil omkijken om te zien waar hij blijft, voel ik zijn hand op mijn rug.

Binnen is het een druk sociaal netwerkgebeuren waarbij iedereen zich vreselijk aanstelt. Gillen in de woorden 'Hé, wat leuk! Te gek! Hoe issutnou!' is de gedragscode vanavond. Ik heb nog even niemand gevonden tot wie ik ze kan richten, maar Kees duidelijk wel en terwijl hij mij een glas champagne in de hand drukt, converseert hij op afstand met wel vijf mensen tegelijk. Zwaaien naar de een, roepen naar de ander, een vette lach naar de volgende en een korte *instant joke* naar weer twee anderen. Dit wordt een lange avond. Het is alsof Kees mijn gedachten kan lezen. 'Je zult wel balen, maar dit is alleen in het begin. Geloof me.' De manier waarop hij naar me kijkt met die oude, iets te trouwe hondenogen voor zo'n onbetrouwbaar type, raakt me ineens vol in mijn buik. 'Ik geloof je, Keeshond,' zeg ik en ik geef hem een kusje op zijn neus. Hij geeft me een kusje terug. 'O jee,' zeg ik, 'nou moet ik mijn neus gaan poederen.'

Terwijl ik naar de wc loop, vraag ik me af wat dat was. Een onschuldig of juist een hitsig moment. Alleen al het feit dat het in mijn hoofd opkomt betekent niet veel goeds. Nog geen week geleden lag ik met een man in bed met wie ik oud dacht te worden. Trek een mooi pak voor haar aan, geef haar wat champagne, zorg voor een leuke entourage en ze is zó om. Je neukt haar nog diezelfde avond buiten tegen een boom. Niet dus. Ik loop door de uitgelaten mensenmassa en probeer mijn gedachten op een ander spoor te brengen. Het lukt niet goed. De lekkere geurtjes om mij heen, de begerige blikken van mannen met strikjes, het toevallige schuiven van mijn billen en mijn borsten tegen de zwarte pakken. Ik wil seks. Vanavond. Kom op Max, niet doen. Kees is een collega-vriend, een maatje, dat gaat vast niet goed als je hem vanavond uitkleedt en zijn stijve… Ik moet echt ophouden.

Net voordat ik de toiletten bereik, word ik door iemand op mijn hiel getrapt. Kwaad kijk ik om. 'Kun je niet uitkijk…' Ik schrik.

Voor me staat Jacqueline, in dezelfde groene galajurk van ons laatste feestje.

'Hoi,' zeg ik aarzelend, 'wil je wat drinken?'

'Is goed,' zegt ze, maar dan bedenkt ze zich. 'O nee, ik moest heel nodig plassen.' En ze wurmt zich langs mij de wc in. Ik gris een glas champagne van een blad, sla het achterover, laat een boer en zucht een keer diep. Wat zal ik zeggen? Waarom ben ik zo zenuwachtig? Ik zucht nog een keer, maar krijg niet genoeg zuurstof. Rustig blijven. Er is niets aan de hand. Ik voel mijn hart sneller kloppen. Concentreer je op je ademhaling, rustig in en rustig weer uit, precies zoals ik geleerd heb op de cursus. Het is warm hier, er zijn te veel mensen, waar blijft ze nou? Mijn handen beginnen te tintelen. Ik moet bewegen, lopen, dan gaat het over. Maar dan denkt ze dat ik weggelopen ben. Ik stel me aan. Nog een glas champagne? Ik zoek naar een ober met een blad. Terwijl ik paniekerig op dienbladhoogte in het rond kijk, heb ik niet in de gaten dat Jacq naast me is komen staan. Ze legt haar hand op mijn schouder en ik zie haar enorme decolleté. Wat een vertederende aanblik. Ik kijk op naar haar gezicht en de woorden komen zo mijn mond uit rollen: 'Lieve Jacqueline, het spijt me zo. Ik weet dat ik je… euh… nou ja, dat ik niet zo aardig was. Ik ren altijd maar weg en zo, maar ik had nooit gedacht dat ik van jou… wat ik wil zeggen is dat euh… Ik wil je niet kwijt. Je bent mijn vriendin. Zoals we altijd zeiden: Vrienden voor even, vriendinnen voor het leven.'

Jacq kijkt me aan met haar grote ogen en zegt: 'Jezus Max, je meent het.'

'Natuurlijk meen ik het!' Even staan we zwijgend tegenover elkaar.

'Gaat het wel goed met je?' vraagt mijn vriendin dan.

'Jawel hoor.' En ik geef haar een kort verslag van de afgelopen maanden.

Jacq staart me aan en zegt: 'Wat rot, en wat leuk! Ik bedoel: wat heftig allemaal.'

'Best wel, ja. En jij?'

'Ik heb de afgelopen maanden ook een redelijk heftige tijd gehad. Eerst natuurlijk die ruzie met jou. Ik had de neiging om je meteen de volgende dag te bellen, maar toen dacht ik, stik maar. Ik moet het altijd maar goedmaken. De verstandigste zijn. Ik heb er geen zin meer in. Ik ben veel meer waard. Ik heb toen oprecht besloten om je te vergeten. En eerlijk gezegd ging het best goed met me. Ik heb promotie gemaakt op mijn werk. Ik ben nu productieleider van verschillende amusementprogramma's. Wel zwaar. Ik moest onlangs vier mensen ontslaan. Verder heb ik een nieuw sociaal leventje opgebouwd met in eerste instantie voornamelijk collega's, maar sinds ik iets met Joost heb, zie ik zijn vrienden ook veel.' Ze hapt naar adem en probeert ondertussen de reactie van mijn gezicht af te lezen.

'Je bedoelt dat je een vriend hebt?' vraag ik.

'Ja, Joost is de broer van een collega van mij. Ik was uitgenodigd op een feestje waar hij ook was en het klikte meteen. Het is nu al zes weken en twee dagen en we worden elke dag verliefder. Hij is hier ook vanavond.'

'Wat fijn, Jacq,' zeg ik oprecht blij. Ik weet hoe graag ze een vriend wilde en hoe bang ze was om 'over' te blijven. Hoeveel complexen ze in stilte heeft over haar dikke lichaam.

'Ja, fijn hè, ik ben al tien kilo afgevallen.'

'Ik zie het ja.' Maar eerlijk gezegd zie ik totaal geen verschil.

'Ik moet oppassen dat ik niet nóg meer afval, want Joost houdt van volslanke vrouwen.' Ze lacht. Voor het eerst lacht ze weer, en ik weet wat ik het meest aan haar gemist heb. 'Het enige wat niet lukte,' gaat ze verder, 'was jou uit mijn systeem krijgen. Via via probeerde ik op de hoogte te blijven van waar je allemaal mee bezig was. Maar ondertussen stond mijn besluit zo vast dat ik liever mijn hand had afgebeten dan dat ik de telefoon had gepakt om je te bellen. Tot ik dat telefoontje van Peter kreeg over die surpriseparty.'

'Hoezo van Peter?' vraag ik verbaasd, 'Maarten had het toch georganiseerd?'

'Volgens mij niet hoor, maar in elk geval was dat het punt waarop ik me realiseerde dat ik onze vriendschap helemaal niet kwijt wil. Voor niks niet.'

'Ik ook niet,' zeg ik en ik sla mijn armen om dat heerlijke volle lijf. Zij slaat haar armen om mij heen en even staan we daar zo. Tot we abrupt worden teruggebracht in de realiteit door een aantal flitslichten. Ik kijk verschrikt op.

'Maxime Bremer?' hoor ik dan naast me. 'Ik ben van het weekblad *Persoonlijk* en ik wil je graag wat vragen stellen.' Ik kijk om naar Jacq en zij staat me met een stralende blik uit te lachen. De fotograaf smeert 'm, hij heeft zijn werk gedaan. De vrouw naast me wacht met een klein recordertje in haar hand blijmoedig op mijn antwoord.

'Waar gaat het over?'

'Ik heb begrepen dat jij de nieuwe ster wordt in *Liefde en Haat*, klopt dat?'

'Nou, "ster", dat moeten we nog maar afwachten,' zeg ik vrolijk.

'Hoe hebben ze je ontdekt?' gaat de journaliste verder.

'Ze hebben me op straat gevonden,' zeg ik en ik hoor een onderdrukte giechel van Jacq.

'Zit jij ook in het vak?' vraagt ze dan aan Jacq.

'Nou nee…' antwoordt ze verlegen.

'Zij is producer van verschillende succesvolle amusementsprogramma's, maar bovenal is ze mijn vriendin,' zeg ik trots en ik sla mijn arm om haar heen.

'Ik dank jullie wel,' zegt de vrouw tevreden en ze gaat weer verder, op zoek naar een nieuw slachtoffer.

Het aanvangsbelletje van de film klinkt. 'Spreek ik je straks nog?' vraag ik aan Jacq.

'Is goed,' zegt ze, 'kun je Joost ook ontmoeten.'

'Leuk!' Ik wil al weglopen, maar ze houdt me nog tegen met: 'Wie is jouw date eigenlijk deze avond?'

'O, gewoon Kees, een overjarige geflipte regisseur.'

'Hi Max,' hoor ik ineens achter me.

'Ach, daar zul je 'm net hebben,' zeg ik. Ik draai me om en zie aan zijn sarcastische lachje dat hij me gehoord heeft. Gelukkig gaat het belletje van de film weer.

'Ik zie jullie hoop ik straks,' zegt Jacq en ze is weg. Ik kijk Kees aan en trek mijn mondhoeken omhoog in een poging om te lachen.

'Dus dat is hoe jij over mij denkt,' zegt hij dreigend.

'Yep,' zeg ik. Ik heb ooit eens geleerd dat je beter meteen kunt toegeven als er toch niets meer te ontkennen valt. Hij pakt me hardhandig bij mijn kin, trekt langzaam mijn hoofd naar zich toe en zegt dan op lage fluistertoon: 'Jij bent de grootste bitch die ik ooit heb ontmoet.' Ik haal adem en wil me gaan verdedigen, maar nog voor ik mijn eerste woord uit kan spreken, zoent hij me plat op mijn mond. De schok die ik voel als zijn lippen de mijne raken doet me verstijven. Klootzak die je bent. Ik wil hem van me af duwen maar het lukt niet, mijn lichaam wil iets anders. Ik kan geen weerstand bieden aan deze arrogante onverwachte zoen. Met sommigen wil ik misschien ooit een relatie, maar met hem wil ik seks, seks en nog eens seks. Ik open mijn mond en onze natte tongen vinden elkaar. Dan gaat de bel weer. Drie keer achter elkaar nu. Ik ruk me los uit zijn houdgreep en kijk snel of er niet weer een fotograaf op de loer ligt. De foyer is bijna leeg. De laatste mensen lopen door de grote deuren de zaal in. Ik kan niemand met een camera ontdekken. Opgelucht haal ik adem en ik wil mijn blik net weer naar Kees wenden als ik me ineens realiseer wie er wel staat daar, aan de andere kant van de foyer. Maarten. Hij staat daar, onbewegelijk, en kijkt naar me. Naar ons. Dan begint hij in onze richting te lopen. 'Ik werk even mijn lippenstift bij, dan zie ik je zo in de zaal,' zeg ik tegen Kees en ik vlucht de wc in.

Zeker tien minuten heb ik zitten nadenken, mezelf verwijten zitten maken en mezelf goed zitten praten. Waarschijnlijk zullen de twee rivaliserende mannen er nu niet meer staan. Ik waag het erop. Heel voorzichtig open ik de deur. Door het kiertje kan ik niemand ontdekken, dus duw ik de deur verder open. De hele foyer is leeg. Ik loop snel naar de loge waar mijn zitplaats is, sluip naar binnen en zie gelukkig Kees zitten. Ik ga zachtjes op de lege stoel naast hem zitten en fluister: 'Sorry dat het zo lang duurde. Heb ik iets gemist?'

'Nee,' fluistert hij terug terwijl hij onverstoorbaar naar de film blijft kijken. Ik geef een voorzichtig kusje op zijn wang. Zo, en dan nu de film, denk ik. Maar Kees draait zijn hoofd naar mij toe en kijkt me aan. Ik probeer lief en onschuldig te glimlachen. En dan zie ik het. Zijn hele linkeroog is rood en dik.

'O god!' fluister ik.

Hij geniet van mijn geschrokken gezicht en bromt met een gemeen lachje om zijn mond: 'Bitch!'

26

Tik Tak

'Bedankt voor het zilveren bekertje,' zeg ik tegen mijn moeder. In de zitkamer van haar appartement tikt de klok met een irritant gelijkmatige cadans. 'Graag gedaan,' zegt ze terwijl ze me schichtig aankijkt. Ze is nog magerder geworden, waardoor haar bril gegroeid lijkt. 'Jij bedankt dat je me gebeld hebt,' gaat ze verder. Niet dat lijdzame mam, dat onderdanige, doe het alsjeblieft niet. 'Nou, volgens mij ben ik degene die zich misdragen heeft,' zeg ik en ik lach er te hard bij. Mijn moeder probeert mee te lachen, maar dan krijgt ze een pijnscheut in haar borst. 'Gaat het?' vraag ik bezorgd en ik loop op haar af. 'Ja, ja, het gaat,' zegt ze, en ik ben opgelucht want ik had bijna een arm om haar heen moeten slaan. Van alle weerzin die ik jegens mijn moeder voel, is de weerzin om haar aan te raken het grootst. Ik wil teruglopen naar mijn plekje op de bank, maar besluit dan wat te drinken te gaan halen in de keuken. 'Ik haal wel even een glas water.'

Als ik in het kleine keukentje kom valt me op hoe opgeruimd het is. Er staat niets aan vuile afwas op het aanrecht. Het vaatdoekje hangt netjes tussen de twee wasbakken. De handzeep staat keurig recht naast het afwasmiddel. De waterkoker staat nog een beetje na te dampen, maar het gebruikte theezakje is al weggegooid. Op de vuilnisbak zit geen spatje. Aan twee haakjes aan de muur hangen een schone handdoek en een schone theedoek met hetzelfde ruitjespatroon. Ik vraag me af of de thuiszorg hier net is geweest, of de werkster. Het zal wel niet. Mijn moeder versleet vroeger de ene na de andere werkster, omdat ze nooit goed genoeg waren. Als ik een keuken-kastje opentrek zie ik hoe de witte borden in volgorde van grootte op elkaar gestapeld zijn. Van elk vier stuks. In het andere kastje vind ik de glazen. Ook deze staan in rijtjes van hun eigen soort bij elkaar. Ik pak twee glazen uit de kast, hou ze onder de kraan en draai 'm open. Te hard. Het water spuit eruit en via het glas komt het in een spetterende straal op mijn kleren en op de vloer terecht.

'Shit.'

'Lukt het?' hoor ik vanuit de kamer roepen. 'Moet ik even helpen?'

'Nee, nee, het lukt wel, ik kom eraan.' Ik kijk in het kastje onder het aanrecht en zie drie rijen met uitzonderlijk veel schoonmaakmiddelen. Van Ajax tot ammoniak, van vliegenspray tot rattengif. Er zouden hier toch geen ratten zitten, schiet het even door mijn hoofd. Maar dan zie ik dat de fles onaangebroken is. Mijn moeder is altijd op het ergste voorbereid. In het keukenkastje ernaast vind ik de dweil. Ik maak snel de vloer droog, spoel de dweil uit, wring hem uit en hang hem over de verwarming. Dan loop ik met de twee glazen naar binnen.

'Wat was er gebeurd?' vraagt mijn moeder nieuwsgierig.

'O niks, ik draaide de kraan te enthousiast open.'

'Ach ja, dat gebeurde mij in het begin ook wel eens. Heb je de dweil goed uitgewrongen?'

'Ja, ik heb 'm over de verwarming gehangen.'

'Je had 'm beter over het droogrekje kunnen hangen, dan wordt-ie niet zo hard.' Zeurpiet.

'Moet ik dat nog even doen?' vraag ik terwijl ik mijn irritatie onderdruk.

'Nee, het is wel goed zo, ik doe het straks wel.'

Wat jij wilt, denk ik bij mezelf. 'Heb je eigenlijk geen hulp?' vraag ik.

'Nee,' antwoordt ze afgemeten, 'dat doe ik liever zelf.' Ik zie het voor me. Mijn moeder die de keuken schoonmaakt. Terwijl ze de pijn trotseert, gaat ze op haar precieze manier het gevecht aan met de rommel en het vuil. Glazen rechtzetten, borden opstapelen, stof verwijderen van alle onaangeroerde schalen en kommetjes. Ik zie hoe ze al kreunend de vloer dweilt en met al haar kracht de dweil uitwringt en ophangt op het rekje. Ik zie voor me hoe ze dan uitgeput maar tevreden op de bank gaat zitten en met haar trillende handen een slokje neemt van haar thee in haar welverdiende pauze, om daarna weer door te gaan met de badkamer, de woonkamer, de slaapkamer, de gang en tot slot het toilet.

'Jij bent goed in het huishouden,' zeg ik, 'altijd al geweest.' Mijn moeder kijkt verbaasd op. Dan begint ze trots te glimlachen. Ik ben blij dat ik dit oprechte compliment heb kunnen maken.

'Dat leer jij ook nog wel eens,' zegt ze dan.

'Hoezo?' vraag ik in een reflex. Ik weet dat het vragen is naar de bekende weg, maar het is eruit voor ik me kon bedenken.

'Nou, aan jouw slordigheid komt ook heus wel eens een einde,' zegt ze overtuigd.

'Mam, ik ben vierendertig, als het nu niet gebeurd is zal het wel nooit meer gebeuren, denk je niet?'

'Daar geloof ik absoluut niet in Maxime, iedereen kan veranderen, zelfs jij. Als je kinderen hebt en een goede man, geloof ik echt dat dat kan. Hoe is het trouwens met Maarten?'

Ik kook alweer van woede. Hoe durft ze, hoe is het mogelijk dat dit vreselijke mens mijn moeder is. 'Het is uit,' zeg ik bot. 'Maar mama, vertel eens, hoe kan het dat jij, die zo precies bent, elke dag te laat bij school kwam om me op te halen?'

'Ik kwam bijna nooit te laat, lieverd, ja, misschien twee of drie keer.'

'Nee, je kwam altijd te laat. Altijd! Zodat ik nooit kon af-

spreken met vriendinnetjes omdat die dan al naar huis waren.'
Ik voel het bloed in mijn hoofd kloppen.

'Maxime, het spijt me dat ik af en toe een keertje…'

'Af en toe?! Altijd bedoel je!! ALTIJD!' Ik verlies het. Mijn
zelfbeheersing. Ik wil die niet verliezen. Rustig maar, rustig,
meisje. Ik voel me zo machteloos, zo klein. Vijf jaar oud. Stilte.
Rustig, alles komt goed. Stilte. Mijn moeder zit als een hoopje
ellende in haar fauteuil. Dan fluistert ze: 'Het spijt me, Maxime.'

Ik kan het niet aanzien. Ik sta op en loop naar het raam. Buiten zie ik kinderen spelen in het gras. Ze rennen achter elkaar
aan en proberen elkaar op de grond te krijgen. Er wordt zo
hard gegild dat ik het hier, op zes hoog, nog kan horen. Ik zou
ook achternagezeten willen worden en op de grond getrokken.
Ik zou willen gillen tot mijn keel en longen er pijn van deden.
Ik zou groene plekken van het gras op mijn knieën willen hebben en zand in mijn haar.

'Ik weet dat ik niet altijd een goede moeder voor je ben geweest.' Ik blijf met mijn rug naar haar toe staan. 'En dat spijt
me echt Maxime, maar met papa was het ook niet altijd gemakkelijk.'

'Geef papa niet overal de schuld van!' zeg ik boos terwijl ik
me omdraai.

'Ik geef hem niet overal de schuld van, maar wij waren nou
eenmaal geen goed team samen. Wij hebben elkaar stukge-
maakt. Ik hem net zo goed als hij mij.'

'Maar ík had toch niks gedaan?' Mijn stem trilt. 'Ik was een
kind.' En terwijl ik mijn verdriet binnen kan houden zie ik dat
mijn moeder het gevecht verliest.

'Je was een kind ja, maar er was nóg een kind.' Hortend en
stotend komt het uit haar mond. 'Ik had niet besloten dat hij
weg moest. Het was je vader. Je vader wilde geen gehandicapte
zoon. Hij heeft mij het zwijgen opgelegd, al die jaren.'

Als ik later op de fiets naar huis zit komen de tranen. Ik neem de weg door het bos. Ik fiets zo hard ik kan, terwijl het zoute water over mijn wangen blijft stromen. Het is fijn om te fietsen, om een direct verband te voelen tussen je brandende spieren en de snelheid waarmee je de bomen voorbij ziet flitsen. Een controleerbare situatie. Ik fiets. Ik fiets door het bos. Ik passeer een vijver met eendjes. Ik kom voorbij een speelweide waar niemand speelt. Ik kies een paadje tussen de donkere bomen waar de zon me met zijn lichtbundels zo nu en dan verblindt. Dan hoor ik stemmen in de verte. Ik kom bij een open plek waar een houten huisje staat. Ze verkopen er pannenkoeken en ijs. Ik wil doorfietsen, maar dan drukken mijn handen krachtig de remmen in. Ik veeg mijn wangen droog en loop naar het huisje. Welk ijsje zal ik nemen? Na twee minuten staren naar alle mogelijkheden op de kaart kies ik het ijsje dat ik altijd kies: een Cornetto classico. Als ik afgerekend heb en het papiertje in de prullenbak heb gegooid loop ik terug naar mijn fiets. Ik zoek naar een plek waar het rustig is. Dan zie ik een bank. Ik zet mijn fiets tegen de boom, hij valt achteruit in de struiken, ik denk, jammer dan, en ga zitten.

Ik heb geluisterd naar mijn moeders verhalen. Ze vertelde hoe erg ze het had gevonden dat ze Ben hadden weggestopt. Dat het niet haar keuze was geweest. Papa vond het een schande dat zijn eerste zoon een mongool was. Hij wilde trots kunnen zijn op zijn jongen. Kinderen die zo waren hadden het ook beter in zo'n tehuis. Tegen familie en vrienden moest ze zeggen dat haar kind overleden was in het ziekenhuis. Zij had zich verzet, maar was te zwak geweest na de bevalling. Later had ze de moed niet meer gehad om de leugens te ontkrachten. Ze was laf blijven zwijgen. En toen was zij gekomen, Maxime Bremer. Eindelijk een gezond kind. Weliswaar geen zoon, maar een kerngezonde dochter.

Mijn moeder struikelde over de anekdotes, over de details en over de voorbeelden. Verhalen die aan moesten geven waarom het moeilijk was geweest om een moeder voor mij te zijn. Verhalen over de eeuwige concurrentiestrijd tussen mijn vader en haar, om mij. Zij probeerde hem te wreken voor zijn beslissing door mij helemaal voor zichzelf op te eisen en mijn vader zoveel mogelijk buiten te sluiten. Mijn vader had zijn eigen manieren om mijn aandacht en liefde te krijgen. Hij verwende me met cadeaus en leuke uitjes. Ik herinner me dat ook. Dat hij me bijvoorbeeld meenam naar een feest op een zeiljacht en dat ik zoveel mocht snoepen als ik wilde, ik mocht alleen niks tegen mama zeggen. Of dat we samen naar een pretpark gingen waar ik de hele dag van de ene naar de andere attractie rende. Thuis moest ik zeggen dat ik naar oma was geweest en dat we thee hadden gedronken, met een koekje erbij. En een lol dat mijn vader en ik daarover hadden. Mijn moeder ontdekte ook dat ik qua karakter meer op hem leek dan op haar. Ik was niet verlegen zoals zij, ik durfde alles. Ik ging liever buiten spelen met vriendjes dan binnen met de mooi aangeklede poppen. Zoals ze mijn vader haatte, zo ging ze ook mij haten. Vooral als ik vrolijk was kon ze me niet uitstaan. Ze was heel streng en vertelde me dat ik het niet van mijn schoonheid of slimheid moest hebben. Ze haalde me vaak te laat van school zodat ik niet kon afspreken en ze me thuis voor zichzelf kon hebben. Alleen als ik verdrietig of bang was, was ze de gedroomde moeder en fluisterde ze in mijn oor dat ik niets hoefde te vrezen, dat zij er altijd voor me zou zijn. Dus maakte ze me verdrietig door te zeggen dat papa geen tijd voor zijn kleine meisje had en maakte ze me bang door te zeggen dat papa het licht niet gerepareerd had en ik in het pikkedonker moest gaan slapen.

Ze zag er in die te grote stoel uit als een breekbaar oud poppetje, maar ze haalde de gruwelijkste herinneringen naar boven. En terwijl ze sprak, had ze met haar gerimpelde handen de leuning van de stoel vastgehouden, zoals passagiers met vliegangst dat doen voor ze opstijgen. Haar linkerbeen had getrild en haar bril was heel langzaam verder van haar neus gezakt. Tot ik er uiteindelijk iets van moest zeggen: 'Mama, je bril, hij valt bijna.'

Aan het einde van haar biecht had ze me recht aangekeken en gezegd: 'Ik begrijp dat je me haat, Maxime, ik heb je veel pijn gedaan, maar ik heb ook van je gehouden. Ik heb elke dag voor je gezorgd. Ik heb je kleren gewassen en gestreken, ik heb je in bad gedaan, je tanden gepoetst, je haren gevlochten. Ik ben met je gaan zwemmen en fietsen. Ik heb je laten spelen in de speeltuin en je laten voelen hoe het gras onder je blote voetjes voelt.'

Ik neem de laatste hap van mijn ijsje. Ik proef enkel nog chocola en koek. Ik weet niet wat me nu meer pijn doet: mijn moeders haat of mijn moeders liefde. En mijn vader. Ik had hem moeten slaan toen het nog kon. Hij is dood en zit op een wolk naar zijn leven te kijken. Was zij ook maar dood, zodat ik verder kan, of misschien wel zodat ik eindelijk kan beginnen met mijn leven. Ik heb dorst en ik heb jeuk. Iets kriebelt op mijn been, net boven mijn enkel. Als ik wil krabben zie ik dat het een teek is die zich in mijn huid probeert te vreten. Gatverdamme. Ik kan 'm nog net beetpakken en 'm in z'n geheel eruit trekken. Dan druk ik 'm dood tussen mijn nagels. Bah, nu zitten mijn vingers onder het bloederige vocht van het geplette insect. Ik pak mijn fiets uit de struiken en fiets de weg terug die ik gekomen ben. Als ik bij de vijver kom stap ik af en was ik mijn handen schoon. Het is afgelopen. Ik wil niet langer besmeurd worden met andermans viezigheid. Ik wil niet langer dat er aan me gevreten wordt. Zo! En nu naar huis.

27

Alla puttanesca

Thuis heb ik de openslaande deuren naar mijn balkon openge-
zet, opgeruimd en de planten water gegeven. Dat wil zeggen,
de enige twee planten die niet aan uitdroging kapot zijn gegaan. Ik ga voor de verandering eens koken. Koken voor anderen is liefde, heb ik wel eens gehoord. Jacq komt zo eten. Het is
de avond voor ik bij de soap begin, en het leek me leuk om dat
met haar te vieren. Ik trek een pan uit de kast en zoek er een
bijpassende deksel bij. De rommel in mijn keukenkastjes doet
me deugd. Ik maak een salade caprese en pasta puttanesca. Ik
wil niet meer denken aan het bezoek aan mijn moeder. Niet
denken. Water koken. Uien snijden. Blikjes openmaken. Wijn
ontkurken. Ik heb twee flessen bourgogne blanc uit 1998 gekocht. Volgens mijn wijnhandelaar krachtig en vol van smaak.
Fris maar niet te fruitig. Mijn moeder heeft geen verstand van
wijn. Ze drinkt ondanks de dure wijnen die mijn vader vaak
kocht, nog steeds moezel. Mijn moeder heeft nergens verstand
van. Ze heeft geen smaak. Haar kleren koopt ze bij Meddens,
waar ze zich door twee nichten de afschuwelijkste pakjes laat
aansmeren. Ze heeft nooit een opleiding gevolgd, behalve een
cursus Italiaans voor beginners. Ik schenk een glas in. Hmm,
heerlijk. Pan op het vuur, olijfolie erin, uitjes, knoflook, ansjo-
vis. Pomodori's snijden, mozzarella, basilicum. Zwarte olijven
en kappertjes in de pan, blikje tomaten erbij en roeren. Dan
doe ik de pasta in het kokende water en stel zes minuten in op
de wekker.

Ik kan in elk geval beter koken dan mijn moeder. Zij kookte

alles steevast kapot. Groente, aardappels en later ook rijst en pasta. En die vieze doorgekookte troep moest ik altijd opeten. Ik herinner me een keer dat ik voor een bord met slappe andijvie in een wit papje, half aangebrande aardappels en sukadelapjes aan tafel zat. Het was al acht uur en ik had vanaf zes uur geweigerd een hap te nemen. Om halfnegen stuurde ze me naar bed en de volgende morgen bij het ontbijt stond het bord eten weer op mij te wachten. Ik begrijp best dat je kinderen probeert te leren dat ze hun bord leeg moeten eten, maar dan moet het wel een beetje smakelijk zijn, en dat was die misselijkmakende troep die mijn moeder me voorzette echt niet. Mijn vader heeft mijn eten toen stiekem weggegooid, en toen mijn moeder later weer in de keuken kwam en ik zogenaamd de laatste hap aan het wegkauwen was, zei ze: 'Als ik merk dat je je eten hebt weggegooid, dan ga je vanavond weer meteen naar bed.' Ze keek in de vuilnisbak en zag het liggen. Mijn vader was net naar zijn werk vertrokken.

Peterselie knippen. De plakjes tomaat verdelen over de schaal, mozzarella erbovenop en dan de blaadjes basilicum. Heerlijke olijfolie uit Toscane eroverheen, een beetje balsamico en wat zout en peper uit de molen. Nog een slokje wijn.

Vroeger gaf mijn vader me altijd stiekem slokjes wijn en bier. Ik vond het eigenlijk helemaal niet lekker, maar omdat ik wist dat het verboden was, deed ik net alsof ik het heerlijk vond. Op een avond had ik zoveel gedronken dat het bij elkaar wel twee volle glazen waren en ik me voor het eerst aangeschoten voelde. Ik was negen jaar oud en het was de bruiloft van oom Eugene en zijn vrouw. Ik zong en danste met iedereen. Mijn moeder zag ik steeds naar me kijken, maar ze zei niks. Ik keek uitdagend terug en ging door met mijn baldadige gedrag. Toen ik om elf uur ziek werd, heeft zij me mee naar huis genomen en me in bed gelegd. Toen ik moest kotsen heeft zij mijn gezicht schoongeveegd en mijn lakens verschoond. Ze is naast me komen zitten en aaide over mijn hoofd. Net zolang tot ik sliep. Kut.

Een beetje olie en zout bij de pasta. De peterselie door de saus en weer roeren. De kookwekker gaat tegelijkertijd met de bel. Van schrik gooi ik de pollepel te hard in de saus, waardoor mijn witte T-shirt en mijn spijkerbroek onder de rode spetters zitten. Ik druk op de knop van de deur, raap de lepel van de vloer, spoel 'm schoon, draai het vuur lager en giet de pasta af. Achter me hoor ik Jacq hijgend binnenkomen.

'Lieveling,' zegt ze.

'Schat!' roep ik terug en ik draai me naar haar om.

'Wat is er gebeurd!' vraagt ze verschrikt.

'Ik heb mijn moeder vandaag gezien,' zeg ik licht verbaasd, omdat ze zo snel doorheeft dat het niet helemaal lekker gaat.

'Je bloedt!' gilt ze nu.

'Nee, dat is tomatensaus, gek. Wijn?'

'Lekker,' zucht ze opgelucht.

Later, als we gegeten hebben op mijn balkon en ik het hele ver-haal over mijn moeder verteld heb, vraagt ze hoe het met Kees is afgelopen. Ik vertel haar dat het me moeite had gekost maar dat ik netjes alleen naar huis was gegaan.

'Goed zo,' zegt ze, en ze heft haar glas.

'Echt goed zou ik het niet willen noemen,' zeg ik, 'want we hebben in de taxi wel heftig gezoend. En sindsdien belt hij me elke dag.'

'Hij is verliefd op je, dat zag ik meteen.'

'Maar ik ben niet verliefd op hem,' zucht ik. 'Seks, dat zou ik nog wel willen. Maar zonder verplichtingen en zonder gedoe.'

Jacq lacht. 'Je lijkt wel een man.'

'Nou, na Maarten heb ik het even helemaal gehad met man-nen,' zucht ik.

'Dan heb ik goed nieuws,' zegt ze betekenisvol. Ze pakt haar tas, haalt er een tijdschrift uit en houdt het voor m'n neus. Ik zie een foto van Jacq en mij in een innige omhelzing met daarboven de kop: 'Nieuwe *Liefde en Haat*-ster openlijk lesbisch!' En daaronder word ik 'geciteerd': 'Ik ben zo gelukkig met mijn vriendin, zij heeft me op straat gevonden.'

28

The Blues

Ik heb net mijn laatste scène gespeeld, dus mijn eerste werkweek zit erop. Vrij relaxed, moet ik zeggen. Een ochtend repetitie, twee dagen draaien en de rest van de tijd vrij. Ik hoorde altijd dat de acteurs van een soap zo hard moeten werken, nou, dat valt reuze mee. Tenminste, als dit het zo'n beetje blijft, en volgens Peter is dat wel het geval. Het meeste werk, vertelde hij, doe je thuis, als je je teksten leert en voor de spiegel oefent. Ik had deze week dertien scènes. Elke scène wordt tien minuten gerepeteerd en voor het opnemen wordt twintig minuten per scène uitgetrokken. Dus niet zoals op de acteercursus, dat je nog van alles kunt gaan proberen en uitzoeken. Het is vooral belangrijk dat je weet wat je posities zijn, en op welke plek je wat moet zeggen.

Deze week had ik de meeste scènes met Hans, die Henk speelt. Gelukkig haal ik de namen van de personages en de namen van de acteurs niet meer door elkaar. Ik ontdekte al snel dat dat heel gevoelig ligt, dus heb ik bewust een avondje alle echte namen met de bijbehorende soapnamen uit mijn hoofd geleerd.

De regisseur van deze week is een erg serieuze man, die een sterk psychologisch getinte analyse maakt van de scènes. Volgens hem is Julia iemand die in haar jeugd te vaak is afgewezen, waardoor elke afwijzing in haar latere leven als een stomp in haar gezicht is. Hij vroeg of ik daar zelf ook ervaring mee heb en zo ja, dan kon ik dat rustig met hem delen. Hoezo, delen? Rot op man. Voyeur! Ik bepaal zelf wel wat ik wel of niet zeg. Psychologische bullshit. Toch werd ik zo zenuwachtig van die man dat ik me tijdens de opnamen een paar keer versprak. 'Stop maar, jongens.' De hele boel werd stilgelegd en de regisseur kwam dreigend op me af. Hij legde zijn arm om mijn schouders en vroeg fluisterend of ik een privé-issue had met deze scène. Ik heb toen snel het verhaal verzonnen dat ik vroeger altijd door mijn vader uitgelachen werd en toen keek hij me heel begripvol aan. Toen we 'm daarna nog een keer deden ging het helemaal goed. Ik kan dit natuurlijk niet te vaak doen.

Ik lieg dat ik lieg dat ik lieg. Hoeveel lagen kun je liegen? Liegen als eerste, tweede en derde natuur. Ik had kunnen weten dat dit beroep mij past. Ik ben een geboren leugenaar.

Het is me als het ware met de paplepel ingegoten. Geheimen zijn een traditie in onze familie. En ik heb er mijn werk van gemaakt. Ik acteer het leven van de acteur... Ik ben de gelogen leugenaar. *De geheime leugens van Maxime Bremer:* een bestseller over een vrouw die niet bestaat.

Ik zit voor de spiegel in mijn kleedkamer en kijk naar mijzelf. Ik draag een mantelpakje dat ik nooit zelf gekozen zou hebben. Mijn haar is prachtig opgestoken, zoals veel vrouwen het willen als ze gaan trouwen; met wat plukjes rond het gezicht los. Ook mijn make-up is van een onrealistisch perfectionisme: een elk vlekje verhullende laag foundation, oogschaduw in de nieuwste modekleuren, glossy lippenstift en drie lagen mascara. *Liefde en Haat* moet de werkelijkheid vertegenwoordigen, met personages en situaties waar mensen zich mee kunnen identificeren, maar dan net dramatischer, spannender en glansrijker dan hun eigen leven. Het soort leven waar je allemaal van droomt.

Er wordt op mijn deur geklopt. Stan, de producent, opent de deur en haalt een grote bos bloemen van achter zijn rug tevoorschijn, zoent me drie keer op mijn wangen en zegt: 'Gefeliciteerd met je eerste week!'

'Dank je,' zeg ik aangenaam verrast.

'Ik heb van zowel je regisseur als van je medeacteurs gehoord dat het erg goed is gegaan.'

'Ja, ging wel, geloof ik,' mompel ik onhandig.

'Zelf heb ik zo nu en dan op de monitor meegekeken, en ook ik vond het niet slecht, al moet ik wel toevoegen dat je er nog niet bent.' Ik dacht al, zomaar een compliment van deze man, daar zit vast iets achter. 'Ik stel voor om binnenkort even te brainen over je personage en dan kunnen we daarna een hapje gaan eten om het rustig te hebben over je verhaallijn. Ik zal Melanie vragen of ze een afspraak voor je kan maken. Dag Julia.' Hij haalt z'n hand door zijn blonde haar en geeft me nog een knipoog.

'Dag Stan.' Ik weet niet hoe ik dit bezoek moet interpreteren. Hij zou toch niet ook met me naar bed willen, hè. Soms word ik er zo moe van dat iedereen met me wil neuken. Ik kleed me snel om, haal de make-up van mijn gezicht, pak mijn tas en de bloemen en ga naar Break-time, het café van de tv-studio waar iedereen, zo schijnt het, op vrijdagmiddag nog een borrel gaat drinken. Ik heb met Peter afgesproken.

Als ik binnenkom zit het inderdaad aardig vol en duurt het even voor ik hem gespot heb. Dan zie ik 'm aan de bar zitten met een paar knappe jongens. Ik loop naar 'm toe en hij gilt: 'Daar is ze, daar is ze!' Stom nichtengedrag. De rest begint meteen te applaudisseren en te fluiten. Ik werp een vernietigende blik op Peter. Hij lacht satanisch terug, stapt van zijn barkruk en geeft me een stevige hug.

'Je hebt het goed gedaan, Maxie,' fluistert hij in mijn oor. 'Ik ben trots op je.'

'Dank je, eikel,' fluister ik terug.

'Rondje van mij!' schreeuwt hij dan weer keihard door de kroeg. Hij is dronken. Ik weet niet of ik hier zin in heb. Na twee biertjes heb ik het wel gezien. Ik had nog gehoopt dat Jacq zou komen, maar ze schijnt met haar vriend aan het fietsen te zijn op de Veluwe. Ik kan me er niets bij voorstellen, zij op zo'n wit fietsje over de heide, maar de liefde kan een hoop veranderen, dat blijkt maar weer. Het slappe geklets van de mensen om mij heen ergert me en ik besluit naar huis te gaan.

Het is schemerig als ik de stad binnenrijd. De straatverlichting springt aan en ook in veel huizen gaat het licht aan. Alsof het een soort afspraak is: nu jongens! De terrassen zitten vol. Ik krijg altijd het gevoel dat ik iets mis als ik daar geen deelgenoot van ben. Als ik niet midden in die bruisende menigte sta. Als ik er wel een onderdeel van ben voelt het anders. Het ziet er van de buitenkant altijd gezelliger uit dan het is. Soms is het leuk, vooral met veel drank, maar vaak kunnen de gesprekken mij niet langer dan tien minuten boeien. De uitsloverij van de meeste mannen en vrouwen, de clichépraatjes over hun gevoelens, het gepoch over hun carrière en het geroddel over anderen. Er zijn maar weinig mensen grappig en origineel. Eigenlijk haat ik mensen. Inclusief mijzelf.

Thuiskomen in mijn lege en donkere huis maakt het zelfmedelijden nog groter. Ik doe een paar lampen aan, gooi mijn tas in de gang en probeer mijn jas op de kapstok te mikken. Mijn jas komt op mijn tas terecht. Laat maar. Ik loop de woonkamer binnen. Even zie ik mijn huis zoals iemand die er nog nooit is geweest. Het ziet er op het eerste gezicht wel aardig uit: redelijk smaakvol, een mix van modern en klassiek, maar al een tijd niet meer in geïnvesteerd, verwaarloosd. Er zit weinig liefde in hoe de dingen zijn neergezet. Net een wachtruimte. Je voelt dat het slechts een tijdelijke plek is. Onpersoonlijk. Zielloos. Ineens lijkt het alsof ik niet naar mijn huis kijk, maar alsof mijn huis naar mij kijkt. Vol verwijt.

Het is te stil. Ik zet muziek op van Damien Rice. 'Life taught me to die, so it's not hard to fall.' Waarom voel ik me zo leeg en somber? Ik heb deze week een droom verwezenlijkt. Ik ben actrice geworden en ze vonden me nog goed ook. Is geluk dan echt alleen maar het verlangen naar iets, en houdt het gevoel op zodra dat verlangen is ingelost? Moet er meteen een nieuw verlangen voor in de plaats komen? Verlangen naar internationale roem, verlangen naar de grote liefde, verlangen naar perfecte ouders? Perfecte schoonouders desnoods?

Kon ik het maar opnieuw doen. Nog een keer geboren worden. Maar dan in een ander huis, met andere mensen. Met een normale broer. Met een vader die me in een eindeloze rit op zijn schouders de wereld laat zien. En een moeder die me voortdurend doodknuffelt. Ik had er desnoods in willen blijven. Willen stikken in haar onvoorwaardelijke liefde voor mij.

Ik zie voor me hoe ik dans in de achtertuin, met de zon op mijn gezicht. Helder licht. Muziek in mijn hoofd. Rondjes draaiend. Lief klein meisje in je mooie jurk. Dans! Laat de wind je haren optillen. Lach naar je mama en je papa. 'Kijk mama, ik dans!' Ik zweef door de lucht, steeds hoger en hoger. 'Papa, kijk, ik kan vliegen!' Ze lachen en kijken naar me. Ze zwaaien naar me als ik steeds hoger ga. Ik zwaai terug en roep: 'Let op, papa, mama.' Dan maak ik een salto in de lucht. Ze applaudisseren trots. 'Goed zo, Maxime! Goed zo!' Ik maak nog een salto, een dubbele dit keer. Hun blikken worden bezorgd. 'Kom nu maar naar beneden lieverd.' Dan maak ik een duikvlucht en net voordat ik de grond raak, schiet ik weer omhoog.

'Maxime, pas op, het is te gevaarlijk.' 'Nee hoor, het gaat goed. Mam, pap, kijk maar.' En ik maak een looping. Ik hoor mijn moeder gillen. Mijn vader roept boos: 'Nu is het genoeg, kind! Kom direct naar beneden.' En in mijn laatste poging om een perfecte zweefduik te maken stort ik neer. Even staat alles stil. Ik lig met mijn rug in het gras en ik vraag me af of ik dood ben. Maar dan hoor ik ze op mij afkomen. 'Lieverd, gaat het?' 'Meisje toch, je moet ons niet zo laten schrikken.' Als ik mijn ogen opendoe, zie ik hun bezorgde gezichten boven me. Mijn glimlach weerspiegelt in hun ogen en ze beginnen ook te lachen. Mijn moeder kust me, mijn vader kietelt me en we lachen, we lachen, we lachen, tot we allemaal over de grond rollen en het gras ons helemaal groen heeft gekleurd.

Ik sta op van de bank en loop naar de kast. Ik zoek iets. Ik pak een oud fotoalbum. Iets waaruit blijkt dat ik besta. Ik heb hier jarenlang niet in gekeken. Het begint als ik een kleuter ben en op de schommel zit. Mijn babyfotoboek heb ik niet. Misschien dat mijn moeder het heeft. Misschien bestaat het boek niet meer. Heeft het wel ooit bestaan? Ik zie een foto van mij in een wit jurkje voor de heg. Mijn eerste communie. Dan bijna dezelfde foto van mij in dat witte jurkje voor de heg, maar dan met mijn moeder aan de ene kant en mijn vader aan de andere kant. Iedereen kijkt ernstig. Op de volgende foto zie ik mezelf met mijn nieuwe fiets en naast me een lachende vader. Ik ben een jaar of negen. Ik had de fiets zomaar gekregen. Zonder reden en zonder aankondiging. Je ziet het ongeloof nog op mijn gezicht. Op een andere foto sta ik samen met mijn moeder voor een kasteel in Duitsland. Ik was elf en we maakten een kastelenreis door de Moezelstreek. Mijn moeder staat half achter me, met haar handen op mijn schouders. Ze lacht gemaakt. Ik kijk zonder uitdrukking op mijn gezicht naar de fotograaf. Ik weet nog dat ik baalde van die saaie vakantie. Ik blader weer door. Beelden uit het verleden flitsen voorbij. Hier ben ik niet naar op zoek. Dan, op de een na laatste pagina, zie ik 'm ineens. De foto waarop ik lach. Ik ben twaalf en heb een hondje gekregen voor mijn verjaardag. Ik houd de kleine cockerspaniël bij mijn gezicht en op het moment dat de foto genomen wordt, likt het blije beest me in mijn gezicht. Ik lach breeduit in een soort scheve grimas met open mond. Mijn ogen glinsteren. Mijn haar is bewogen. Net zoals de hond. Een halfjaar later rende Joker heel blij onder een auto. Hij was op slag dood.

Is het echt waar wat mijn moeder me vertelde? Dat het mijn vader was die Ben niet wilde. Ik geloofde haar, maar waarom heeft ze mij nooit in vertrouwen genomen? En waarom heeft ze Ben niet opgezocht toen mijn vader eenmaal dood was? Waarom nu pas deze bekentenis, nu ze zelf bijna dood is? Ik wil niet dezelfde fout maken als mijn ouders door niet te willen weten. Door het leven net zo lang uit te stellen tot ik dood ben.

29

Kapitein Haak

Ik ben mijn teksten voor volgende week aan het leren. Het wordt al meteen interessanter, want ik mag als Julia een paar gemene streken laten zien. Leuk om te spelen. Tekst leren is alleen minder leuk.

Telefoon. Het is Kees. Of ik zin heb om vanmiddag een eindje met hem door de grachten te gaan varen, onder het genot van een fles koele rosé. Het is lekker weer, dus waarom ook niet. Maar dan bedenk ik me. 'Komen er nog meer mensen?' vraag ik hoopvol.

'Ja, er komt ook nog een ander stel,' antwoordt hij.

'Hoezo, ánder stel?' plaag ik hem.

'God, Max ik bedoel er niks mee. Gewoon twee vrienden van me die toevallig een koppel vormen.' Ik lach hem uit omdat hij zich zo op de kast laat jagen. We spreken om vier uur af.

Wat moet ik nou met Kees? Ik weet dat hij verliefd op me is. Het zou heerlijk zijn om daar even van te profiteren. Door te luisteren naar zijn complimentjes, te genieten van zijn bewonderende blikken, en me door hem te laten beminnen. Maar als ik een paar weken verder ben, zal ik me gaan ergeren, dat weet ik zeker. Dan kan ik zijn blikken en grapjes niet meer verdragen. De lucht van zijn lijf zou me tegen gaan staan en uiteindelijk zou ik met mijn vriendinnen lachen over zijn seksuele prestaties. En dan is er niet meer genoeg respect voor alleen vriendschap. Ik zou hem slechts nog behandelen als een vage kennis en als ik hem in de verte zou zien aankomen, zou ik snel van mijn route afwijken of een winkel in vluchten om hem niet te hoeven zien, horen en ruiken.

Me overgeven aan de eerste de beste die het met mij ziet zitten is geen oplossing voor mijn eenzaamheid. Het stelt de pijn tijdelijk uit, maar daarna komt-ie dubbel zo hard terug. Wat wel een oplossing is weet ik niet. Ik ben echt niet van plan om weer in analyse te gaan, antidepressiva te slikken, een populaire selfdevelopmentcourse te gaan volgen, reiki, hypnotherapie of een van die andere bullshitsessies. Dan nog liever zelf een beetje aanmodderen. Ik weet dat dat het ook niet is. Maar wat dan wel? Wat moet ik doen? Zijn er eigenlijk wel oplossingen voor dit soort universele problemen. Bestaan er überhaupt mensen die zich niet verloren voelen in deze chaos?

Ik heb me toch maar een beetje opgetut voor het boottochtje en wat lekkere hapjes gekocht voor bij de rosé. Als ik bij de ligplek aankom zie ik Kees druk in de weer met de motor van de boot. O nee hè, dit wordt toch niet zo'n tochtje waarbij de motor voortdurend uitvalt en we uiteindelijk alsnog moeten gaan roeien. Kees heeft me niet aan zien komen en staat hijgend aan een touw te sjorren. Dan slaat de motor aan. 'Bravo, bravo!' roep ik. Kees kijkt betrapt op, maar trekt zijn stoeremannengezicht meteen weer in de plooi als hij ziet dat ik het ben.

'Lady, mag ik je vragen aan boord te gaan van mijn gelijknamige schuit.' En net voordat ik zijn hand pak om aan boord te klimmen zie ik inderdaad in mooie krulletters de naam Lady op de zijkant van de boot staan. Ik vraag me af of dat er al op stond toen hij 'm kocht, of dat hij die naam zelf heeft bedacht. Ik vermoed het laatste. 'Ik ben de kapitein, en jij bent de matroos, dus ik bepaal waar we naartoe gaan.' Hij maakt de touwen los en zet de motor in de versnelling.

'Gaan we die vrienden ophalen?' vraag ik.

'Welke vrienden?'

'Er zou toch nog een stelletje meevaren?'

'O die, nee, die hebben afgebeld,' probeert hij overtuigend te antwoorden, maar ik weet dat hij liegt. Hij is maar op één ding uit en dat ga ik 'm niet geven. Jammer dan, smachtende Keeshond.

De stad ziet er anders uit vanaf het water. Mooier en schoner. De zon schijnt lekker warm op mijn haren. Kees heeft er alles aan gedaan om in de stemming te komen. Hij heeft geen rosé, maar champagne in de koelbox zitten, verse aardbeien, chocoladetruffels en kaaskoekjes. Hij heeft zelfs voor muziek gezorgd en met *The best of Van Morrison* varen we via een zigzagroute de stad uit.

'Vertel me wat je van plan bent, Keeshond, want anders ben ik genoodzaakt om de politie te bellen.'

'Ik wil je niet ontvoeren, Maxime, ik wil je alleen een demonstratie geven van hoe een ouderwetse jongen een modern meisje probeert te verleiden.' Hij lacht tevreden. Kan het hem dan werkelijk niks schelen dat ik hem niet wil? Dat ik meerdere malen heb gezegd dat hij niet jong, niet knap en niet geil genoeg is? Over dat laatste ben ik niet helemaal zeker, maar ik heb het wel gezegd.

Voordeel van een man waar je niet verliefd op bent is dat je niet op je woorden hoeft te letten. Ook hoef je je buikje niet in te houden en hoef je niet om zijn slechte grappen te lachen. En raar genoeg maakt het de gesprekken leuker, voel ik me knapper dan ooit en vind hem zomaar geestig. We kletsen over acteren en regisseren, over *Liefde en Haat*, over de paar gemeenschappelijke kennissen die we blijken te hebben, over doelen die we onszelf stellen, over dromen die we ooit hopen waar te maken, over alleen zijn.

Als we anderhalf uur aan het varen zijn en er geen huizen meer aan de oever staan maar bomen, riet en gras, stopt Kees de boot om aan te leggen bij een krakkemikkig steigertje. 'Tijd om te picknicken,' roept hij enthousiast. Hij helpt me de boot uit en zet me neer op een klein grasveldje. 'Even wachten; ik kom met de deken en het eten.' Ik kijk naar 'm als hij terug- loopt naar de boot, instapt en zo stoer mogelijk het gewiebel trotseert. Ik voel een kriebel in mijn buik. Dan zie ik weer de krulletters op de boot. Maar aan deze kant staat iets anders ge- schreven. Killer. Ach natuurlijk, denk ik: Lady Killer, en ik vraag me af hoeveel vrouwen hij al meegenomen heeft naar deze plek. Ik kijk om me heen of ik gebruikte condooms zie. Ik word misselijk bij het idee.

Met een gracieus gebaar gooit Kees de geruite deken over het gras en decoreert deze met champagne en lekkere hapjes. Het ziet eruit als een picknick uit een film. Hij ontkurkt de fles en schenkt twee flutes vol met gouden bubbels. We proosten, ik ontwijk zijn blik en neem een slok. Mijn mond vult zich met het koude, prikkelende vocht. 'Lekker!' Ik voel me ineens on- gemakkelijk. Kees zwijgt. Ik voel dat hij naar me kijkt. Hij loert naar zijn aas, geduldig wacht hij op het juiste moment om aan te vallen. Ik weet waar dit tochtje voor bedoeld is. Ik moet sterk zijn. Ik had me iets voorgenomen. Niet kijken, en niet praten. Laat hem maar komen met zijn woorden. Hij zal de spanning doorbreken en hij zal weten dat hij het zelf verpest heeft. Maar het blijft stil. Ik neem nog een slok. Een grote slok. Hij volgt mij en brengt zijn glas ook naar zijn mond. Ik voel hoe de koe- le stroom door mijn keel naar beneden glijdt en onmiddellijk warm wordt binnen in mij. Zeg iets, Max. Nee, ik zeg niks. Ik hoor zijn ademhaling. Rustig en zelfverzekerd. Ik voel elke uit- ademing als een koele streling langs mijn wang gaan. Mis- schien moet ik een truffel in mijn mond stoppen, of een aard- bei. Nee, niet bewegen nu. Nog een slok. 'Maxime,' klinkt het ineens bijna fluisterend. Ik schrik. 'Ja, wat is er?' zeg ik en ik kijk hem aan. Fout. Ik mocht hem niet aankijken. Nu heeft hij mijn blik. Ik kan niets anders doen dan terugkijken. Zijn ogen zien, helderblauw, met een donker randje. Onze ogen schieten heen en weer van links naar rechts. Ik had niet moeten kijken. Dan buigt hij langzaam naar me toe. Zijn gezicht komt voelbaar dichtbij. Ik moet iets doen, maar ik blijf onbeweeglijk zitten. Ik kan me niet verzetten tegen deze ogen, tegen deze mond, tegen dit moment. Ik voel hoe zijn lippen zacht op de mijne landen. Ik heb deze zoen al eens gevoeld. Maar nu is het anders. Nu gaat het verder.

Als Kees me vlak bij mijn huis met de boot afzet is de avond al gevallen. De temperatuur moet zeker tien graden gedaald zijn, maar ik voel het niet.

'Moet ik echt niet even met je meelopen?'

'Nee, echt niet.'

'Bel je me als je thuis bent? Want een ouderwetse jongen als ik wil zeker weten dat zijn meisje veilig thuisgekomen is.'

'Ik ben je meisje niet. Ik sms je wel. Dag Kees.'

'Dag Maxie.'

Nadrukkelijk geef ik drie formele zoenen en dan ga ik.

Ik neem een omweg naar mijn huis. Het is lekker om door de koele lucht te lopen. Langzaam verlies ik de warme gloed van genot en verwaait de geur van seks. Maar mijn hoofd wordt niet helder. Ik draai de film nog een paar keer af, en het is raar hoe ik elke keer weer een steek in mijn onderbuik voel als ik aan Kees denk. Hij kleedde me langzaam uit. Maakte mijn bh in één vloeiende beweging los. Hij streelde mijn borsten. Zoende mijn tepels. Hij schoof mijn slipje naar beneden en bevoelde mij eerst met zijn vingers om daarna met zijn tong zijn verkenningstocht voort te zetten. Rustig bracht hij mijn hand naar zijn stijve geslacht. Daarna ging hij op me liggen en gleed voorzichtig bij mij naar binnen, terwijl hij zijn ogen niet van mij afwendde. Wij beminden elkaar. Liefdevol en innig. We dreven langzaam naar het ultieme hoogtepunt van onze wellust. En na een korte pauze ontdekten we elkaar nog een keer. Heftiger dit keer. Geiler.

Elke keer als ik die film in mijn hoofd afgespeeld heb, verandert het intense gevoel onder in mijn buik in misselijkheid. Had ik het toch maar niet gedaan.

30

Het leven van een soapster

Ik speel nu vijf weken in *Liefde en Haat* en vanavond was mijn eerste uitzending op tv. Het was gek om mezelf als Julia te zien. Ik was niet echt tevreden, hoewel er veel mensen hebben gebeld om te zeggen dat ze me goed vonden. Tja, je belt niet om te zeggen dat je het niet goed vond. Het is zo raar om mezelf te zien in een decor dat ik al jaren op tv tegenkom, met mensen die van een soort leeftijdsloosheid zijn en voor mijn gevoel altijd al bestaan hebben. Ook de teksten ken ik alleen maar van dit genre televisie: 'Het is tijd om de belangrijkste beslissing uit je leven te nemen', 'Ik heb altijd geweten dat je naar me verlangde', 'Mijn hele jeugd heb ik je gehaat'. Ook hoe ik eruitzie: die keurige mantelpakjes, dat opgepompte decolleté, de onberispelijke haardracht en de *glamorous* make-up, het maakt het hele beeld van deze artificiële wereld compleet. Dus het klopt wel. En ik geloof het personage Julia in dat geheel, maar het is zo vreemd dat ík dat ben. Ik ben steeds bang dat ik uit mijn rol val en keihard in de camera begin te lachen, mijn tong uitsteek of mijn broek naar beneden trek en ga moonen. Alsof het één grote grap is. Maar het is geen grap, het is een serieuze baan. Je voordoen alsof je iemand anders bent. Ik deed dat altijd al. Nu krijg ik ervoor betaald. Grappig, dat wel.

Ik heb me de afgelopen weken vooral op het werk gestort. Ik heb mijn teksten goed geleerd en ze geoefend voor de spiegel. Ik heb mijn collega's beter leren kennen en ik volg nog steeds de acteercursus. Ik hou mijn vriendschappen bij door af te spreken of te bellen en ik heb zelfs mijn moeder twee kaartjes gestuurd. Ook ben ik bij mijn broer langs geweest. Ik had twee nieuwe cd's met psalmen gekocht en heb die aan hem gegeven. Hij dacht dat hij jarig was en begon steeds weer 'Happy birthday' te zingen. Ik zong het liedje met hem mee en legde geduldig uit dat hij niet jarig was, maar dat ik zomaar langsgekomen was. Dit proces herhaalde zich zo'n zeven keer. Ik liet me daarbij niet van de wijs brengen door zijn kenauverzorgster, die af en toe binnenkwam en me de meest dodelijke blikken toewierp.

Ik had mijn oude fotoalbum meegenomen. Maar eenmaal daar, had ik het niet over mijn hart kunnen verkrijgen om het album open te slaan en te zeggen: 'Kijk jongen, je hebt ook nog een mama.' Ik had de foto's in een opwelling in mijn tas gestopt, omdat ik aan Ben uit had willen leggen hoe het zat. Maar in mijn hoofd wordt Ben altijd minder geestelijk gehandicapt dan hij is. Mijn herinneringen aan hem zijn vaak veel rooskleuriger dan de werkelijkheid. Hij is dan knapper, aanhankelijker, en ik denk dan dat ik een gesprek met hem zou kunnen voeren, en dat hij zal reageren als een kind van een jaar of zes, zeven. Maar Ben haalt verstandelijk het niveau van een kleuter niet eens. En elke keer ben ik weer teleurgesteld dat ik nooit echt met hem zal kunnen praten. Ik vraag me wel eens af of hij zich beter ontwikkeld zou hebben wanneer hij als kind meer gestimuleerd was en niet in zo'n inrichting had gezeten. Hij had op zijn minst iets meer van de wereld gezien en zou minder angstig zijn geweest.

Het is bijna negen uur en ik heb zin in een borrel. Ik heb het gevoel dat ik het verdiend heb. Over vijf minuten hebben Jacq en ik afgesproken in onze stamkroeg, om te vieren dat het zo ongelooflijk goed met ons gaat. Ik hijs mezelf van de bank. Druk de tv uit, trek mijn jurkje recht en check mezelf in de spiegel. De dikke laag make-up is vervaagd tot subtiel naturel en mijn voorheen keurig opgestoken haar zit lekker slordig, kortom, ik zie er goed uit. Het is nog steeds warm buiten, dus een vest heb ik niet nodig. Ik pak mijn tasje, geld, lippenstift, kauwgom en sleutels, en trek de deur achter me dicht. Binnen hoor ik de telefoon overgaan. Laat maar gaan. Ik stap mijn voordeur uit en heb meteen de eerste bewonderende blik te pakken. Een mediterraan type met een strak wit T-shirt passeert net mijn huis, als ik naar buiten kom. Hij vertraagt zijn pas en blijft naar me kijken waardoor zijn hoofd bijna honderdtachtig graden op zijn romp draait. Ik ben in een goede bui, dus ik lach vriendelijk naar hem terug. Dat is voor hem het teken om zich helemaal naar me toe te draaien en te vragen: 'Heb je al een date voor vanavond?'

'Ja, helaas wel,' antwoord ik hem.

'Ik kom hier binnenkort weer langs en dan probeer ik het nog een keer,' zegt hij lachend. 'Bye bye, my love', en hij geeft me nog een macho knipoog.

'Dag,' zeg ik gedecideerd en ik loop weg.

Jacq is er nog niet. Ze is veranderd sinds ze een vriend heeft. Ze komt te laat, ze belt me niet meteen terug en ze heeft zelfs al eens een afspraak afgezegd. Als ze even later met een stralende glimlach het terras van de kroeg op loopt zie ik dat ze inderdaad is afgevallen. Ze ziet er prachtig volslank en sexy uit. Ik ben trots op haar.

'Sorry dat ik zo laat ben,' zegt ze verontschuldigend.

'Maakt niet uit, wat wil je drinken?'

'Witte wijn.' Ze zoent me drie keer vol op mijn wangen met haar rode lippenstift, waardoor ik er nu geheid uitzie als Pipo de clown.

'En bedankt, Jacq.'

'Graag gedaan, lieverd.' Ze gaat zitten en begint meteen enthousiast te praten alsof we voorheen midden in een gesprek zaten. 'Maar je was geweldig vanavond. Het was wel een beetje gek om je zo, zo, zo…'

'Ja, hoe?'

'Nou, zo netjes en belangrijk te zien doen, maar het was absoluut geloofwaardig. Mijn liefde vond het ook.'

'Ook niet onbelangrijk,' zeg ik.

'Hij had van tevoren gezegd dat hij zich niets kon voorstellen bij jou als actrice.'

'O?'

'Ja, maar na de uitzending was hij helemaal om. Hij denkt dat jij de nieuwe ster van de serie wordt.'

'Fijn,' zeg ik droog. Het is raar dat als mensen verliefd zijn, ze de mening van hun geliefde belangrijker vinden dan hun eigen mening. Nog erger, ze denken dat anderen ook op de mening van hun lief zitten te wachten.

'Dat heeft-ie echt gezegd,' zegt ze nog een keer.

'Ja, fijn.' De wijn wordt geserveerd en we proosten op onze gelukkige levens.

'Nu moet jij nog gelukkig worden in de liefde,' verzucht Jacq en ik meen zelfs iets van medelijden te bespeuren.

'Ik kom niets tekort hoor,' zeg ik luchtig.

Jacq hapt meteen. 'Nee? Hoe is het met Kees?'

'Kees is gewoon Kees,' zeg ik en ik hoop dat daarmee haar interesse verdwijnt.

'Kom op, Max; vertel, vertel.'

'Okeeee. Je weet dat ik na die ene keer de boot heb proberen af te houden, hè?'

'Ja, ja, goeie woordspeling trouwens.'

'Ja, leuk, ik heb twee weken lang zijn telefoontjes niet beantwoord en toen stond hij ineens voor mijn deur. Ik schrok me natuurlijk kapot, maar ik werd ook meteen weer week in mijn knieën. Zoals hij daar stond, zo mannelijk en kwetsbaar tegelijk.'

'Ja, sommige mannen hebben dat, hè.' Ik reageer niet, want ik kan me bij het beeld van haar iele vriendje niets mannelijks voorstellen.

'Enfin, het eindigde natuurlijk weer met seks. Goede seks, dat moet ik wel zeggen.'

'Ja, ik kan me wel voorstellen dat hij goed is in bed.'

'Hoezo kun jij je dat voorstellen?' Nu begint ze me te irriteren. Ik geloof dat ze in de afgelopen vijf jaar drie keer geneukt heeft, totdat ze dingetje, ik vergeet zijn naam steeds, tegenkwam en nu beroept ze zich ineens op de titel 'seksdeskundige'.

'Nou, zijn hele uitstraling, hij heeft wel sexappeal.'

'Wat weet jij nou van sexappeal, Jacq?'

'Doe niet zo denigrerend. Ik weet heus wel of iemand een sexy uitstraling heeft of niet.' 'Sexy uitstraling.' Alleen al die uitdrukking uit haar mond. Ik erger me. Ik erger me. Waarom erger ik me zo?

'In elk geval heb ik hem toen nog drie keer gezien, en gisteren was de laatste keer.'

'En hebben jullie nu wat?'

'Wat bedoel je met "wat"?'

'Of jullie nu iets hebben?'

'Iets?' Ik ben onuitstaanbaar, maar ik kan het niet helpen.

'Waarom doe je nou zo? Ik vraag je gewoon of je denkt aan iets serieuzers met hem. Aan een relatie misschien.'

'Ja, misschien denk ik wel eens aan een relatie…' zeg ik raadselachtig.

'Jeetje Max, wat fijn voor je.'

'Maar niet met hem.' Ik geniet van mijn foute grap en haar teleurgestelde gezicht.

'Ik wil helemaal geen relatie, ik hou niet van relaties in het algemeen. Doe mij maar een lekker eenzijdige verhouding waarbij je alleen iets neemt en niks hoeft terug te geven.'

'Dit meen je niet, Max.'

'Jawel, lieve vriendin, ik geloof niet in de liefde, ik betwijfel zelfs of vriendschap bestaat. De enige reden waarom mensen banden met elkaar aangaan is gebaseerd op egoïsme. Wat zit erin voor mij. Neem jou nou met dingetje, eh, Jeroen'

'Joost!'

'Die bedoel ik, dat is toch enkel en alleen omdat jij het lekker vindt dat hij op je geilt. Omdat er eindelijk iemand is die om je grapjes lacht, die naar je verhalen luistert, iemand die er is zodat je sommige dingen niet meer alleen hoeft te doen: eten, slapen, reizen. Degene die jou een mooie spiegel voorhoudt waarin je jezelf kunt zien zoals je je het liefst ziet. In ruil daarvoor ben je bereid om naar zijn verhalen te luisteren, om geamuseerd om zijn grappen te grinniken, om hem te geven waar hij naar verlangt. Eerst nog elke nacht, dan twee keer per week en uiteindelijk nog maar twee keer per maand. Want niemand, beste vriendin, niemand houdt dat vol. Dat hele spel van "we zijn zo verliefd en we houden eeuwig en altijd van elkaar". Het spel dat liefde wordt genoemd. Geloof jij nou echt dat het bestaat? Rot toch op. Het is de grootste leugen van het leven, enkel en alleen bedacht door ons stervelingen, die niet kunnen aanvaarden dat de wereld ellendig in elkaar zit. Dat met het leven ook de enige reden van dat leven is ontstaan: blíjven leven. Zo lang mogelijk. En het doet er niet toe hoeveel slachtoffers je daarbij maakt, zolang jij maar overeind blijft. Daarom zijn alleen menselijke emoties als woede, wraak en jaloezie echt. Ze vormen de voedingsbodem van ons handelen. Het enige oprechte aan de mens is de haat. Maar liefde, kom nou toch. Hoe oud ben jij? Je gelooft toch ook niet meer in sprookjes, of in Sinterklaas. Grow up. En durf toe te geven dat liefde slechts een farce is. Dat er niks is om van te houden in deze wereld. Helemaal niks.'

'Ben je klaar?' vraag Jacq. Ze kijkt me strak aan.

'Ja,' zeg ik pedant.

'Dan wil ik graag afrekenen.' Ik schrik. Godverdomme, had ik het net goedgemaakt, verpest ik het meteen weer.

'Is toch leuk, zo'n heftige discussie,' probeer ik.

'Zal ik dan eens zeggen wat ik vind?' vraagt ze met een vurige blik in haar ogen.

'Be my guest,' zeg ik gemaakt vrolijk.

'Ik heb niet zo veel woorden nodig als jij, hoor.' Ze neemt een grote hap lucht en zegt dan: 'Ik vind dat jij verzuurt. Jij wordt de gefrustreerde vrouw waar je altijd zo'n hekel aan had. En weet je waarom? Omdat je jaloers bent. Je bent jaloers op iedereen die geluk uitstraalt. Op iedereen die inderdaad gelooft in de liefde. Zo, dat was het.'

De zelfvoldoening op haar gezicht. Ik krijg de neiging om haar te slaan. Om haar ogen uit te steken met mijn scherpe nagels en haar bruine, net gekleurde haar uit haar dikke kop te trekken. Waarom haat ik zo?

'Even naar de wc.' Als ik naar mezelf in de spiegel kijk, lijk ik zo vriendelijk. Het verraadt niets van het monster dat binnen in mij leeft. Ik draai de kraan open, maak met mijn handen een kommetje en laat het volstromen. Dan hel ik voorover met mijn gezicht en in één snelle beweging gooi ik mezelf nat. Het voelt fris en nieuw. Nog een keer. Nog een keer. Kunnen we nu weer normaal doen? Ik probeer het monster te zien door mijn ogen te sluiten en naar de binnenkant van mijzelf te kijken. Alleen maar zwart. Ik zucht een keer heel diep en besluit om terug te gaan. Misschien zit ze er nog, misschien is ze weg. Ik open mijn ogen, kijk nog een keer naar mezelf en zie dat mijn make-up uitgelopen is. Er lopen bruine, zwarte en paarse strepen over mijn gezicht. Ik zoek naar de rolhanddoek of naar papieren doekjes, maar ik kan alleen maar een blower ontdekken. Ik vind in de wc nog een klein stukje donkergrijs papier waar ik het ergste mee afveeg, en dan stop ik mijn hoofd onder de blower. Als de deur geopend wordt schrik ik, maar als ik zie dat het Jacq niet is, ga ik ongegeneerd verder met het droogföhnen van mijn gezicht. Hoewel het resultaat nog te wensen overlaat wil ik terug, want ik word zenuwachtig. Ik hoop niet dat ze weggegaan is. Mijn vriendin. Snel loop ik naar het terras en ik zie haar zitten, nippend van haar witte wijn. Gelukkig. 'Hoi,' zeg ik vlot en ik ga zitten. Ze kijkt me aan.

'Heb je gehuild?' vraagt ze geschrokken. Hoe heb ik dat allemaal tegen haar kunnen zeggen. Ik bedoel, uitgerekend tegen haar.

'Nee, ik heb niet gehuild. Maar ik heb wel spijt. Je hebt gelijk, ik ben jaloers.'

'Ja, dat zei ik toch: jaloers op iedereen die wél gelukkig is in de liefde.'

'Nee, niet op iedereen. Op jou.' Ze kijkt me verbaasd aan.

'Echt waar?'

'Ja, is dat zo gek?'

'Nou, na al die jaren dat ik jaloers ben geweest op jou wel, ja.'

'Sorry, Jacq.'

Dan verschijnt er een glimlach op haar gezicht.

Het is kwart over twee. Lallend lopen we over straat. We hebben eerst al onze onhebbelijkheden uitgesproken en daarbij heel veel gedronken. Daarna zijn we overgegaan op de onhebbelijkheden van alle mannen die we kennen, zelfs dingetje – Jeroen? Jurgen? Joost! – bleek er een aantal te hebben, en tot slot hebben we onze lijfliederen gezongen, 'Islands in the stream', 'So, I say thank you for the music', 'You're the one that I want. Oe Oe Oe', maar het personeel kon ons repertoire wat minder waarderen, dus toen moesten we vertrekken. Al zingend lopen we richting huis. Als we bij het park komen scheiden onze wegen. Zij moet linksaf, ik rechtsaf. Pathetisch vallen we elkaar in de armen en gaan na een heel stevige hug op dramatische wijze uit elkaar.

Dronken ziet het leven er altijd een stuk vrolijker uit. Wat een mooie huizen staan hier, wat een lieve mensen zitten hier. 'Dag lieve mensen.' Wat een mooie auto's. Oeps! Wel uitkijken. Wat een leuk straatje is dit. Verhip, het is mijn eigen straatje. Nooit geweten dat ik in zo'n mooi straatje woonde. Mooie bomen, mooie fietsen. Wat een leuk hondje. Dag hondje, dag baasje. Een dikke hond en zijn baas wandelen voorbij en ik kan nauwelijks mijn lachen inhouden omdat het lijkt of ze regelrecht uit de *Donald Duck* gestapt zijn. Zelfs op hun rug zien ze er nog grappig uit, zoals ze allebei waggelen met hun dikke reet. Ah, daar is mijn huis. En daar lag hondenpoep. Gadverdamme. Ik ben er vol in gaan staan met mijn open pump. Ik voel de gore smurrie tegen mijn tenen. Yak, getver, eulk. Ik moet gras vinden of water, zodat ik het kan schoonmaken. Ik loop naar een boom en zie dat er alleen maar zand en nog meer drollen liggen. Water, ik kan nergens een plasje water ontdekken. Dan toch maar mijn huis in met die vieze schoen. Ik veeg de grootste bulk aan de stoeprand af en hinkel naar mijn voordeur, want ik wil niet dat er nog meer tussen mijn tenen komt. Bijna val ik, maar ik kan me nog net vastgrijpen aan een lantaarnpaal. Het is nog vijftien meter en dan ben ik thuis. Ik hinkel verder. Weer verlies ik mijn evenwicht, alleen staat er dit keer geen lantaarnpaal in de buurt. Ik zie de stoep op mij afkomen, als in slowmotion. Dan houdt iets me tegen. Met mijn armen voorover zwaaiend en mijn benen in de lucht spartelend, realiseer ik me dat ik een meter boven de grond door twee stevige armen vastgehouden word.

'Help!'

'Rustig maar, ik heb je.' De armen zetten me weer met beide benen op de grond en dan pas kan ik omkijken. Deze man ken ik ergens van… 'Hai. Ik zei toch dat ik terug zou komen.' Hij lacht breeduit, en het valt me op hoe groot zijn tanden zijn. Hij zou toch geen neptanden hebben?

'Hoe oud ben jij?' vraag ik.

'Achtentwintig,' zegt hij.

'O gelukkig!' zeg ik. Dan kan het nog geen kunstgebit zijn.

'Hoe oud ben jij?' Hij kijkt me aan terwijl hij me nog altijd stevig vasthoudt. Wat een spieren.

'Vierendertig.'

'O, gelukkig,' zegt hij.

Ik vind het de beste mop ooit en krijg de slappe lach. Hij lacht zo'n beetje gewillig met me mee. 'Och, nou zie ik het pas. Jij bent die jongen van eerst. Ik bedoel van gisteren. Van vanmiddag, bedoel ik.'

'Ja, dat ben ik. Heb je nu wel zin in een date?'

'Tuurlijk,' zeg ik, 'hoe laat?'

Hij kijkt op zijn horloge. 'Halfdrie?'

'O fuck, is het al zo laat? Kom, dan hebben we geen tijd te verliezen.'

'Oké,' zegt hij en hij lacht zijn witte tanden weer bloot. Ik hinkel aan zijn arm naar mijn voordeur. 'Hoe heet je eigenlijk?' vraag ik.

'Moestafa. Maar ze noemen me Moes. En jij?'

'Maxima, maar ze noemen me Max.'

'Zoals de prinses?'

'Ja, maar mondje dicht, hè.' Terwijl ik mijn sleutel in mijn tas zoek vraagt hij: 'Wat heb je eigenlijk met je voet gedaan?'

'Poep op de stoep,' zeg ik, 'dus dat wordt eerst douchen.'

Ik word wakker door een constant geluid. Ik kan niet thuisbrengen wat het is. Dan is het weer stil. Ik open mijn ogen. Au, mijn hoofd. Au, mijn kin. Au, mijn billen. Au, mijn kut. Wat is er gebeurd? Ik heb hem meegenomen naar mijn huis. Hoe heet-ie ook alweer? Ik lijk wel gek. Ik zie de beelden weer voor me. Hoe we half strompelend en gierend van het lachen de trap op kwamen. Hoe we elkaar haastig uitkleedden. Hoe we onder de douche vreeën. Hoe hij me hardhandig bij mijn borsten greep en me wild zoende, waarbij zijn ruwe stoppelige kaak mijn gezicht openschuurde. Hoe hij me tegen de muur drukte en zijn stijve pik bij me naar binnen wilde duwen. Hoe hij vloekte omdat het niet lukte. Hoe hij me toen onder de douche uit sleurde, me op mijn bed smeet en zijn lul in mijn mond propte. Hoe hij me omdraaide en me liet wachten. Hoe hij me op mijn billen sloeg terwijl hij me van achteren bereed. Hoe de pijn vanbinnen voelde van zijn beukende lul. Hoe hij uiteindelijk met een harde kreet klaarkwam en meteen daarna zijn broek ging zoeken, mij alleen op bed achterlatend. Hoe hij ten slotte in zijn witte T-shirt naar me toe kwam om me in mijn oor te fluisteren: 'Het was heerlijk, schatje. Hier is mijn nummer, bel me als je zin hebt. Anders ook goeie vrienden.' Hoe de doffe klap van de voordeur klonk.

Ik voel me smerig. Ik kom voorzichtig overeind. De gordijnen zijn open, het begint al licht te worden. Een voor een schuif ik mijn benen over de rand van het bed. Ik buig voorover en verplaats mijn gewicht. Het is gelukt. Ik sta op mijn voeten. Nu nog rechtop gaan staan en naar de badkamer lopen. Ik voel elke vezel in mijn lichaam als ik stapje voor stapje naar de badkamer loop. Ik draai de kraan open en laat het water warm worden. Met trillende benen laat ik mezelf op de wc zakken. De warme stroom urine veroorzaakt een schrijnende pijn, alsof ik glasscherven uitplas. Water, ik wil lauw water om me schoon te spoelen. Voorzichtig schuif ik het gordijn opzij en stap ik in de gelijkmatige straal. Ik laat het water op mijn gebogen hoofd stromen. Ik zou willen dat ik niet met hem in de douche was geweest. Nu is ook deze plek besmet. Wankel beweeg ik heen en weer, als een hoge toren in de wind. Ik voel me draaierig, maar ik wil de vieze muur niet aanraken. De muur waar hij me tegenaan drukte. Dan voel ik hoe de inhoud van mijn maag naar boven komt. De eerste golf braaksel kan ik nog tegenhouden. Ik wil niet kotsen. Het is alsof ik stik. Ik wil niet stikken. Ik ben bang voor mijn ademhaling. Dan komt mijn maaginhoud nog een keer omhoog, nu met zo'n kracht dat de hele muur onder zit. Mijn hart gaat als een gek tekeer. Nog een keer spuug ik alle drank- en etensresten eruit. Dan gaat het ietsje beter. Ik neem de douchekop in mijn hand en spoel de wand schoon. Ik open mijn mond en vul mijn mond met het zoete water. Ik wil schoon worden. Helemaal schoon. Als ik de kraan dichtdraai, denk ik iets te horen. Dan is het weer stil. Ineens krijg ik een schok. Hij is het. Hij is helemaal niet weggegaan, maar zit beneden op me te wachten. Ik luister gespannen. Dan weer dat geluid. Gelukkig, het is de telefoon. Wie gaat mij in godsnaam om zes uur 's ochtends bellen. Zal Jacq wel zijn. Misschien is het uit met haar vriendje. Ik sla een handdoek om me heen en loop zo snel als mijn broze lijf het toelaat naar beneden. Net voordat ik 'm op wil nemen stopt-ie. Ik draai me om en wil weer naar boven strompelen, maar dan begint-ie weer. Dit keer ben ik op tijd.

'Jacq?' zeg ik met een schorre stem.

'O eindelijk, Maxime, ik probeer je al de hele nacht te pakken te krijgen.'

'Oom Eugene?' zeg ik verbaasd.

'Max, ik… ik moet je iets vertellen. Zit je?'

'Ja,' zeg ik, me realiserend dat ik nog sta. 'Wat is er aan de hand?'

'Het is je moeder, ze is gisteravond met spoed opgenomen in het ziekenhuis. Ze kreeg geen lucht meer.'

'Is ze dood?'

'Nee, maar haar toestand is zeer kritiek. De kanker zit overal.'

'Gaat ze dood?'

'Het is nog een kwestie van dagen, misschien uren.'

'Ze gaat dus dood?'

'Nog niet Max, maar je moet snel komen…'

'Ze gaat dood?'

'Ja, meisje, ze gaat dood.'

Ter plekke zak ik op de vloer.

'Mama!' schreeuw ik. 'MAMAA!!'

31

Intensive Care

'Ik was al gelijk bang dat het niet goed zou gaan. Dat ze het niet aan zou kunnen. Mijn nichtje heeft behoorlijk wat meegemaakt in haar leven. Dus toen ik haar eindelijk kon bereiken en het slechte nieuws vertelde, dacht ik: dit gaat niet goed. Ik moet naar haar toe. Het was lastig omdat ik ook in het ziekenhuis wilde blijven, bij mijn schoonzus. Afijn, ik ben toch weggegaan. Ik heb onderweg nog een paar keer proberen te bellen, maar ze had de hoorn van de haak liggen en op haar mobiele nummer was ze de hele avond niet bereikbaar geweest, dus die stond waarschijnlijk uit. Toen ik bij haar huis kwam, deed er niemand open. Ik probeerde haar vriendin te bellen, maar ook daar nam niemand op. Gelukkig bedacht ik me dat ik nog een telefoonnummer had van een vriend van haar, die Peter, die me destijds uitgenodigd had voor haar verjaardag. Dus ik bel die jongen uit zijn bed en vertel hem wat er aan de hand is. In minder dan tien minuten was hij bij me. Hij had ook geen sleutel, maar we hebben een andere bewoner wakker gebeld, die de buitendeur voor ons opendeed. Max' voordeur hebben we opengebroken door er een paraplu tussen te zetten en daarna heel hard te trappen. Of dat nou heel gemakkelijk ging of dat we door de situatie gewoon veel sterker waren kan ik niet beoordelen. In elk geval, we konden naar binnen. Ik was bang dat ze zichzelf iets zou hebben aangedaan, dus ik liep nogal nerveus haar huis in. In eerste instantie zag ik haar niet eens. Ik ben toen in de keuken gaan kijken en op het balkon. Peter ging naar de slaapkamer. Toen ik terugliep om naar boven te roepen dat ze hier niet was, *zag ik haar liggen. Ze lag opgerold als een klein meisje op de vloer, ze had een handdoek om zich heen en in haar schoot lag de telefoon. 'Maxime, lieverd, gaat het?' Haar ogen waren open dus ik dacht dat ze wakker was. Ze reageerde niet. Ik bukte bij haar en schrok me rot. Ik zag de lege, doffe blik in haar ogen en dacht dat ze dood was. 'Help, help, hier!' schreeuwde ik. Ik schudde aan haar schouder, om weer leven in haar te krijgen. Maar er gebeurde niks. Toen heb ik haar slappe lichaam in mijn armen genomen en geschreeuwd: 'Wakker worden, Max, wakker worden!' Peter kwam de kamer in gerend en liet zich op zijn knieën vallen bij ons. 'Godverdomme, Max, niet doen!' schreeuwde hij. Hij pakte haar pols en bleef heel stil zitten. Ik probeerde op het gezicht van de jongen af te lezen of hij iets voelde. 'Ze is niet dood. Ze leeft,' zei hij toen tot mijn grote opluchting. Ik drukte haar tegen me aan en zoende haar op haar bleke gezicht. Als mijn kleine nichtje was doodgegaan had ik ter plekke met haar willen sterven. Ik hou van haar als was ze mijn eigen kind. 'Lief kind, wakker worden. Ik ben het, oom Eugene en, kijk eens, Peter is er ook.' Ze reageerde nog steeds niet. Vragend keek ik de jongen aan. 'We moeten een ambulance bellen,' zei hij. 'Ze is waarschijnlijk in shock.'*

Ik word wakker in een witte kamer. De zon schijnt dwars door het dunne gordijn en maakt de kamer tot een onwerkelijke lichte ruimte. 'Max,' hoor ik een stem naast me zeggen. Ik kijk om, maar kan nog nauwelijks iets onderscheiden. Ik zie een donkere schaduw naast me.

'Wie ben jij?' vraag ik, terwijl ik mijn ogen weer sluit voor het onaangename licht.

'Peter,' zegt de stem.

'Peter, wat doe je hier?' vraag ik.

'Dat kan ik beter aan jou vragen,' zegt hij. 'Wat is er gebeurd, Max?'

'Ik weet het niet,' antwoord ik. Ik probeer de plaatjes in mijn hoofd op chronologische volgorde te krijgen. 'Moestafa. Moes. Ik had hem nooit mee moeten vragen.'

'Wat bedoel je?' vraagt Peter.

'Maakt niet uit. Waarom lig ik in het ziekenhuis, Peter?'

'Weet je nog dat je oom je belde?'

'Oom Eugene? Waarom?' Door mijn wimpers heen kijk ik naar hem. Zijn gezicht staat ernstig. Zo ken ik hem niet. 'Wat is er gebeurd? Is er iets met Jacq?' vraag ik bezorgd.

'Nee, niet met Jacq,' Peter zucht. 'Het is je moeder, lieverd, ze ligt op sterven.' Dan komt alles met een klap terug. De douche, de telefoon, de stem van Eugene en de betekenis van zijn woorden. Peter pakt me vast. Ik ben verbaasd over het schokken van mijn eigen lijf. Ik huil.

Als het snikken minder wordt vraag ik aan Peter: 'Waar is ze?'

'Ze ligt hier, in hetzelfde ziekenhuis, op de intensive care. Je oom loopt de hele tijd heen en weer tussen haar en jou.'

'Kom, we moeten naar haar toe,' zeg ik beslist, en ik sla de dekens open om uit bed te gaan. Ik heb weer zo'n belachelijke jurk-schort van het ziekenhuis aan.

'Waar zijn mijn kleren?' vraag ik aan Peter.

'Je had niks aan.'

'Niks?'

'Alleen een handdoek.'

'Dan maar zo,' zeg ik en ik probeer zo soepel mogelijk uit bed te stappen. Mijn lichaam voelt alsof ik een marathon gelopen heb. Ik negeer het, ik moet naar mijn moeder toe.

'Loop jij achter me, Peter, en let erop dat het schort niet openvalt anders kan iedereen mijn billen zien.'

'Maar ik weet niet of je wel weg mag, je bent minimaal een uur in een apathische toestand geweest,' protesteert hij nog flauwtjes.

'Het gaat weer goed,' zeg ik, 'ik ben niet degene die dood-gaat.'

Dood. Dood. Dood. Het is alsof ik het woord de hele tijd uit moet spreken. Dood, wat betekent dood? Hoe voelt het, dood? Waarom is dit woord ooit gekozen voor de dood? Dood. Sec genomen is het een mooi woord. Symmetrisch. Rond. Je kunt het omdraaien en achterstevoren zeggen en dan blijft het het-zelfde. Je kunt het door elkaar husselen en er maar één ander woord mee maken. Dodo. Maar die is ook al jaren uitgestor-ven en dood. Dood. Mijn moeder gaat nu echt dood.

'Ik kan je billen zien,' zegt Peter.

'En, ben je nu om?' vraag ik. 'Vrouwenbillen zijn veel en veel lekkerder dan mannenbillen, hoor.'

'Is dat zo?'

'Ja, dat is zo', en ik trek het schort nog iets verder open.

'Zien vrouwenbillen er ook altijd roder, paarser en blauwer uit dan mannenbillen?' Ik bedek ze en draai me geschrokken naar hem om. 'Wat heb je gedaan?' vraagt hij als een leraar die het tegen een stoute leerling heeft.

'Niks.' Ik wil het er niet over hebben. Als ik het uitspreek be-staat het en ik wil niet dat het bestaat.

'Max, kom op, ik ben je vriend.'

'Gewoon een foutje, verder niks.'

'Wat jij wilt,' zegt hij schouderophalend, 'maar ik heb nogal wat ervaring met harde seks en ik wil je waarschuwen. Ga niet over je grenzen heen. Pijn is fijn, maar het moet niet gevaarlijk worden.' Er loopt een bejaarde man in een gestreepte och-tendjas voorbij.

'Dag,' zeg ik vriendelijk. Hij gromt iets terug. Peter en ik schieten allebei in de lach.

Het is nog een heel eind lopen. We volgen de bordjes intensive care. Het lijkt wel een speurtocht. Zouden ze expres een langere route hebben gekozen om de familieleden nog een beetje af te leiden voor ze de horrorkamer betreden? Ik word steeds zenuwachtiger.

'Wil je me vasthouden, Peter?'

'Tuurlijk.' Hij slaat een arm om me heen. Angstvallig hou ik de achterflapjes van mijn OK-jurk dicht, zodat niemand mijn gehavende billen kan zien. Zeker mijn moeder niet, zo meteen. We zijn er. Eugene komt net haar kamer uit. 'Hé, ik wilde juist naar jullie toe lopen. Ze slaapt.'

'Hoe gaat het met haar?' vraag ik gespannen.

'Tja, en met jou dan?'

'Gaat goed. Vertel nou hoe het gaat.'

'Niet zo best, meid, ze ligt aan de beademing, omdat ze op eigen kracht niet meer kan ademen.'

'Gaat ze dood doordat ze stikt?' vraag ik en ik voel mijn ademhaling versnellen. 'Stikken is heel erg, Eugene.'

'Ik weet het, maar ze kunnen niets meer doen.'

'Weet ze dat ze stikt?' vraag ik.

'Ze krijgt morfine, dus ze heeft geen pijn.'

'Maar ze stikt. Ze zou toch doodgaan aan kanker, en niet omdat ze geen lucht meer krijgt?'

'Lieverd, dit is een gevolg van de kanker. Het zit overal.'

'Ik wil niet dat ze stikt. Ik weet wat het is om te stikken en het is het allerallerergste.'

'Rustig nou. Rustig. De artsen doen er alles aan om haar niet te laten lijden.'

Mijn hoofd tolt. De druk op mijn borstkas wordt groter. Pijn is fijn, denk ik. Zou Peter met 'gevaarlijk' ook wurgseks bedoeld hebben? Stik-seks, dood-seks. Ik krijg ineens een beeld van mijn neukende ouders. Ik betrapte ze in de slaapkamer toen ik een jaar of zes was. Mijn vader lag grommend op mijn moeder en ging als een dolle stier tekeer. Mijn moeder gilde met een gepijnigd gezicht. Ik dacht dat hij haar wilde vermoorden. Ik riep: 'Niet doen, papa, niet doen!' en trok hem aan zijn enkel. Geschrokken keken mijn ouders allebei op. Mijn vader begon te lachen, maar mijn moeder duwde mijn vader opzij, kwam woedend op mij af, gaf me een klap in mijn gezicht en zei dat ik nooit, maar dan ook nooit meer zonder kloppen binnen mocht komen. Huilend liep ik weg. Ik begreep er niets van; ik had toch juist geprobeerd om haar te redden?

'Ik wil haar zien.' Ik loop naar de deur, hef mijn hand op en klop aan.

'Sssst,' zegt Eugene, 'ze slaapt.'

Als ik binnenkom, opent mijn moeder net haar ogen.

'Hallo,' fluister ik. Ze kijkt naar me en probeert iets terug te zeggen, maar door de slang in haar mond is het niet te verstaan. Ik draai me om en wil Eugene en Peter vragen wat ze zei, maar ik ben alleen. Ik ga zitten op de stoel die naast het bed staat en kom op ooghoogte met mijn moeder. Ze kijkt naar me. Ze heeft haar bril niet op, haar ogen lijken veel minder hysterisch zo zonder die enorme uitvergroting. Ze heeft eigenlijk nog best mooie ogen. Ook haar haar is nog steeds vol en dik. Ik kijk naar haar en weet niet wat ik moet zeggen. Ik ben bang dat als ik een vraag stel, ze zal proberen om terug te praten. Dus zwijg ik en zwijgt mijn moeder. We kijken alleen maar naar elkaar. Moeder en dochter. Zevenentwintig jaar leeftijdsverschil. Op mijn leeftijd had ze al een dochter van zeven. En een zoon van elf. Dan begin ik als vanzelf te praten.

'Mama, ik was bij Ben vorige week. Ik had foto's meegenomen van vroeger. Ik wilde jou laten zien, mama. Ik wilde dat hij wist dat hij ook een moeder heeft. Maar ik kon het niet, want hij begrijpt het niet. Hij lachte alleen maar omdat hij dacht dat hij jarig was. Het spijt me zo, mama, dat je geen zoon hebt gehad. Het is een blije jongen. Een schat. Je zou zoveel van hem gehouden hebben. Hij lijkt op papa. Groot en sterk en licht rossig haar. Maar hij heeft jouw blauwe ogen, mama. Hij bestaat, mama, hij leeft en ik zal voor hem zorgen. Ik zal zijn mama zijn. Omdat jij het niet kon. Omdat jij het niet mocht. Wees nu maar niet verdrietig, mama. Het is goed zo. Het is goed.'

Over mijn moeders wangen stromen de tranen. Ze kijkt naar me en ik voel me misschien wel voor het eerst haar kind. Voor het eerst het meisje van de foto's dat niet bedrukt kijkt, maar onbevangen. Een gewoon kind met een vader, een moeder, een thuis. Ik kijk naar haar, een kwetsbare zieke vrouw. Zij was ooit sterk. Ze heeft mij voelen groeien in haar buik. Ze heeft de pijnlijke weeën doorstaan en mij ter wereld laten komen. Zij heeft me gevoed en mijn luiers verschoond, zij heeft me aangekleed, gewassen, mijn haar geborsteld. Zij las me verhaaltjes voor en gaf me een nachtzoen. Zij had me lief, soms. En ze deed me pijn. Maar ze zorgde voor me. 'Ik ben niet boos. Ik zal ook niet meer boos zijn.' Mijn moeder sluit haar ogen kort en kijkt me dan weer aan. Ze kijkt mij aan. 'Ik ben soms zo alleen, mama.' Ik huil en leg mijn hoofd op de rand van haar bed. Dan voel ik haar hand op mijn hoofd. Ze streelt mijn haar.

32

Monsters onder mijn bed

Het is zondagavond zeven uur. Ik heb vannacht in het ziekenhuis geslapen, maar nu ga ik weer naar huis. De toestand van mijn moeder lijkt iets minder kritiek en morgen moet ik gewoon werken. Ik heb Stan ingelicht over de situatie, en gezegd dat ik er wel probeerde te zijn deze week, maar aan zijn reactie te merken vond hij dat niet meer dan normaal. Jacq was gisteren ook meteen gekomen nadat ik haar gebeld had, ze had kleren voor me meegenomen, zodat ik niet meer in die ziekenhuisoutfit door de gang hoefde. Mijn moeder moet veel rusten, dus de meeste tijd zat ik in de bezoekersruimte. Ik had het zo vaak gezien in films: mensen zenuwachtig trekkend aan hun sigaret terwijl ze wachtten tot de kritieke toestand van hun dierbare zou verbeteren. Tot de arts zou komen met het, misschien wel goede, nieuws. Hoop. Wanhoop. Ik zou er bijna van gaan roken.

Kees kwam met een enorme bos bloemen aanzetten. Ik had hem nooit zoveel verteld over mijn moeders ziekte, en het kaartje aan de bloemen met de tekst 'Beterschap!' verraadde dat hij het een beetje fout had ingeschat. Hij was er totaal van in de war. Ik had met hem te doen. Hij gedroeg zich sowieso nogal onhandig omdat hij niet wist of hij zich nou wel of niet kon beroepen op de titel 'nieuwe vriend van'. Dus zoende hij me te formeel drie keer op mijn wangen en zei: 'Wat naar voor je, Maxime, maar het komt vast wel weer goed.'

Mijn moeder zelf blijkt nog aardig wat vrienden en familie te hebben van wie ik niet had gedacht dat ze nog in leven waren. De meesten vlogen me huilend om de hals. De inmiddels stokoude huisvriend Frans hield gepaste afstand, en hij had het ook niet moeten wagen om me aan te raken, want ik had hem zo een klap op z'n bek gegeven. Viespeuk! Tante Annie, die zichzelf Annabel noemt, ging heel lief mijn hand lezen en voorspelde na een aantal jaren van rampspoed weer gelukkiger tijden. Ze zei: 'Je leven neemt een totaal andere wending dan je verwacht. Wees maar niet bang, geniet en laat de tijd je wonden helen.' Ik bedankte haar vriendelijk. Deze voorspelling was over haar houdbaarheidsdatum heen. Mijn tante Meike was weer Mieke gaan heten en liet me twee foto's zien van haar kleinkinderen. De neven en nichten die langskwamen in het ziekenhuis, herkende ik niet eens meer.

Al die mensen die ik al jaren niet had gezien deden me beseffen dat ik tevergeefs geprobeerd had mijn jeugd te ontkennen, weg te stoppen, alsof ik die nooit had beleefd. Maar het leven van toen bestaat ook nog steeds. De meeste mensen leven gewoon hun leventje en ik ben dat losgeslagen nichtje dat ze nooit meer zien. Via via horen ze wilde verhalen over mijn bestaan. Van mijn moeder krijgen ze de gecensureerde versie. Al die mensen zijn doorgegaan met hun dagelijkse beslommeringen en zonder veel zichtbare veranderingen is de tijd voorbijgegaan. Ik kan zo weer instappen in hun gevoel voor humor, in de roddels, in hun politieke mening en hun onhebbelijke gewoontes. Ik heb niks gemist door hen niet meer te zien, of heb ik juist álles gemist? Had ik bij de basis van dit familieleven moeten blijven, en mijn neven en nichten als mijn beste vrienden moeten zien? In sommige landen is het een doodzonde als je je familie negeert. Ik heb ze al die jaren ontkend, al die bloedverwanten. Wat moet je met mensen die je niet zelf gekozen hebt? Mensen die je ook nooit gekozen zóu hebben als er niet een bloedband zou bestaan. Wat is dat eigenlijk, een bloedband? De uitdrukking alleen al heeft iets smerigs. Alsof je iets deelt wat te intiem is. Het klinkt als eten met dezelfde lepel, als vrijen met dezelfde man, als schijten in dezelfde pot. Voor mij hoeft het niet. Ik bedank vriendelijk voor mijn familie. Nee, dank u, ik niet.

Oom Eugene, de broer van mijn vader, is de enige die ik nog zie. Lieve, lieve oom Eugene, altijd bezorgd, altijd geïnteresseerd. Hij had zelf kinderen gewild, maar de natuur was hem ongunstig gezind. Ter compensatie praat hij altijd tegen mij alsof ik nog een kind ben.

'Ga je mee?' vraagt mijn oom zachtjes en hij kijkt om het hoekje van de deur.

'Ja, ik kom.' Mijn moeder slaapt. Ik buig voorover om haar een kus op haar wang te geven. Het is raar dat ik haar niet ruik. Ja, ik ruik een soort zurige lucht in combinatie met de steriele ziekenhuislucht.

'Waar is haar parfum?' vraag ik aan mijn oom terwijl ik naar hem toe loop.

'Nog bij haar thuis, denk ik.'

'Wil je die de volgende keer meenemen?'

'Als ik het kan vinden wel, ja,' zegt mijn oom twijfelend. Hij is altijd heel eerlijk. Maakt nooit beloftes die hij niet kan waarmaken. Liegt nooit. Zelfs niet om de meest onbenullige dingen.

'Kom me anders morgen ophalen,' zeg ik, 'dan zoek ik het wel. Kan ik meteen een paar mooie pyjama's meenemen.'

'Goed, kind.' Hij slaat een arm om me heen en samen lopen we door de gang in de richting van de uitgang.

In mijn huis is de tijd stil blijven staan op vrijdagnacht. Het slot van mijn voordeur is geforceerd en sluit niet meer goed, mijn open schoenen liggen in de gang, inclusief poep, mijn jurkje ligt op de trap, mijn bh en slipje in de badkamer en de besmeurde lakens liggen rommelig op bed. Ik gooi mijn kleren in de wasmand, de lakens stop ik meteen in de wasmachine. Ik spoel de vieze schoen af en gooi ze dan allebei alsnog weg. Ik zet alle ramen open, en laat de wind door het hele huis waaien. Ik wil de geest van Moestafa verjagen. Ook de spoken in mijn hoofd zou ik het liefst wegblazen. Maar mijn demonen laten zich niet zomaar meevoeren met een zuchtje wind. Die houden zich stijfkoppig vast aan mijn donkere ziel. Maar ze zullen mij niet klein krijgen. Over mijn lijk! Ik ben sterker en moediger dan alle evil spirits bij elkaar. Zo. Ik verschoon mijn bed, smeer een boterham en pak mijn teksten voor morgen. Het leven gaat door. Zowel mijn echte als mijn gespeelde leven. Ik heb veel scènes deze week. Al kauwend probeer ik me te concentreren op de zinnetjes. Ik moet goed leren, en niet nadenken over mijn stervende moeder. Wat zou groter zijn: haar angst voor het stikken, het daadwerkelijke doodgaan, of haar angst voor wat er daarna is, het dood zijn? Niet denken. Leren.

Ik zit net in mijn turbulente soapverhaal als ik ineens een klap hoor. Het is harder gaan waaien buiten en door de tocht is er waarschijnlijk een deur dichtgeslagen. Ik loop naar boven en zie dat dat inderdaad het geval is. Veel frisser kan het niet worden in huis en het begint al donker te worden, dus sluit ik de ramen weer. Dan hoor ik nog een klap. Nog een keer. En nog een keer. Het geluid komt van beneden. Ik loop naar de voordeur en zie dat die open- en dichtslaat door de tocht van beneden, omdat een van mijn benedenburen staat te praten met iemand op straat en daarbij de buitendeur openhoudt. Ik probeer mijn voordeur dicht te doen, maar hij valt niet goed in het slot, waardoor hij steeds weer openwaait. Het enige wat ik kan doen is het haakje met de ketting vastmaken aan de binnenkant zodat er in elk geval niemand meer binnen kan komen. Ik loop terug naar mijn teksten en probeer het geluid van de deur die nu steeds tegen de ketting slaat te negeren. Ik hoor iemand de trap op komen. Ik hou mijn adem in. Dan hoor ik de deur van de benedenburen dichtgaan. Gelukkig. Het is weer stil. Mijn ogen gaan terug naar de woorden die ik van het papier in mijn hoofd probeer te krijgen. Ver weg hoor ik de bomen ruisen en de auto's rijden, binnen is de stilte hoorbaar aanwezig. Ik ben alert op elk geluid dat er eventueel komen gaat. Niet bang zijn, hij komt niet terug. Maar hij weet waar ik woon. Zou hij degene zijn geweest die met de buurman stond te praten? Zal ik even gaan vragen wie het was? Nee, dat is belachelijk. Ik moet me niet aanstellen. Hij heeft een briefje achtergelaten met zijn nummer. Als ik niet wilde bellen 'ook goede vrienden', dat zei hij toch? Misschien heb ik hem niet goed verstaan. Ik was dronken. Misschien heeft hij gezegd: 'Bel me, anders weet ik je te vinden.' 'Vrienden' en 'vinden' lijkt heel veel op elkaar qua klank. Ik heb nooit laten merken dat ik hem walgelijk vond. Hij zal terugkomen en dan neemt hij ook al zijn attributen mee. In een latexpak met zo'n masker zal hij me komen opzoeken. Hij heeft zijn handboeien en zweep al in zijn handen. Hij zal me niet geloven als ik zeg dat ik niet wil. Hij zal denken dat dat het spel is dat we spelen. Hoor ik iets? Ja, ik hoor iets. Gekraak op de trap. Gerinkel van de ketting. De dichtslaande deur. Ik moet rustig blijven. De politie bellen misschien. Nee, stel je niet zo aan. Ik zet een muziekje op en laat me niet gek maken. De demonen niet de baas laten spelen, weet je nog. Afspraak is afspraak. Ik loop naar de stereo, om een cd op te zetten. Na twee minuten Martha Wainwright word ik nog nerveuzer. Door de muziek zal ik hem niet binnen horen komen. Ik moet misschien tv gaan kijken. Nee, hetzelfde probleem. Naar bed gaan. Ik ben gewoon moe. Ik wou dat ik het raam kon openzetten voor wat lucht. Ik krijg niet genoeg lucht binnen. Ik voel mijn hartslag omhoogschieten. Misschien is dit een teken dat mijn moeder ook niet genoeg lucht krijgt. Ik voel wat zij voelt. Ademnood. Dieper ademhalen nu. Ik kan het wel. Ik zal je redden, mama. Ik haal adem voor ons allebei. Je hoeft niet te stikken. Sneller en dieper adem ik nu voor ons samen. Ik maak het zo vaak mee, mama, je hoeft niet bang te zijn. Er is een grens aan de paniek. Aan de snelheid waarmee mijn hart tekeergaat. Ik ga met je mee het duister in. Kom maar, mama, ik neem je mee. Ik ben daar al zo vaak geweest. Ergens in de wirwar van mijn gedachten weet ik dat ik een zakje moet pakken, maar ik blijf op de vloer zitten, mijn hoofd voelt steeds lichter. Niet doen, Max, laat je niet vangen!

Wat is dat geluid? Hij komt me halen. Zie je wel, het is de bel. De bel. De bel, wat moet ik doen? Hijgend sta ik op. Het is de politie. Ze komen me vertellen dat het gebeurd is, net als in de film. Maar nee, dat is alleen bij ongelukken. Het is mama, om te zeggen dat ze beter is. Nog een keer de bel. Max, doe normaal. Rustig. Rustig. Het is goed, laat maar komen wat er komen moet. Ik druk op de knop. Beneden hoor ik de deur opengaan. Niet bang zijn nu. Het is goed. Wat komt, dat komt. Geef je over aan je lot. Ik hoor zware voetstappen de trap op komen. Ik gluur door de spleet van de deur. Dan verschijnt zijn schaduw. Ik schrik en ga achter de deur staan zodat ik niet zichtbaar ben. Laat het maar gebeuren, Max. Liever word ik doodgeslagen dan dat ik stik.

Hij staat nu vlak bij me, aan de andere kant van de deur. Hij probeert de deur open te maken. De ketting houdt hem tegen. Dan hoor ik zijn stem: 'Max?' Stil, niks zeggen. Uitstellen. 'Max?' Die stem, die stem, van wie is die stem? 'Je kunt me doodmaken, maar het doet me toch niks,' hoor ik mijn eigen stem roepen.

'Max, ik ben het, Maarten. Gaat het wel goed met je?' Maarten… Maarten? Die naam die zegt me iets. 'Doe open, Max. Ik heb het gehoord van Peter, het slechte nieuws over je moeder, ik wil je alleen maar helpen.'

Voorzichtig kijk ik om het hoekje. Dan zie ik hem. Ik open de deur en val in zijn armen. 'Maarten,' zeg ik huilend. 'Ik was zo bang. Zo bang.'

Later, als ik onder de douche ben geweest en in mijn ochtendjas de thee drink die hij voor me gemaakt heeft, vertel ik hem alles over mijn moeder. Hij luistert naar me. Ik wist niet dat hij zo goed kon luisteren. Hij luistert en knikt, zegt af en toe 'ja, ja' en vraagt zo nu en dan of ik het zus of zo bedoel. Als ik klaar ben met mijn verhaal vraag ik hoe het voor hem was om zijn moeder te verliezen. Hij begint eerst te vertellen over haar gewoontes, over haar manier van praten, over haar geur. Dan vertelt hij hoe ze tegen hem was. Welke grapjes ze maakte. Hoe ze hem aanraakte. Hoe ze ruziemaakten en hoe ze het daarna weer goedmaakten. Hij vertelt dat hij erachter kwam dat ze ongeneeslijk ziek was doordat hij een gesprek tussen zijn ouders opving. Hij was naar beneden gekomen omdat hij niet kon slapen en net voordat hij de huiskamer binnen wilde stappen om te vragen of hij wat mocht drinken, ving hij het woord 'kanker' op. Hij bleef stil staan luisteren in de gang. Later probeerde hij erachter te komen of het waar was, of dat het slechts een nachtmerrie was geweest. Hij maakte toespelingen, stelde subtiele vragen en liet af en toe het woord vallen: kankerstichting, kankerlijer, kankeren, maar zijn ouders lieten niets los en bleven in zijn buurt heel opgewekt doen. Zelfs toen hij zijn vader een keer op de man af vroeg: 'Is het waar dat mama ziek is?', bleef zijn vader ontkennen. Ja, ze had een griepje, maar dat stelde niks voor. Even was hij gaan geloven dat hij het zich allemaal verbeeld had, tot hij zijn moeder hoorde huilen op het toilet. Maarten had aan de andere kant van de deur gevraagd wat er aan de hand was. Zijn moeder had daarop geantwoord: 'Niks jongen, maar je moet even de dokter bellen.' Totdat de huisarts kwam had ze de deur gesloten gehouden. Hij had de voordeur opengedaan en de arts gewezen waar ze was. De man had hem de woonkamer in gestuurd en luisterend aan de deur had hij slechts zacht gepraat en gesnik gehoord. De woorden werden voor hem geheim gehouden. Hij was geschrokken toen de man plotseling de deur had geopend terwijl hij met zijn oor tegen het sleutelgat aan stond. Hij had het ziekenhuis gebeld en een ambulance laten komen. Maarten was op de bank gaan zitten en had zich niet meer durven bewegen. Ook niet in de richting van zijn moeder. Dat was de laatste keer dat ze thuis was. Drie weken daarna was ze gestorven, terwijl er niemand bij haar was. Zijn vader had het hem 's ochtends aan zijn bed verteld. Hij had zich aangekleed om naar school te gaan, maar zijn vader had hem in de auto gezet en samen waren ze naar het ziekenhuis gereden. En daar had hij haar zien liggen. Dood. Hij was tien jaar.

Maarten huilt. Ik heb hem nog nooit zien huilen. Ik ga naast hem zitten en sla een arm om hem heen. Samen zitten we zo een tijdje.

'Het spijt me,' zeg ik dan.

'Kun jij toch niks aan doen.'

'Nee, het spijt me dat ik nooit terug ben gekomen na onze ruzie.'

'Geeft niks,' zegt hij, 'het zou toch niks geworden zijn tussen ons. Wij lijken te veel op elkaar.'

Ik kijk hem aan en zeg zacht: 'Klopt.' Dan buig ik me naar hem toe en kus hem op zijn wang. Ik voel een schrikreactie in zijn schouder.

'Ik moest maar weer eens gaan,' zegt hij en hij wil opstaan.

'Nee, niet weggaan. Alsjeblieft. Ik durf hier niet alleen te blijven vannacht met die deur. Wil je blijven slapen? Ik bedoel er niks mee. Gewoon als goede vrienden?'

Hij draait zijn gezicht naar me toe. 'Oké, als goede vrienden,' zegt hij dan.

Als we even later in bed liggen met ons ondergoed aan, is het vreemd en vertrouwd tegelijkertijd. 'Wil je nog even de tekst voor morgen met me oefenen?' vraag ik aan hem.

'Tuurlijk,' zegt-ie. 'Wie speel ik?'

'Pierre, mijn vijand en Hans, mijn partner en minnaar in spe.'

'Dat is wel aan mij besteed,' zegt Maarten lachend, 'allebei!' Ik glimlach terug. Ik ben blij dat hij is gebleven. Ik voel me veilig bij hem.

De scènes met Pierre, die vroeger Petra was, zijn té grappig. We zeggen onze teksten met veel overdreven drama en maken er, voor zover dat mogelijk is in bed, groteske gebaren bij. We vinden onszelf en elkaar ongelofelijk komisch. Als Maarten Hans moet spelen, gaat hij hem ook zo doen zoals Henk het doet: met zeer veel ernst, een zware stem en fronsende mimiek. Dan komt de scène waarin ze voor het eerst gaan zoenen. We doen een echte filmzoen na: eerst heel langzaam naar elkaar toe, met trillende neusvleugels en heen en weer bewegende pupillen en dan hap, met open mond maar zonder tong vloeiend op elkaar bewegen. Het lukt me niet zonder in de lach te schieten.

'Kom op nou, Max, anders lukt het je morgen ook niet,' zegt Maarten plagerig. We doen weer een poging, maar steeds voordat we moeten gaan happen komt er een giechel uit mijn keel naar boven.

'Nou is het genoeg,' onderbreekt hij me abrupt, en hij kijkt me uitdagend aan, duwt me op mijn rug en hapt me vol in mijn gezicht, ergens in de buurt van mijn mond. Ik kan niet stoppen met lachen, terwijl hij maar blijft happen. Dan hapt hij raak. Precies op mijn mond. Ik voel zijn natte mond om mijn lachende mond, zijn tong tegen mijn tanden en nog steeds kan ik niet ophouden. Dan begint hij me te likken. Over mijn lippen. Mijn wangen. In mijn nek. Ik heb buikpijn van het lachen en probeer hem van me af te krijgen. Het lukt niet. Hij likt aan mijn oorlel en ik krijg kippenvel. Ik draai mijn gezicht naar hem toe, zodat hij niet meer bij mijn oor kan. Dan hapt hij in mijn neus.

'Stop!' gil ik hard. Hij houdt abrupt op en kijkt me aan.

'Zeg dat dan meteen,' zegt hij met zijn mooie grijns op zijn gezicht. Ik wil hem zoenen. Ik wil zijn mond voelen, zijn tong. Ik grijp met mijn handen in zijn haar en trek hem langzaam naar me toe. De lichte weerstand die hij biedt verdwijnt zodra mijn lippen de zijne raken. Dan duw ik zijn hoofd weer een beetje van me af en kijk hem aan. Ik zie de spanning op zijn gezicht. 'Ik wil je liefhebben, Maarten,' zeg ik zacht.

Zijn blik verandert. 'Ik jou ook, Maxime,' fluistert hij. En voorzichtig zoent hij me op mijn mond.

33

Manicure

Maarten sliep nog toen ik de deur uit ging. Het was kwart over zeven, ik moest al om acht uur op mijn werk zijn. Het was een rare avond gisteren. Het leek alsof het nooit uit was geweest tussen hem en mij. Maar in het licht van de dag, nu ik weer nuchter ben van alle emoties, voel ik me schuldig, omdat je niet hoort te genieten als je moeder op sterven ligt. Maarten leek überhaupt vergeten dat mijn moeder doodgaat, want hij vroeg of ik zin had om vanavond met hem te gaan eten.

Wat wil ik? Ik weet dat er in die nacht veel belofte zat. Zouden we het opnieuw kunnen proberen? Zou het dit keer beter gaan? Als we alles uitspreken en niet de boel steeds leuker proberen voor te doen dan het is. Niet proberen om voor elkaar te denken, maar gewoon zelf te zeggen wat je wilt en niet wilt. Eigenlijk alle clichés die een goede van een slechte relatie onderscheiden. Ik weet het niet. Het was fijn gisteren. Het was fijn dat hij er was. Het was nog nooit zo fijn om met hem te vrijen. Hij was voorzichtig en zacht. Misschien heb ik Maarten alleen maar gebruikt om de angst niet in de ogen te hoeven kijken en om de herinnering aan Moes naar de achtergrond te laten verdwijnen.

In de auto heb ik naar het ziekenhuis gebeld om te vragen hoe het met mijn moeder ging. De verpleegster zei dat ze nog steeds stabiel was, en dat ze zelfs wat had gegeten en gedronken. Ik vroeg of ze door wilde geven dat ik vanmiddag tegen twee uur langs zou komen. Even leek het ergste voorbij en kon ik mezelf wijsmaken dat mijn moeder weer helemaal zou herstellen en dat het allemaal goed zou komen. We zouden beiden gelouterd uit deze strijd komen en voor het eerst een leuke moeder-dochterrelatie onderhouden, met de nodige kopjes thee, winkeluurtjes en vertrouwelijke gesprekken. Zo zou het gaan.

Om acht uur begon de repetitie van mijn scènes met Henk. Hij was ongelooflijk chagrijnig, zeker een ochtendhumeur. Het was een zware sessie. Het is belachelijk om om acht uur je eerste dramatische scènes te moeten spelen. Of erger nog, je eerste bedscènes. Je ruikt nog de ochtendlucht, de eerste koffie, de eerste sigaret en dan moet je al innig gaan liggen doen met iemand. Het lijkt mensen altijd zo leuk om acteur te zijn, omdat je dan geoorloofd vreemd kunt gaan. Lekker met iedereen een beetje liggen vozen, terwijl je vrouwtje of mannetje thuis met het eten op je wacht. En natuurlijk lijkt het me best aardig als het met Brad Pitt of Tom Cruise is, maar met iemand die je niet zelf gekozen hebt is het weerzinwekkend. Neem nou Henk. Aardige man hoor, loopt wel al tegen de zestig, maar hij is redelijk fris. Toch moet ik elke keer als hij me aanraakt een huivering onderdrukken. Ik wil hem niet ruiken of voelen. Het is te intiem. Toen ik besloten had actrice te worden had ik me niet gerealiseerd dat je mensen in je comfortzone moet laten komen. Ze komen te dicht bij je staan. Ze raken je aan, en jij wordt zelf ook gedwongen om mensen aan te raken. Ik krijg de neiging om te gaan gillen. 'Blijf van me af. Hou je vieze poten thuis!' Ik zou ze letterlijk van me af willen trappen en ze zien bloeden uit de gaten die mijn hakken in hun lichaam hebben getrapt. Maar dat zou zo onprofessioneel zijn.

Soms word ik bang van mezelf. Er zit zo veel opgekropte woede en agressie in mij dat ik wel eens denk dat het pas zal stoppen als ik iemand echt vermoord heb. Dat mijn haat zo groot is dat ik door zal gaan met slaan en schoppen tot het laatste restje leven uit mijn slachtoffer verdwenen is. Tot de glinstering in de ogen is gestopt en het slechts twee doffe plekken zijn die mij niet meer kunnen raken. Maar zou het daarmee ook stoppen? Zou mijn kwade geest dan voorgoed uitgebannen zijn, of zou hij zich enkel schuilhouden om later nog harder terug te komen. *Maxime, portrait of a serial killer.* Waarom haat ik zo? Waarom haat ik zo? Misschien zal de boosheid zich tegen mijzelf richten. Maak ik mezelf kapot om het monster de mond te snoeren. Niet denken. Ik moet me concentreren op de beslommeringen van elke dag. Een goed mens proberen te zijn. Een goede vriend, een goede collega en misschien later zelfs wel een goede partner. Tijd om nog een goede dochter te kunnen zijn heb ik niet meer.

Ik ben klaar met mijn werk en moet naar huis. Mijn oom komt me zo halen om eerst in het huis van mijn moeder wat spullen te pakken, en daarna meteen door te gaan naar het ziekenhuis. Het is warm buiten, minstens dertig graden. Mensen kijken vrolijk en de wereld ziet er mooi uit. Ik maak het dak van mijn auto open en hoop dat de wind mijn zorgen zal meenemen. Helaas, ze worden opnieuw in mijn gezicht geslagen. Ik rij terug naar het dramatische verhaal van mijn echte leven. Ik zie weer voor me hoe ze daar lag. Hoe ze naar me keek. Hoe het rook in het ziekenhuis. Hoe de mensen die van haar hielden huilden. Nog een paar weken, of misschien maar een paar dagen en ik ben een wees. De mensen die mij ter wereld hebben gebracht zijn dood, en de eerstvolgende die eraan gaat ben ik. En natuurlijk mijn broer. En als ik geen kinderen krijg, houdt daarmee deze familielijn op. Dood. Klaar. Over. Misschien wel het beste. Iets aan de wereld toegevoegd hebben we toch niet.

Als ik heb geparkeerd, en in slome pas bij mijn huis aankom, zie ik dat mijn oom al in zijn auto op me staat te wachten.

'Even iets checken,' zeg ik door zijn raam, 'ik ben zo terug.'

'Doe maar rustig aan, meisje,' zegt mijn oom met zijn eeuwig bezorgde blik. Ik ren naar boven en om te kijken of het slot gerepareerd is en, veel belangrijker, of Maarten er nog is. Er zit een gloednieuw slot op mijn deur en er hangt een briefje boven met de tekst: 'Ze zijn langsgeweest zoals je ziet. Ik heb je nieuwe sleutels meegenomen. Bel me. X.' Mooi is dat. Kan ik mijn eigen huis niet eens meer in.

We rijden de straat in waar mijn moeder woont. 'Je gaat wel even mee naar binnen, hè?' vraag ik aan mijn oom.

'Lieverd, je hoeft toch alleen maar wat dingetjes te pakken. Ik kan hier echt niet blijven staan met de auto.'

'Ik ga wel snel,' zeg ik en met lood in mijn schoenen stap ik uit de auto.

'Ik rij een rondje en dan pik ik je zo weer op.'

'Oké.' Met een geforceerde glimlach kijk ik naar hem door het raampje. Zo erg is het toch niet om hier te zijn. Ik ben er zo vaak geweest. Het is het idee dat ik hier nu ben, terwijl zij hier nooit meer zal komen. De volgende keer dat ik in haar huis kom is het waarschijnlijk om haar spullen uit te zoeken en in dozen te stoppen. Snel zijn, niet inhaleren binnen, niet haar lucht inademen. Ik steek de sleutel in het slot, neem een diepe teug van de buitenlucht, open de deur en ren naar de badkamer. Gelukkig zie ik het flesje White Linen van Estée Lauder meteen staan. Dan door naar de slaapkamer. Het onopgemaakte bed, in dit huis waar alles precies op zijn plek staat, klopt niet. Het is het enige teken dat er iets is misgegaan. De pyjama's, waar liggen de pyjama's? Ik open de kast en trek de onderste la open. Mis: sokken. De tweede la: ondergoed. Ik krijg bijna geen lucht meer. De derde la: raak! Ik ruk de hele stapel eruit en ren terug naar de voordeur, die ik open heb laten staan, en adem in. Gelukt. Ik sta nog even na te hijgen. Dan doe ik de deur weer op slot en loop terug naar de lift.

Het lijkt alsof ik niet weg geweest ben. Mijn moeder ligt er nog precies zo bij als gisteren. Ze slaapt. Mijn oom en ik staan bij haar bed en zwijgen. Wat valt er te zeggen in zo'n situatie? We moeten wachten. Wachten tot ze wakker wordt, wachten tot de arts komt, wachten tot ze dood is. Haar gerimpelde hand raakt bijna mijn jurkje. Als ik nog een stapje verder naar voren doe zal ik 'm voelen door de dunne stof. De hand roept naar me: 'Raak me aan, pak me!' Ik ga op de stoel naast het bed zitten en pak haar hand. Ik schrik omdat-ie zo slap is. Als ie niet slap was geweest was ik waarschijnlijk ook geschrokken. Waarom komt deze hand me totaal niet bekend voor? Ik moet 'm toch heel vaak vastgehouden hebben als kind. Ik kan me niet meer voorstellen hoe dat voelde, toen. Nu is de sensatie van het vasthouden van haar hand nieuw en onwennig voor mij. Ik dwing mezelf om niet los te laten. Hoe lang kan ik deze warme hand nog voelen?

Na het fatale ongeluk van mijn vader was er geen mogelijkheid meer geweest om hem aan te raken. Zijn lijk durfde ik niet te voelen. Ik had hem graag nog even in zijn dikke wangen willen knijpen en mijn voorhoofd zachtjes op zijn mond willen drukken, maar het was te laat, hij was al koud en stijf.

'Ik ga even koffie halen,' fluistert mijn oom. Hij geeft me een bemoedigend klopje op mijn rug en loopt weg. Ik zie de deur dichtvallen, ik zou achter hem aan willen rennen, en tegen hem beginnen te dreinen dat hij niet weg mag gaan. Dat mama beter moet worden. Dat het niet eerlijk is. Ik zou me willen gedragen als een klein meisje dat haar zin niet krijgt. Op de grond gaan liggen gillen en stampen. Maar ook al ben ik het kind in deze situatie, ik mag niet meer zeuren. De rollen zijn nu definitief omgedraaid, ik moet volwassener zijn dan mijn moeder.

Ik kijk naar haar hand. Ze heeft lange dunne vingers. Er zitten geen ringen om. Wat had ze ook alweer voor trouwring? Een dikke gouden waarschijnlijk, zoals alle trouwringen uit die tijd. Wat zou ze met dat ding gedaan hebben? En mijn vader, zijn trouwring heb ik ook nooit meer gezien. Zou Eugene 'm misschien hebben? Wat doet het ertoe. Alsof ik ooit de trouwringen van mijn ouders zou willen dragen. Ik kan ze laten omsmelten tot een ander sieraad. Een crucifix, of een klein mesje.

De nagels van mijn moeder zijn opvallend goed verzorgd. Mooi gevijld, en er zit zelfs een laagje transparante nagellak op die ze vlak voor haar opname moet hebben opgedaan. Waarom deed ze dat? Ze was doodziek. Ze verzorgde zich altijd goed, mijn moeder. Zou ze een vriend hebben gehad? Wat weet ik eigenlijk weinig van haar. Ik kan me moeilijk voorstellen dat mijn moeder een romance had met een man. Dat ze seks had. Gatverdamme, nee. Ik zal opletten of er op de begrafenis een rouwende onbekende man rondloopt.

Ik streel haar hand. Toch ken ik deze hand. Ineens weet ik het weer. Mijn moeder zat in de tuin te zonnen en ik was met een schepje en vormpjes in de zandbak aan het spelen. Omdat het zo warm was, was het zand te zacht en kon ik er geen taartjes mee bakken. Dus ik had mijn emmertje gepakt en liep naar mijn moeder om te vragen of ik water mocht halen. Mijn moeder had een grote zonnehoed op, waardoor ik niet meteen doorhad dat ze sliep. Nadat ik een paar keer: 'Mama? Mama?' had gezegd en er geen antwoord kwam ben ik in de keuken water gaan pakken. Ik was nog te klein om bij de kraan te kunnen dus ik moest op een krukje gaan staan. Ik nam zo voorzichtig mogelijk de volle emmer mee naar buiten, goot 'm leeg in de zandbak en liep meteen terug om een nieuwe te halen. Toen ik met een emmer of zeven de zandbak tot een soort modderpoel had gemaakt, besloot ik dat het genoeg was. Ik liep naar de keuken en ging weer op het krukje staan om de kraan dicht te draaien. Blijkbaar niet de goede kant op, want toen de kraan niet meer verder kon en ik nog eens extra hard trok zodat-ie vastzat, stroomde er nog steeds volop water uit. Ai, nu moest ik mama gaan roepen. Ik bedacht me dat als ik haar heel lief wakker zou maken, ze misschien niet zo boos zou worden over de puinhoop die ik had gemaakt. Ik ging op mijn knieën naast haar zitten, pakte voorzichtig haar hand en begon hem zachtjes te aaien. Ze werd nog steeds niet wakker. Ik keek naar haar hand en raakte geboeid door de aders die eroverheen liepen. Het waren een soort blauwe slangetjes, die duidelijk voelbaar op haar huid lagen. Ik volgde ze met mijn wijsvingertje. Een voor een tekende ik ze na. Toen probeerde ik ze plat te drukken. Terwijl ik zo bezig was schrok mijn moeder plotseling wakker. Ze schoot overeind en begon wild om zich heen te slaan waarbij ze mijn neus raakte. Ik greep naar mijn gezicht en begon te huilen. Toen pas kreeg mijn moeder door dat ze mij geslagen had en zei boos: 'Laat me dan ook niet zo schrikken, ik dacht dat er een wesp op mijn hand zat.' Ik wilde weglopen, maar mijn moeder hield me tegen. 'Sorry, het was een ongelukje,' zei ze lief. Ze trok me naar zich toe, gaf me een kus op mijn voorhoofd en een stevige knuffel. Ik rook de zonnebrandcrème en haar zweet, en wilde het liefst altijd met mijn hoofd tussen haar borsten blijven. Door het hele gedoe was ik natuurlijk vergeten waarom ik mijn moeder wakker moest maken, dus toen ze later de keuken in ging en de ravage ontdekte stormde ze woedend naar buiten en kreeg ik alsnog straf.

Terwijl ik mijn moeders oude hand streel zie ik hoe mijn hand van nu precies lijkt op haar hand van toen. Dus over zevenentwintig jaar zien mijn handen er ook zo uit. Ik ben ineens weer bang dat ze wakker zal schrikken. Ik leg haar hand voorzichtig op bed en kijk ernaar. De aders liggen veel hoger nu en de kleur is meer paars dan blauw. Er zitten bruine vlekjes op haar huid en op haar duim zit een klein schaafwondje. Dit wondje zal nooit meer helen. Raar dat de scheidingslijn tussen leven en dood zo scherp is. Zo onherroepelijk. Een beetje dood als overgangsfase zou prettig zijn. 'Nou, ik ben een beetje dood, gewoon eens kijken hoe het bevalt.' Je neemt een proefabonnement en als je het leuk vindt, dan besluit je voor het hele *event* te gaan. Nog nooit is er iemand geweest die terugkwam om te vertellen hoe het was. Nog nooit heeft iemand kunnen bewijzen dat er überhaupt iets is hierna. Het bloed stroomt nog door de aderen van mijn moeders hand. Binnenkort zal haar hart stoppen met pompen en vervolgens verdwijnt elke beweging. Enkel haar grijze haren en haar gelakte nagels zullen nog doorgroeien. Maar er zal niemand zijn om ze te verzorgen.

Dan beweegt haar hand heel zachtjes.

'Mama?'

'Maxime, kom je even op de gang, ik mag de koffie niet mee naar binnen nemen.' Mijn oom kijkt om het hoekje. Plotseling trekt ze met haar hele linkerkant, het lijkt wel een soort stuip.

'Sssst, ze beweegt. Ik weet niet of het goed gaat.' Mijn moeder heeft haar ogen nog steeds gesloten, maar ze maakt met haar hele lichaam krampachtige bewegingen. 'We moeten de arts halen!' Paniek stijgt naar mijn hoofd. Mijn oom rent de gang op.

'Help, er moet iemand komen!' Ik druk achter elkaar op de alarmknop.

'Mama, er komt iemand hoor. Rustig maar.' Dan opent ze haar ogen en kijkt me recht aan. De verpleegster komt binnengerend en terwijl ze van alles checkt, vraagt ze aan mij wat er gebeurd is.

'Niks,' zeg ik, 'ze deed ineens zo raar.' Maar ik ben doodsbang en voel me betrapt, alsof ik iets fout heb gedaan.

'Als u even op de gang zou willen wachten; de arts komt zo.' Ik wil opstaan om weg te gaan, begint ineens het deuntje van mijn mobiele telefoon te spelen. Kut, vergeten uit te zetten. 'U weet toch dat het ten strengste verboden is om uw telefoon hier aan te hebben,' zegt de verpleegster kwaad.

'Sorry…' Ik probeer tevergeefs het ding in mijn tas te vinden, besluit op de gang verder te zoeken en in de haast om weg te komen trek ik met het hengsel van mijn tas de stoel om.

'Au, kijk toch uit!' roept de verpleegster, die hem op haar voet heeft gekregen. Ik zet de stoel recht terwijl het muziekje van mijn telefoon tot een crescendo komt, en vlucht de kamer uit. Ik wist dat ik iets fout deed.

Als mijn oom en ik even later zenuwachtig met een bekertje koffie op de arts staan te wachten, stormt de verpleegster plotseling naar buiten. Ze komt met de arts teruggerend en samen verdwijnen ze weer in de kamer. De minuten die volgen lijken wel uren. Zou dit het moment zijn? Zouden ze haar nu aan het reanimeren zijn? Ik durf mijn oom niet aan te kijken. Ik wil zijn bezorgde blik niet zien. Gefocust op het bord intensive care, bid ik dat ze niet nu dood gaat. Ik zou eeuwig geloven dat het mijn schuld was. Zoals het mijn schuld was dat ze altijd zo boos op me was. Mijn schuld dat ze niet van mij hield. Mijn eigen schuld dat ik zo'n klotejeugd heb gehad, want ik was stout. Stout kind! Dan gaat de deur weer open. De verpleegster loopt meteen door, en de arts komt op ons af. 'Maxime Bremer,' zegt hij en hij kijkt me streng aan.

'Ja, dat ben ik.'

'We hebben de situatie weer onder controle, maar zoals u weet gaat het niet goed. Uw moeder is op dit moment een hevige strijd aan het voeren tegen het onvermijdelijke. Wij proberen haar niet te laten lijden door zoveel mogelijk medicatie toe te dienen. Maar haar geestelijk lijden kunnen wij niet geheel verzachten.' Hij schuift zijn leesbril wat naar voren en kijkt naar zijn dossier. 'Uit het rapport van de nachtdienst blijkt dat uw moeder de hele nacht geijld heeft. Uw moeder noemde veelvuldig uw naam.' Over zijn bril kijkt hij me weer aan. 'Ik wil u adviseren om het nog onuitgesprokene uit te spreken. Als er een moment is om nog iets tegen haar te zeggen, is het nu.'

Wat wil ik aan haar kwijt? Jezus, alles is toch al gezegd. Wat kan ik nog voor haar doen? Ben! Natuurlijk! Ze wil haar zoon zien. Ik moet Ben halen!

34

Een vrouw met een missie

Mijn oom heeft me voor de deur afgezet, ik draai de sleutel om en ren de trap op. Boven kom ik voor de tweede keer die dag tot de ontdekking dat ik helemaal nog geen nieuwe sleutel heb en dus niet naar binnen kan. Gehaast pak ik mijn gsm, zet 'm aan en bel Maarten.

'Hé Max, ik had al geprobeerd om je te bellen.'

'Ik moet erin.'

'Ja, dat begrijp ik. Wat zullen we afspreken? Zal ik na het werk, om een uur of zes, bij je langskomen?' Ik kijk op mijn horloge. Het is net vier uur.

'Kan het niet eerder?'

'Je kunt de sleutel op kantoor komen halen. Het spijt me, ik heb zo een bespreking.'

'Ja, nee, ja, nee, ik verzin wel wat anders.'

'Gaat het wel goed met je?'

'Ja, nee, ja nou, ik vertel het je later wel. Zes uur bij mij. Als het anders loopt bel ik wel.'

'Oké, o en Max, ik vond het fijn vannacht.'

'Ja. Tot later.' Ik hang op, ren weer naar beneden en wil snel naar mijn auto lopen. Ik heb echt geen idee waar ik 'm neergezet heb. Als een junk die moet scoren, zo loop ik door de wijk op zoek naar mijn cabrio. En net als ik denk: kut, hij is weggesleept, ik had hem waarschijnlijk fout neergezet, zie ik hem staan.

Het is het drukste moment van de dag, dus snel kom ik de stad niet uit. Als ik eenmaal op de snelweg zit beland ik meteen in een lange file en uiteindelijk kom ik pas anderhalf uur later bij het verzorgingstehuis van mijn broer aan. Ik vraag of ik dringend de directeur kan spreken. De secretaresse belooft dat ze haar best zal doen en ik haal opgelucht adem, omdat dat op zijn minst betekent dat hij nog aanwezig is. Als ze even later terugkomt, zegt ze met een glimlach: 'Hij is nog een paar minuten bezig, daarna zou hij u kunnen ontvangen.' Ik glimlach dankbaar en neem plaats in de wachtruimte. De paar minuten worden er vijf, tien, vijftien. Zenuwachtig loop ik heen en weer. Stel dat hij het vergeten is en toch al naar huis gegaan is. Dan komt de secretaresse voorbij met haar jasje aan en haar tas in haar hand.

'Gaat u weg?' vraag ik.

'Ja, mijn dienst zit erop.' Ze kijkt op haar horloge. 'Twintig minuten al.'

'Maar als meneer Swinkels mij vergeten is en zelf ook naar huis gaat? Het is heel belangrijk.'

Ze zucht. 'Ik ga nog wel een keer kijken.' Dit keer is ze binnen een paar seconden weer terug. Ze heeft zich helemaal herpakt en met haar meest innemende gezichtsuitdrukking zegt ze: 'Maakt u zich geen zorgen, hij zegt dat hij er meteen aankomt.' Dan loopt ze weg. Gefixeerd kijk ik naar de deur waar de man uit zou moeten komen. Ik begin tot honderd te tellen en weer terug. Toen ik klein was deed ik dat ook altijd in de auto, omdat ik dacht dat ik er dan sneller zou zijn, tot grote ergernis van mijn ouders. Als ik bij eenenzestig ben gaat plotseling de deur open. Eenenzestig, mijn moeders leeftijd. Toeval bestaat niet. Meneer Swinkels, een lange man van ongeveer vijftig, in een te ruim grijs pak, komt op zijn gemakje binnen en vraagt: 'U wilde mij spreken?'

'Ja,' zeg ik, 'het is dringend.'

'Dat had ik al begrepen,' zegt hij droog. 'Komt u maar even mee naar mijn kantoor.' Ik loop achter hem aan en heb het gevoel alsof ik weer op de middelbare school zit. 'Wat is het probleem, eh…'

'Maxime, Maxime Bremer, zusje van Benjamin Bremer, mijn broer.'

'Onze Ben?'

'Ja, die, dat is mijn broer,' zeg ik nog een keer ten overvloede. Dan vertel ik in één adem het hele verhaal van mijn moeder die op sterven ligt en graag nog één keer haar zoon wil zien. Ik laat natuurlijk het detail weg dat het de eerste keer is dat ze haar zoon zou zien. Dat het de eerste keer is voor die zoon om zijn moeder te zien, en ik hoop, ik bid, dat deze meneer Swinkels zijn dossiers niet zo goed kent. De man kijkt bedachtzaam voor zich uit. Dan gaat mijn telefoon. Kut, weer vergeten uit te zetten. Dit keer vind ik hem sneller in mijn tas, zet hem uit en mompel iets verontschuldigends. Meneer Swinkels zwijgt nog steeds. Dan volgen een paar 'hmmms' en dan begint hij traag te praten.

'Ik meen me te herinneren dat Ben een tijdje geleden ook op een bijzonder uitje is geweest met zijn oom en dat hij de dagen erna erg van slag was.'

'Dat klopt,' spring ik er gelijk bovenop, 'hij was als verrassing meegenomen naar mijn verjaardagsfeestje en hij had toen per ongeluk alcohol gedronken.' Dat is een leugen, ik wist helemaal niet dat Ben van slag was geweest, maar ik moet een smoes verzinnen. 'Het was de schuld van de ober. We hadden van tevoren uitdrukkelijk gezegd dat Ben geen alcohol mocht drinken. Maar Ben had, in de veronderstelling dat het limonade was, in één teug een glas gin-tonic leeggedronken.'

'Dit soort ongelukken kunnen wij ons als zorgcentrum niet permitteren, begrijpt u dat?'

'Dat begrijp ik volledig, maar ik garandeer u dat het niet meer zal voorkomen. Bovendien valt er in het ziekenhuis ook weinig te drinken,' probeer ik nog grappend.

'Nou, vooruit dan maar,' zegt de man.

'O dank u,' roep ik opgelucht en ik heb de neiging hem om de hals te vliegen.

'Maar wacht even,' zegt hij streng, 'ik geef in principe mijn toestemming, maar degene die de definitieve stem hierin heeft is het afdelingshoofd, omdat zij hem het beste kent.' De moed zinkt me meteen weer in de schoenen. Ik denk aan de potteuze verzorgster, die vanaf dag één een hekel aan mij had. 'Mevrouw Zwanenbeek heeft op dit moment geen dienst, maar morgenochtend zou u haar om negen uur hierover kunnen aanspreken.'

Stomme bekrompen, bureaucratische kutmaatschappij! Ik zit in mijn auto, en rij uit woede plankgas terug naar huis. Als ik nu zelf zou omkomen, zou ik tenminste overal van af zijn. Dan stuit ik weer op een file. Het is zeven uur. Hoe is het mogelijk dat de wegen nu nog steeds dichtzitten. Stom kloteland. Ik kan niks doen. Als ze nu sterft is het de schuld van de files, van Swinkels en Zwanenbeek, dat ze haar zoon nooit gezien heeft, maar niet mijn schuld. Horen jullie. Niet mijn schuld!

Wie zou er gebeld hebben? Ik pak mijn gsm uit mijn tas, zet hem aan en kijk op mijn display. Drie oproepen gemist en zeven berichten ontvangen. Misschien mijn oom, dat het gebeurd is. Dat ze dood is. Ik heb drie sms'jes ontvangen en vier voicemailtjes. Ik open het eerste sms'je en lees een berichtje van Ellen die me sterkte wenst. Het tweede berichtje is van Kees, die me graag wil zien. De auto voor me remt plotseling en ik kan nog net op tijd reageren. Het derde sms'je is van Maarten die vraagt waar ik blijf; kut, da's waar ook. Er klinkt een sirene. Ik kijk verschrikt op. Rechts van me rijdt een blauw busje met werklui die lachend naar me wijzen. Eikels. Ik steek mijn middelvinger op. Dan kijk ik naar de andere kant en zie een politieagent op de motor. Fuck, fuck. Hij seint dat ik naar de kant moet om te stoppen. Als ik stilsta op de vluchtstrook, tikt de agent tegen mijn rechterraampje en gebaart dat ik uit moet stappen en om moet lopen.

'Wat was u aan het doen?' vraag hij als ik naast hem sta.

'Dat zag u toch, ik was mijn berichten aan het bekijken.'

'Dat dacht ik al ja, dat u aan het sms'en was, ik zag het aan uw rijgedrag.'

'Hoe bedoelt u?' vraag ik boos.

'U slingerde over de weg en hield geen constante snelheid aan. Dat gebeurt er als mensen met zo'n telefoontje in de weer zijn.'

'Punt één,' zeg ik geïrriteerd, 'ik was niet aan het sms'en, ik keek alleen maar. Punt twee: ik kan prima rijden als ik met dat ding in de weer ben. Ik kan me er zelfs nog bij opmaken. En punt drie: zeg maar wat ik moet betalen, dan kan ik weer door.'

'Deze toon bevalt mij absoluut niet,' zegt de agent, die nu pas zijn helm afzet. 'U was wél aan het sms'en, dat heeft u eerder zelf toegegeven, dus ik ben genoodzaakt u hiervoor te bekeuren.'

'Hoeveel?'

'Honderdveertig euro.'

'Honderdveertig voor iets wat ik niet gedaan heb?'

'U bent in overtreding, al had u alleen maar het toestelletje vastgehouden, dan had ik u nog moeten bekeuren. Uw naam graag.'

'Maxime Bremer.' Ik kijk naar zijn bewegende snor als hij mijn naam herhaalt en hem opschrijft.

'Adres.' Ik geef hem mijn adres en toets dan het nummer van de voicemail in.

'Als u nu gaat bellen terwijl ik uw gegevens aan het noteren ben, krijgt u er nog een bekeuring bovenop.'

'Ik bel,' zeg ik met ingehouden woede, 'om erachter te komen of mijn moeder wel of niet overleden is.'

'Het spijt me, maar toch moet ik u verzoeken om mij eerst te woord te staan,' zegt de eikel. 'Ik wil graag uw papieren zien.' Terwijl ik met mijn ene hand mijn telefoon tegen mijn oor houd, pak ik met mijn andere hand de autopapieren uit mijn tas. Ik reik ze aan, maar net voordat hij ze beet heeft, vallen ze op de grond. 'Wilt u ophouden met bellen. Raap die papieren van de grond en geef ze aan mij!' Ik hoor de stem van Maarten, hij is ongerust en vraagt zich af waar ik ben.

'Raap ze zelf op!' sis ik.

'Ik waarschuw u voor de laatste keer!' Dan een berichtje van Eugene. 'Hoi, Maxime, ik probeer je te bereiken…'

'Nu is het genoeg!' Fel rukt hij het toestel uit mijn handen. 'Dit ding neem ik in beslag.'

'Lul! Klootzak, dat was mijn oom. Jij vuile hufter, is dat het enige waar je aan kunt denken, aan bonnetjes uitschrijven?!' De agent pakt me hardhandig bij mijn polsen, duwt ze op mijn rug en drukt mij voorover tegen de auto. Ik probeer me los te rukken, maar het lukt niet.

'Godverdomme eikel, laat me los! Ik moet naar mijn moeder toe. Los! Los! Help!' Ik probeer me te bewegen, maar hij heeft zijn knie tegen mijn rug gedrukt en mijn handen zijn geboeid.

Later, op het politiebureau, als ik weer gekalmeerd ben, vraag ik of ik mag bellen. Een agent die in de open ruimte naast me zit te tikken, kijkt geërgerd op. 'Ik zal het even vragen,' zegt hij nors, en hij loopt weg. Als hij de deur van het kantoor opendoet hoor ik stemmen. Raar, dat lijkt mijn eigen stem wel, denk ik nog. Weer moet ik wachten. De cel waarin ik zit, ziet eruit als een echte cel. Ik bedoel, zoals je ze in films ziet, met tralies en een hard bed. Raar dat je sommige dingen al kent, alsof je er echt geweest bent. Door de films en series die we gezien hebben, lijkt het echte leven soms één grote déjà vu.

Als de agent en zijn meerdere het kantoortje uit komen hoor ik de leadermuziek van *Liefde en Haat*. De hoofdagent, zo noem ik 'm maar even, kijkt me verbaasd aan.

'Goh, wat lijkt u op die nieuwe vrouw uit die soap. Wat wilde u vragen?'

'Ik zou graag even willen bellen,' zeg ik beleefd.

Hij kijkt in wat papieren en zegt dan verrast: 'U bént die nieuwe actrice. Goh. Eén telefoontje dan.' Ik krijg een telefoon aangereikt en toets het nummer van Eugene in. Hij neemt meteen op.

'Mijn hemel, Max, waar ben je? We zijn dodelijk ongerust.'

'Leeft ze nog?' vraag ik met een klein stemmetje.

'Ja, ik zit buiten bij het ziekenhuis, samen met Maarten. Waar ben je?' Waar ben ik? 'Max, geef eens antwoord, waar ben je?'

'Op het politiebureau.'

'Heb je een ongeluk gehad?'

'Nee, ik heb een agent uitgescholden.'

'Lieverd, we komen je meteen halen.'

'Het spijt me, juffrouw.' De hoofdagent opent de deur van mijn cel. 'We worden zo vaak om de tuin geleid met allerlei smoesjes, dat we ook nu dachten dat het een verzonnen verhaal was.'

'Was het dat maar, meneer,' zeg ik en ik laat me door Maarten omhelzen.

'Kunnen we gaan?' vraagt mijn oom. 'Heb je alles?'

'Mijn tas en mijn telefoon.' Ik kijk vragend naar de agent, die me glazig staat aan te staren.

'Ja, ja, sorry.' Gehaast pakt hij mijn spullen uit een la. 'Hier is uw tasje.' Plechtig overhandigt hij de tas. 'De telefoon zit erin. Nogmaals wil ik mijn excuses aanbieden, namens mijzelf, namens de motorpolitie en de gemeentepolitie.'

'Is oké,' zeg ik en ik wil me omdraaien, maar de agent houdt me tegen.

'Goh, ik vind het zo leuk dat ik u ontmoet heb. Mijn kinderen kijken elke dag naar *Liefde en Haat* en tja, dan ben je toch een beetje verplicht om mee te kijken, hè.'

'Ja.'

'U doet toch ook die reclame van die bank?'

'Ja, die doe ik ook.'

'Goh, wat leuk. Zou ik uw handtekening mogen? Niet voor mij hoor, voor mijn kinderen. Hahaha.'

'Ja, dat begrijp ik,' zeg ik beleefd glimlachend en schrijf slordig: 'Veel liefs van Maxime X.' Dankbaar neemt hij het papiertje aan, geeft me een vette knipoog en zegt: 'Ze zullen er heel blij mee zijn.' Dan kunnen we eindelijk weg.

We hebben besloten om niet meer terug te gaan naar het ziekenhuis. Eugene heeft met de verpleging afgesproken dat ze hem bellen zodra haar situatie kritiek wordt. Op mijn balkon eten we pizza en drinken we rosé. Het was een van de meest mislukte dagen uit mijn leven.

'Ze laten Ben morgen vast meegaan,' zegt mijn oom troostend.

'Ik denk het niet,' zeg ik moedeloos, 'die vrouw die haat mij. En dan nog, stel dat ik hem meekrijg, wat moet ik tegen hem zeggen?'

'Misschien kun je zeggen dat je moeder een engel is,' oppert Maarten.

Ik kijk hem aan en vraag: 'Meen je dat nou serieus?'

Maarten twijfelt en zegt dan: 'Ja, nou ja, misschien is het ook niet zo'n goed idee.'

'Ik denk dat je het beste de waarheid kunt vertellen,' zegt mijn oom.

'De waarheid? Kom op zeg, de waarheid is zelfs voor mij

niet te begrijpen.' Ik probeer niet geërgerd te klinken. 'Ben heeft het verstandelijke vermogen van een heel klein jongetje. Hij kan kleuren herkennen, hij kan tot tien tellen, hij kan liedjes onthouden, maar hij kan geen verbanden leggen.' Ik neem een grote slok van mijn rosé en sta op. 'Ik ga naar bed.'

'Dat lijkt me verstandig, kind,' zegt Eugene, 'probeer maar een beetje te slapen. Ik ga ook naar huis. Als er iets is bel ik je.'

'Oké, ik leg de telefoon naast mijn bed.' Ik omhels mijn oom, geef Maarten een kus en loop naar boven. Als ik m'n tanden heb gepoetst en me uitgekleed heb, hoor ik de deur dichtvallen. Ik ben zo blij dat er weer een goed slot op zit. Niemand kan meer binnenkomen. Ondanks de warmte in mijn kamer kruip ik diep onder de dekens. Dan gaat mijn slaapkamerdeur open. Maarten komt op bed zitten en fluistert: 'Ik vind het geen prettig idee dat je vannacht alleen blijft. Ik ga beneden op de bank slapen.'

'Is goed,' fluister ik terug en ik sluit mijn ogen. Maarten blijft op het bed zitten en streelt mijn haar.

'Tenzij je liever wilt dat ik bij je kom liggen.' Ik doe net alsof ik slaap. Dan staat hij op en loopt naar beneden.

Ik sta boven op een berg. De lucht is helderblauw en de zon schijnt fel op de verblindende witte sneeuw. Ik ben alleen en weet dat ik de steile helling af moet met mijn ski's, maar ik ben bang. Er is niemand te zien en ik weet niet waar ik de moed vandaan moet halen. Ik buk om te kijken of mijn schoenen wel strak genoeg zitten. Ik doe mijn handschoenen uit en voel aan de sluiting. Strakker kan niet. Ik pak wat sneeuw in mijn handen, vorm het tot een bal en ga weer overeind staan. Dan gooi ik de bal naar beneden. De bal rolt steeds sneller en wordt steeds groter. Uiteindelijk valt hij, heel ver beneden, kapot.

Ik luister. Niks. Alleen het ruisen van de wind en het kloppen van mijn hart. Ze vormen een geluid. Ik kan hier niet blijven staan, ik moet gaan. Ik pak mijn handschoenen van de grond, trek ze aan en steek ze door de hengsels van mijn stokken. Ik buig door mijn knieën, zet mijn stokken in de sneeuw, haal adem, wil afzetten maar durf niet. Ik kan het niet. Ik durf het niet. Echt niet. Weer kijk ik de diepte in. Dan zie ik iets bewegen, op de plek waar de sneeuwbal is stukgevallen. Iemand springt op en neer en zwaait. Zou het voor mij bedoeld zijn? Ik zwaai terug. Nog enthousiaster begint het kleine poppetje beneden aan de berg met zijn armen te bewegen. Hoor ik iets? Ik draai mijn hoofd een kwartslag, zodat ik het geluid beter kan opvangen. 'Maxime,' hoor ik heel in de verte, 'kom maar.' Het is mijn vader. Ik kijk weer naar beneden. Mijn vader staat daar aan de voet van de berg en wenkt me. Wat zegt hij nou? Ik draai mijn hoofd weer. 'Ik vang je op. Kom maar!' Nog steviger druk ik mijn stokken in de sneeuw. Ik moet naar die kleine springende kabouter toe. Hij zal me opvangen. Ik lach om het bewegende beeld van mijn vader in de verte. Net een trekpop. Ik lach en lach, en de echo neemt mijn lach over waardoor ik nog harder moet lachen. Het hele dal vult zich met mijn lach. 'Ik kom papa!' gil ik dan. Ik zet af en laat mezelf in de diepte vallen. Terwijl het geluid van mijn lach nog nagalmt, voel ik hoe ik met ongekende snelheid van de berg af glijd. De wind schuurt langs mijn oren en laat de tranen over mijn wangen lopen. Ik weet niet waar dit eindigt. Ik zie alleen nog maar wit. Waar is papa? Ik moet niet in paniek raken. Gewoon stevig op mijn ski's blijven staan. Hij zou me opvangen, dat heeft-ie gezegd. Ik ga zo hard dat ik het gevoel heb dat ik mezelf niet meer kan bijhouden. Ik blijf achter op mijn eigen snelheid. Ik hou dit niet vol. Papa, waar ben je? Ik hou dit niet vol. Ik ga vallen. Ik val. De sneeuw komt op mijn gezicht af. Ik kan niets doen om het witte poeder tegen te houden. Dan adem ik sneeuw. Alles is wit. Ik val verder. Ik ben de bal geworden die van de berg rolt. Papa vangt me op, denk ik in mijn cocon van sneeuw. Papa… Ik heb geen lucht meer. Ik stik. Ik probeer me te bewegen, maar het gaat niet. Ik bén de beweging. Ik bén de sneeuw. Ik realiseer me dat ik zal doodgaan. Het wordt zwart voor mijn ogen. Mijn hartslag klinkt steeds trager en trager. Dan is het stil.

Met een schok word ik wakker. Waar ben ik? Als ik om me heen kijk zie ik dat alles wit is. De lakens van mijn bed. De stoel naast mij. De muren, de gordijnen. Door het raam valt wit licht. Ik schrik van de deur die opengaat. Een bleke vrouw in een wit uniform komt naar me toe.

'Gaat het weer een beetje met je?' Ze glimlacht vriendelijk. Ik heb het gevoel dat ik haar ergens van ken.

'Waar ben ik?'

'Dat weet je toch wel,' antwoordt de vrouw rustig. 'Je bent dood.'

'Maar papa dan?' vraag ik geschrokken.

'Gekkie, die is allang vertrokken,' zegt de vrouw lachend.

Ik kijk haar aan. Dit bevalt me niet.

'Wie bent u?'

De vrouw legt liefdevol de dekens recht.

'Wie bent u?' vraag ik nog een keer.

Dan kijkt ze me lang aan en zegt: 'Ik ben de engel die je op-gevangen heeft.' Ik kijk naar haar gezicht. Haar ogen, die ken ik. Haar ogen zijn niet wit, haar ogen zijn blauw. Dan zie ik het.

'Mama?' Ze knikt en geeft me een kus op mijn voorhoofd.

'Ga maar lekker slapen, meisje.' Dan strijkt ze nog een keer met haar handen over de lakens en loopt de kamer uit.

Ik ben kletsnat van het zweet. Het lijkt wel of ik in bed geplast heb. Ik sta op en voel me vreemd door mijn droom. Ik loop naar de badkamer en gooi koud water in mijn gezicht. Als ik naar mezelf in de spiegel kijk, lijk ik ouder dan normaal. Raar hoe onwerkelijk het leven is als je midden in de nacht wakker wordt. Hoe onwerkelijk je zelf bent. Ik moet weer gaan slapen. Ik loop terug naar mijn slaapkamer. Bij de trap blijf ik stilstaan. Ik denk aan niks, ik besluit ook niks. Ik draai me om, loop de trap af, de gang door, de kamer in, naar de bank waar Maarten ligt te slapen. Ik kniel, kus hem op zijn voorhoofd en fluister zacht: 'Maarten?'

Hij draait zich naar me toe en zegt met krakende stem: 'Sorry, ik sliep, gaat het niet goed?'

'Jawel, maar ik wil graag bij je liggen.'

'Kom maar,' zegt hij en hij schuift een stukje op. Ik ga met mijn rug tegen hem aan liggen en hij slaat zijn arm om me heen. Ik voel zijn ademhaling in mijn nek.

'Maarten?'

'Ja?'

'Als ik val, zul jij me dan opvangen?'

'Hoezo, je valt toch niet?' zegt hij slaperig.

'Nee, maar als ik zou vallen?'

'Ik hou je stevig vast, dus je kunt niet van de bank vallen.'

'Maar…'

'Ja?'

'Nee, laat maar. Welterusten.'

'Welterusten, schatje.'

35

Mevrouw Zwanenbeek

Het is kwart voor negen en ik zit in dezelfde wachtruimte als gisteren. De secretaresse is verbaasd als ze mij weer ziet zitten. 'U heeft 'm toch wel gesproken?' vraagt ze bezorgd.

'Ja, ja. Ik heb om negen uur een afspraak met mevrouw Zwanenbeek.'

'O, gelukkig.'

'Kunt u mij waarschuwen als zij binnen is?'

Ik ben al om zes uur opgestaan. Kon niet meer slapen. Ik heb eerst mijn teksten voor vandaag doorgenomen. Toen heb ik om zeven uur naar het ziekenhuis gebeld. Mijn moeder had een onrustige nacht achter de rug, waarin ze weer veel ijlde. Ik voelde me meteen schuldig. Ik had toch daar moeten blijven en de hele nacht haar hand moeten strelen. Om halfacht ben ik in de auto gestapt om naar de inrichting van Ben te rijden, omdat ik er zeker op tijd wilde zijn. Maarten heeft me nog een boterham in mijn hand gedrukt en voor de derde keer gevraagd of hij echt niet mee zou gaan. Onderweg in de file heb ik geprobeerd de gedachtestroom in mijn hoofd te stoppen, door naar de nieuwszender te luisteren. Er is nog meer in de wereld, Max! Er is een economische crisis, er zijn overal terreuraanslagen, er is hongersnood in Afrika, er zijn weer internationale milieuwetten geschonden, er zijn oorlogen in het Midden-Oosten en er is weer een prinsesje geboren. Ik zou me voor iets groters moeten inzetten. Iets wat de wereld kan veranderen. Verbeteren. Ik kan me aansluiten bij een vredesorganisatie, een mensenrechtenorganisatie of een milieuorganisatie. Ik moet het echt doen. Als mijn persoonlijke vredesmissie afgelopen is ga ik de barricade op. Het is gewoon een kwestie van kiezen welke barricade ik zal beklimmen, welke standpunten ik zal verdedigen, eerst nog gematigd, maar dan steeds radicaler. Tot iedereen weet dat je niet om mij heen kunt en de president van de Verenigde Staten mij smeekt om een compromis. Maar ik zal dan geen concessies meer doen, niet naar de politiek, niet naar de economie, naar niemand. Misschien word ik de eerste zelfmoordenaar voor het goede doel. 'Maxime Bremer sprong vandaag van het nieuwe w TC na de vele waarschuwingen aan de grote leiders om eindelijk tot een vredesakkoord te komen. Hieraan werd te laat gehoor gegeven en vandaag wierp zij zich om drie uur Nederlandse tijd, voor de ogen van haar miljoenen aanhangers, naar beneden. Zij is gestorven voor de vrede.' Nee, ik geloof niet dat het een goed idee is. Ik heb het! Ik begin liefdesrelaties met terroristenleiders en dictators, en als ik eenmaal hun vertrouwen heb gewonnen vergiftig ik hen. Ik werk ze een voor een af, tot al het kwaad uitgeroeid is. Ten slotte zal ik mijzelf moeten vergiftigen. Na alle moorden die ik heb gepleegd ben ik ook een duivel geworden. Kwaad uitroeien zonder er zelf door besmet te raken is immers onmogelijk.

Mevrouw Zwanenbeek komt binnen. 'Mevrouw Bremer, u wilde mij spreken?' Ik sta op en steek mijn hand uit. Ze negeert hem volledig en zegt kort: 'Komt u mee.' Ik loop achter haar aan naar de afdeling. Ik loop voorbij de deur van mijn broer en probeer door het kiertje van de deur een blik van hem op te vangen.

'Hij is in de ontbijtzaal,' zegt ze, en ik reageer betrapt. We gaan een klein kantoortje binnen, waar een vrouw aan de tafel koffie zit te drinken.

'Goedemorgen, Jettie,' zegt ze vriendelijk.

'Goedemorgen, ik heb even een gesprek. Het zal niet lang duren.'

De vrouw staat meteen op. 'Is prima,' antwoordt ze, en ze loopt de deur uit. Terwijl mevrouw Zwanenbeek mij geen stoel aanbiedt, maar zelf wel gaat zitten, zegt ze: 'Nou, wat is er aan de hand?' Ik heb, geheel tegen mijn natuur in, besloten om dit keer eerlijk te zijn. Ik vertel haar het hele verhaal. Ik vertel tot in detail wat ik nog nooit iemand heb verteld. Ik wil dat ze alles, alles, alles weet. Omdat ik maar één kans heb. Eén enkele kans om haar te overtuigen, om haar te raken. Er moet toch iets zijn wat haar kan raken. Ze heeft vast geen kinderen, maar ze is toch zelf een dochter?

Terwijl ik praat probeer ik enige emotie, enige verandering in haar strenge gezicht te bespeuren. Elke lichte zucht, elke keer als ze met haar ogen knippert, als ze even haar blik af-wendt, elke beweging met haar lichaam, haar handen die af en toe boven de tafel uitkomen, om het haar uit het gezicht te strijken, om aan haar schouder te krabben, om ze in gevouwen positie even op de tafel te leggen en ze vervolgens weer onder de tafel te laten verdwijnen, ik probeer het állemaal te inter-preteren. En als ik na tien minuten klaar ben met mijn plei-dooi, is er niets wat ik heb kunnen afleiden uit haar gezicht of uit haar houding. Is er niets wat verraadt of haar woorden po-sitief of negatief zullen uitvallen. Ik sta te wachten op mijn vonnis, terwijl ik het trillen in mijn linkerbeen niet meer kan onderdrukken, en de zweetplekken in mijn bloesje voelbaar groter worden.

'Dit hele verhaal gaat mij in principe niets aan. Mijn belang ligt bij Ben, en het is mij niet ontgaan dat iedere keer als u bij hem geweest bent hij erg van slag is.' Stom wijf, dit gaat niet de goede kant op. Ik bijt mijn kaken opeen om niet te gaan schel-den. Om niet weer door te slaan en door de politie te worden ingerekend. 'Kijk, ik begrijp wel dat het voor u belangrijk is om contact met uw broer te hebben, maar de vraag is natuurlijk of het voor hem ook belangrijk is. Hij heeft tot zijn twintigste nooit bezoek gehad, van niemand. Denkt u nou werkelijk dat er in zijn beleving een wereld buiten dit centrum is? Ben is gelukkig op zijn kamer, met zijn spullen, met zijn muziek en met vertrouwde mensen om zich heen. Ben ziet mij als zijn moeder en Herman de ontwikkelingspsycholoog als zijn vader, dus wat dacht u in godsnaam tegen hem te gaan zeggen?'

Mijn mond is droog, mijn tong plakt tegen mijn gehemelte. 'Daar heb ik natuurlijk over nagedacht en ik wil hem vertellen dat ik ook een moeder heb die altijd voor mij zorgt, net zoals u altijd voor hem zorgt (dit moet effect hebben), alleen dat mijn moeder oud en ziek is. Maar dat ze nog zo graag mijn vriend Ben een keer zou willen ontmoeten.'

Ze trekt met haar mond en tilt haar wenkbrauwen ietsje op. 'Alstublieft, ik vraag dit niet om mijzelf, ik vraag dit voor mijn moeder, die nooit een keus heeft gehad.'

Ze zucht. 'Vooruit dan maar, ik vind het goed…' (Yes, ze vindt het goed, ze vindt het goed!) '…mits hij beter is. Hij had gisteren verhoging en als hij nog steeds ziek is, dan zult u eerst moeten wachten tot hij hersteld is.'

'Maar er is geen tijd te verliezen,' zeg ik wanhopig.

'U heeft mij gehoord! Ik ga nu naar hem toe, dus als u even op de gang zou kunnen wachten?' Ik loop stijf de kamer uit. Het lijkt alsof mijn ledematen zich alleen nog maar staccato kunnen bewegen. Zij loopt me met grote passen voorbij en ik zie haar de kamer van Ben in gaan. Hoe weet ze nou dat hij al terug is? Misschien was hij helemaal niet aan het ontbijten? Misschien loog ze, zodat ze zeker wist dat ik zijn kamer niet in zou schieten. Misschien is alles een leugen. Dat Ben steeds van slag is als ik langs ben geweest en dat hij nu ziek is.

Ze komt sneller naar buiten dan ik verwacht had. Is dat een goed of slecht teken? Met dezelfde kordate stappen komt ze weer naar me toe. Op haar gezicht meen ik opluchting af te kunnen lezen. Dan zegt ze met haar monotone stem: 'Helaas, uw broer is nog ziek. Probeert u het morgen opnieuw.'

'Maar het is een kwestie van uren, heeft de arts…'

Ze onderbreekt me met een bot 'Helaas' en verdwijnt in haar kamer. De eerste die ik zal vermoorden in mijn strijd tegen het kwaad zal mevrouw Jettie Zwanenbeek zijn. Vuile kuthoer!

In het ziekenhuis zit veel familie op de gang. Ze mogen een voor een vijf minuten naar binnen. Er zit ook een man die ik niet ken. Ik steek mijn hand uit en stel me aan hem voor. Hij zegt met zachte stem: 'Jos Verbeek, ik heb bij je moeder in de klas gezeten.' Het is op de een of andere manier ongepast om op dit moment door te vragen, maar ik barst van de nieuwsgierigheid. Ik vraag aan de aanwezigen of ik voor mag, omdat ik naar mijn werk moet. Meteen branden ze los met de meest onnozele vragen, alsof ik met het woord 'werk' het startsein heb gegeven voor het vragenuurtje. 'Goh, is je werk nou echt die soap?' 'Is het leuk om met Hans te spelen?' 'Hoe heet hij ook alweer in het echt?' 'Je lijkt ouder op tv.' 'Mag je die kleren die je aan hebt zelf houden?' 'Is het niet moeilijk om al die teksten te leren?' Ik antwoord geërgerd: 'Ik wil er best een keer iets over vertellen, maar nu even niet, want mijn moeder ligt op sterven.' Beschaamd kijken ze naar hun schoenen. Net goed!

Ik loop naar binnen en stuur mijn tante Annie, die net bezig was met een soort rituele zegening, de kamer uit. Ik weet niet of het komt door het geluid van de deur die dichtvalt of door mijn aanwezigheid, in elk geval opent mijn moeder haar ogen zodra ik alleen met haar ben. Ze kijkt me aan met een gepijnigde blik en wenkt me. 'Mama, gaat het, kan ik iets voor je doen?' vraag ik zacht en de lief bedoelde woorden klinken erg nep uit mijn mond. Ze probeert me iets te zeggen, maar ik kan niets maken van het zwakke gerochel dat uit haar mond komt. Dan grijpt ze mijn hand vast en knijpt behoorlijk hard voor de zwakke toestand waarin ze verkeert. Ik weet niet wat ze van mij wil. Moet ik haar vertellen hoe het met Ben zit? Moet ik een arts halen?

'Sssslrang ut', hoor ik dan. Ik begrijp dat ze wil dat ik de slang uit haar mond haal.

'Maar dan krijg je geen lucht meer, mama.'

'Ut uit,' zegt ze nog een keer. Ik buig voorover naar het slangetje dat over haar wang in haar mond loopt. Het zit met een soort tape vastgeplakt en zodra ik die probeer los te trekken, trek ik het dunne vel van haar wang mee, waardoor ik niet verder durf te gaan. Ik probeer het slangetje te buigen zodat ik de pleister er niet af hoef te halen. Hierdoor komt de hele binnenkant van haar wang naar buiten waardoor ik ook dit niet durf door te zetten.

'Het lukt niet,' zeg ik wanhopig.

'Wel ut ut,' rochelt mijn moeder weer en ze knijpt me nog harder in mijn hand. Dan toch maar die pleister eraf. Ik pak een hoekje beet, hou haar wang met twee vingers tegen en trek met een harde ruk het ding eraf. Uit de wond die ontstaan is komt bloed. Ik durf bijna niet te kijken. Het slangetje haal ik langzaam uit haar mond en ik verbaas me over de lengte ervan. Veel beter praten kan ze niet, maar het is verstaanbaar.

'Ik ga dood, Maxime.'

'Nee, dat hoeft helemaal niet.'

'Laat Ben niet alleen.'

'Mama, hou vol, ik ga 'm halen. Je zult je zoon zien.'

Mijn moeders ogen kijken me dof aan. 'Te laat.'

'Nee, het is niet te laat.'

'Nog één ding…' Het hijgen tussen de zinnetjes door wordt steeds zwaarder. 'Hou van jezelf, ik heb nooit… kunnen houden van mezelf.'

'Ja, ik zal het doen, mama.' Mijn keel wordt dichtgeknepen.

'Niet later, kind… nú.'

'Ja, nu,' piep ik, 'nu.' Haar ademhaling is nu heel zwaar en snel.

'San…'

'Wat zeg je?'

'Sam…'

'Wie is Sam, mama?' Mijn moeder schudt heftig nee. 'Sang.' Dan pas begrijp ik dat ze de slang weer in haar mond wil. Met trillende handen probeer ik het slangetje terug te stoppen in haar luchtpijp, maar ze begint te rochelen en met haar armen te zwaaien. Fuck. 'Sorry, mama.' Door mijn onhandigheid zit het bloed van haar wang nu overal. Ik begin in paniek te raken. Zenuwachtig probeer ik nog een keer het slangetje goed in haar keel te stoppen. Dan zwaait de deur open en komt de verpleegster binnen. 'De vijf minuten zijn allang om,' zegt ze opgewekt, 'dus tijd om afscheid te ne…' Dan ziet ze het bloed op mijn moeder en mij, het slangetje dat loszit en de snelle beweging op de hartslagmonitor. Ze rent op me af, duwt me hardhandig weg, drukt op de rode knop en stopt het slangetje in één beweging weer in haar keel. Een arts en een verpleegster stormen de kamer binnen. 'Wat is hier in godsnaam aan de hand?' De verpleegster begint in vakjargon iets aan hem uit te leggen. Gestrest roept de arts wat vaktermen terug. Ondertussen pakt de andere verpleegster mij bij m'n schouders, zet mij op de gang en gaat weer terug de kamer in. Ik sta daar voor de familieleden en vrienden van mijn moeder met bebloede handen en een ongetwijfeld lijkwitte kop. Het is stil. Ze kijken met ontzetting naar me. Ik kan geen woord uitbrengen, sta daar maar met mijn handen in de lucht. Dan vraagt tante Annie: 'Wat is er gebeurd?' En oom Jan vraagt: 'Wat heb je gedaan?'

Ik kijk naar hun gezichten en weet ineens wat ze denken. Ze weten dat ik mijn moeder haat en nu denken ze… ja, nu denken ze… O, mijn god. 'Niks! Ik heb niks gedaan!' schreeuw ik en ik ren de gang uit.

Als ik weer een beetje bij zinnen ben, merk ik dat ik de verkeerde afslag genomen heb. Ik keer bij de eerstvolgende mogelijkheid en rij in vliegende vaart richting televisiestudio's. Als ik
bij een tankstation kom, stop ik om mijn handen en mijn gezicht te wassen. Ik ren weer terug naar de auto en merk dat ik
mijn sleutels niet heb. Ik zoek in mijn tas, kieper 'm helemaal
om, maar kan ze niet vinden. Terwijl ik al mijn spulletjes weer
bij elkaar aan het graaien ben, bedenk ik me dat ik ze natuurlijk op de wasbak in het toilet heb laten liggen. Ik ren weer de
toiletten in, maar er liggen geen sleutels. Ik ren naar de benzi-
neshop en vraag of iemand mijn sleutels gevonden heeft. Ik
word doorverwezen naar de kassa. 'Heeft iemand toevallig
mijn sleutels hier afgegeven? Ik heb ze net per ongeluk in de wc
laten liggen.'

'Effe wachten mevrouwtje, u ben nog niet aan de beurt,'
zegt de slome eikel achter de kassa. Als ik eindelijk wel aan de
beurt ben vraagt hij: 'U wilde weten of uw sleuteltjes gevonden
zijn?'

'Ja, heeft u ze?'

'Als ik van u een handtekening mag zal ik eens effe gaan kijken wat ik voor u ken doen.' Hij schuift een stuk papier door
het luikje.

'Ik wil echt heel graag weten of u ze heeft.'

'Voor wat hoort wat,' zegt hij plagerig. Ik gris het blaadje
weg, zet een lelijke krabbel en schuif het terug.

'Dank je, Julia,' zegt de lul en meteen houdt hij de sleutels
omhoog.

'Mag ik ze?'

Lachend legt hij ze in de bak en schuift ze tergend langzaam
naar voren. Als ik ze eindelijk te pakken heb zegt hij: 'O, zoudt
u er nog effe "voor Danny" op kenne zette?'

'Nee!' zeg ik woedend en ik ren de winkel uit.

Een halfuur te laat kom ik bij mijn werk aan. Stijf van de stress ga ik in de make-upstoel zitten en laat me zwijgend alle troep opsmeren. Als ik op de set ben, vergeet ik voortdurend mijn tekst en posities, en speel ik belabberd. Peter fluistert: 'Wat is er aan de hand?'

'Niet nu,' fluister ik terug, 'anders hou ik het niet droog.'

'Oké, schat, zet 'm op,' zegt hij lief en ik moet drie keer slikken om niet in hysterisch gejank uit te barsten. Na drie vreselijke scènes ben ik klaar. Met agressieve gebaren haal ik de rotzooi weer van mijn gezicht, kleed me om en pak mijn tas om te vertrekken.

Maar dan staat ineens Peter in mijn kleedkamer. 'Dit gaat zomaar niet,' zegt hij, 'jij gaat nu met mij mee en vertelt me alles wat je dwarszit.' Dankbaar pak ik zijn hand en laat me door hem meevoeren.

36

De poëet

Ik heb een gedicht gemaakt. Ik heb het op een bierviltje geschreven, toen ik gisteravond met Peter op het terras zat. Hier komt het.

> *Als ik moet kiezen tussen blauw of groen, dan kies ik groen.*
> *Als ik moet kiezen tussen zon of regen, dan kies ik regen.*
> *Als ik moet kiezen tussen dood of leven, dan kies ik leven.*
> *Maar wat moet ik doen in dit groene natte leven?*
> *Misschien groeien, elke dag even.*

Ik ben niet meer in het ziekenhuis geweest. Ik kon het niet meer opbrengen. En na te veel witte wijn en gemiste oproepen op mijn mobiel besloot ik naar huis te gaan en in bed te wachten tot alle rampspoed voorbij zou zijn.

Eenmaal wakker kwam de nachtmerrie in één klap terug. Ik heb meteen naar de inrichting gebeld om te vragen of Ben vandaag mee kon. Vervolgens kreeg ik na een hele tijd wachten te horen dat het nog niet optimaal was, maar dat hij morgen waarschijnlijk wel mee mocht. Het zal wel.

Ik luister naar de berichtjes op mijn voicemail. Eugene, dat mijn moeder weer stabiel is maar dat het ziekenhuis contact zoekt met mij. Een bericht van het ziekenhuis, of ik ze even wil bellen. Mijn tante Annie (hoe komt ze aan mijn nummer?), om te praten over gisteren. Maarten, of ik wil bellen. Jacq, om te vragen hoe het met mijn moeder is. En Peter, dat hij het zo'n fijne avond vond en dat hij vandaag naar het reisbureau zou gaan. Geen idee waar dat over gaat.

Ik bel eerst mijn oom. Hij vertelt me dat de hele familie in rep en roer was, nadat ze mij met bebloede handen uit de kamer van mijn moeder hebben zien komen. Ik vertel hem wat er gebeurd was en hij klinkt gelukkig iets minder bezorgd. Dan bel ik naar het ziekenhuis. Of ik om tien uur even langs zou willen komen. Ik kijk op mijn wekker en zie dat het kwart over negen is. Dat wordt haasten. Tussen het douchen, aankleden en tandenpoetsen door bel ik Jacq en op weg naar mijn auto bel ik Maarten.

'Hoi, met mij. Sorry dat ik je gisteren niet meer teruggebeld heb.'

Het blijft even stil aan de andere kant van de lijn; dan hoor ik de lachende stem van Maarten.

'Maar schatje, je hébt gisteren teruggebeld.'

'Oh, wanneer dan?'

'Nou, gisterenavond toen je met Peter op het terras zat, belde je om te zeggen dat het niet meer zou lukken die dag.'

'Heb ik echt gebeld?'

'Ja, je hebt ook nog gezegd dat je van me houdt en dat je niet meer zonder mij wilt.'

'Heb ik dat écht gezegd?' O mijn god, dat kan ik nooit waarmaken, waarom heb ik dat gezegd?

'Ja, ik wist natuurlijk wel dat je dronken was, maar zo erg.'

'Zo erg dus…' Maarten moet lachen.

'Wat heb jij toen geantwoord?' vraag ik serieus.

'Ik heb gezegd dat ik ook niet meer zonder jou wil.' Ik zeg niets en moet een paar keer slikken.

'Ik…' beginnen we tegelijk.

'Jij eerst,' zegt hij.

'Oké.' Ik haal adem en zeg: 'Ik hou van je.' Maarten lacht weer. Waarom lacht hij steeds? Lacht hij me uit?

'Ik wilde precies hetzelfde zeggen.'
'Goed, doe maar.'
'Wat?'
'Nou, zeg het maar.'
'Ik hou van jou.'

'Maxime Bremer?' De arts kijkt over zijn bril heen, met een blik alsof het de eerste keer is dat hij me ziet. 'Komt u maar even mee.' Ik word bang door zijn strenge toon. De familie heeft hem opgestookt en nu denkt hij ook dat ik mijn moeder probeerde om te brengen. Hij heeft al een advocaat in de arm genomen en dit is een laatste poging om de bekentenis uit mijn eigen mond te horen te krijgen. De politie staat om de hoek klaar om me te arresteren. De motoragent is er ook bij en lacht gniepig achter zijn snor, hij kan het moment bijna niet meer afwachten. Mijn laatste minuten in vrijheid zijn geteld.

De arts wijst naar een stoel waar ik kan plaatsnemen, gaat tegenover mij zitten en kijkt dan langdurig in zijn dossier. Een verpleegster komt binnen en vraagt of ik een kopje koffie of thee wil. Dit zijn de voorbodes van een slechtnieuwsgesprek.

'Koffie graag. Zwart.' Ze loopt het kamertje uit en ik ben alleen met de man die mijn wereld zal laten instorten.

'Gisteren heeft er een incident plaatsgevonden, klopt dat?'
'Ja, dat klopt.'

'Vertelt u mij nu eens wat er volgens u precies gebeurd is.' Ik vertel hem dat mijn moeder wilde dat ik de slang uit haar mond haalde omdat ze me iets wilde vertellen, dat het niet zo goed lukte, dat de pleister haar wang openhaalde en dat ik de slang niet meer in haar keel kreeg. 'Hmm hmm…' knikt de man. Hij gaat achterover zitten, vouwt zijn handen en legt ze op zijn buik. 'Het is erg naar om je moeder te zien lijden. Om haar uiteindelijk te moeten verliezen. Wat wij vaker zien op onze afdeling is dat de kinderen het vaak het moeilijkst vinden om hun

ouders te laten gaan. Met name als de band tussen hen niet optimaal is.' Waar gaat dit naartoe? Wat wil hij van mij? 'Er is ge-
speculeerd over uw optreden gisteren door een aantal familieleden en bekenden.' Zie je wel, ze willen me erin luizen, erbij
lappen. Ze willen me naaien, zeker omdat ik ze altijd verwaarloosd heb. 'Nou geloof ik absoluut niet in dat soort speculaties.
Er spelen in familierelaties vaak dingen waar ik me verre van
wil houden, maar er is toch iets wat ik tegen u wil zeggen. U gelooft naar mijn idee net zomin in het overleven van uw moeder
als ik. Ook u zou haar niet langer willen laten lijden. Toch?' Wat
wil deze man?

'Nee, natuurlijk wil ik haar niet laten lijden.'

'Dan zijn wij het dus eens.' Hoezo? Waarover eens? 'Wij, als
ziekenhuispersoneel, stellen altijd het welzijn van onze patiënten voorop. Het is onze prioriteit de mensen die wij in behan-
deling hebben, dusdanige zorg te bieden dat het voor ons allen
gemakkelijker werkt: voor de patiënten zelf, voor ons behan-
delaars en ook voor u familieleden, vrienden van de patiënt.
Begrijpt u dat?'

'Ja... ja.'

'Komt er echter een moment dat de kwaliteit van leven
dermate is gereduceerd, dan moeten wij andere maatregelen
treffen om ons beoogde doel te handhaven: het doel van
zorgverlening, genezing en pijnbestrijding. Bent u het met
mij eens?'

'Ja, op zich wel.'

'Fijn, dan kunnen we elkaar recht in de ogen kijken en tot
actie overgaan. Als u hier zou willen tekenen.' Hij schuift wat
papieren over de tafel naar mij toe en legt er zijn eigen pen
naast.

'Waar moet ik tekenen?' vraag ik terwijl ik de pen oppak.

'Hier.' Hij wijst met zijn vinger naar een streep waar kennelijk mijn handtekening op moet. Ik zet mijn pen op het papier

en wil een krabbel gaan zetten, maar vraag dan voor de zeker-heid: 'Dus u gaat meer pijnstillers toedienen?'

'Daar komt het inderdaad op neer. Uw moeder nog langer deze onmogelijke strijd laten voeren is onmenselijk, daarom is het raadzaam om het te beëindigen.'

'Wat zegt u?' vraag ik geschokt.

'Nou, nadat u zelf, op verzoek van uw moeder ongetwijfeld, een poging hebt gedaan het lijden te laten stoppen, bieden wij u aan te helpen via de reguliere weg. Als u deze formulieren ondertekent, geeft u daarmee uw toestemming en kunnen we nog vanmiddag overgaan tot uitvoering.'

'U bedoelt euthanasie?'

'Exact.'

'Maar dat wil ik helemaal niet.'

'Het komt altijd even hard aan als het zo concreet wordt, maar uw moeder zal er niets van voelen.'

Ik sta op. 'Ik wil het niet! Mijn moeder wil het niet! Snapt u dat dan niet? Ze kan nog niet doodgaan!'

'Rustig maar, dit is slechts een voorstel. Denkt u er nou nog even rustig over na. De formulieren laat ik achter bij de hoofd-verpleegkundige, dus u kunt te allen tijde tekenen. Het zou echt beter zijn voor iedereen…'

'Nee, nee, nee!' Ik ren het kamertje uit en stoot daarbij de koffie uit de handen van de verpleegster, die net binnenkomt.

Ik staar naar mijn moeder terwijl ze slaapt. De wond op haar wang kijkt mij verwijtend aan. De roodbruine korst steekt fel af tegen haar bleke gezicht. De hoge jukbeenderen, die haar ge-zicht altijd zo veel schoonheid gaven, steken nu scherp uit. Haar lange grijze haren liggen opvallend mooi op het kussen. Als de golven van de oceaan. Mijn moeder is een zeemeermin. Zij heeft alle stormen getrotseerd, elke man verleid, maar geen enkele man in haar bed genomen. Mijn moeder is een reine maagd. Zij is de heilige Maria. Ik moet over haar waken omdat ze haar willen laten inslapen. Ze willen haar een spuitje geven zodat het bed vrij is voor de volgende patiënt. Zodat ze haar sporen kunnen uitwissen. Haar naalden kunnen weggooien, haar lakens kunnen wassen. Of ik even wil tekenen, dan kunnen ze beginnen. *No big deal.* Het is de cirkel van het leven. Zo gaat het al eeuwen. Het is zoals je je huisdier laat inslapen als er niets meer te redden valt. Ik moet het niet zo zwaar maken. Gewoon even een klein krabbeltje zetten. 'Julia, mag ik je handtekening, het is voor mijn kinderen, ha ha ha, het is voor mijn moeder ha ha ha.'

Ik voel twee handen op mijn schouders. Eugene! Ik draai me naar hem om en sla mijn armen om zijn middel, hij aait me over mijn hoofd. 'Ik heb het gehoord, lief kind.'

'Gemeen, hè.'

'Ja, het is gemeen.' Hij zucht en ik ruik de zeep waarmee hij zijn handen gewassen heeft. 'Het hele leven is gemeen, mijn kind, en soms moet je het vechten opgeven en meebuigen. Toen jouw tante op sterven lag heb ik ook getekend. Het was beter voor haar.'

'Meen je dat, Eugene?'

'Ja kind, en het is ook beter voor je moeder. Hier heb je een pen.' Hij reikt me een rode pen aan.

'Maar je mag toch nooit met rood tekenen? Dat kan de computer niet lezen.'

'In dit soort gevallen móet je met rood tekenen.'

'Ik wil liever met blauw tekenen, of met zwart. Maar het liefste nog met groen.'

De deur kraakt. Jacq komt binnen. Mijn oom gaat discreet opzij. Ook zij legt haar handen op mijn schouders. 'Het is echt beter, Max. Je hoeft niets meer te redden. Het is voorbij.'

'Nee, ik moet Ben nog halen.'

'Ben zal nooit komen, dat weet je.'

'Ik weet het niet!'

'Koppig als altijd. Hier heb je een pen, gewoon even diep ademhalen, en het is gebeurd.' Ik pak de rode pen aan en kijk verwonderd als ineens Peter achter me staat en zijn handen op mijn schouders legt.

'Hé gek wijf, we hebben het er toch al zo vaak over gehad. Het is echt beter als ze dood is.' Hij pakt een rode pen uit zijn zak en zegt: 'Doe het nou maar, dan kunnen we lekker samen op vakantie.' Ik neem zijn rode pen aan en vraag me af met welke van de drie rode pennen ik zal tekenen. Ik wil niemand passeren. Ik schrik als ik nog een keer twee handen op mijn schouders voel. Maarten.

'Ik heb lekker gekookt voor ons, dus als je opschiet, kunnen we gelijk aan tafel', en ook hij reikt me een rode pen aan. Het is er een met een rood hartje dat steeds oplicht.

'Wat een mooie pen, waar heb je die vandaan?'

'Gekocht, schatje, speciaal voor jou. Ik hou van je, weet je nog wel.'

'Ik weet het, maar ik wil mijn moeder niet doodmaken. Laat me alsjeblieft mijn moeder niet doodmaken.'

'Je weet dat het moet. Wij kunnen nooit opnieuw beginnen zolang zij er nog is. De vorige keer heeft ze ook alles stukge-maakt, weet je nog?' Ik knik. Met vier pennen in mijn handen kijk ik naar mijn vier beste vrienden. Vier, is dat niet een dui-vels getal? Ja, het zijn mijn vrienden niet. Het is de duivel die zich vermomd heeft als mijn vier vrienden. Ik twijfel geen mo-ment. Ik val ze aan met hun eigen pennen. Ik steek met twee pennen in iedere hand alles wat ik raken kan. De rode inkt wordt vermengd met hun bloed. Uit elk gat dat ik maak gutst de rode vloeistof. Ze zwaaien met hun armen. Roepen: 'Nee, nee, niet doen!' Maar ik doe het toch. Ik ga door tot het geper-foreerde rode monsters zijn en ze een voor een in elkaar zakken. Dan voel ik weer twee handen op mijn schouders. Er is er een achter me geslopen. Ik moet hem kapotmaken voor ik gewurgd word. Ik draai me om met een schreeuw, hef mijn armen in de lucht om te gaan steken… en dan word ik wakker.

Maarten staat achter me en heeft mijn armen vast en zegt sussend: 'Rustig maar, rustig Max, rustig, sssst.' Ik moet in slaap gevallen zijn. Ik kijk naar mijn moeder. Zij ligt er nog altijd onbewogen bij, het piepje op de hartmonitor gaat nog steeds in hetzelfde gelijkmatige ritme.

'O god Maarten, ik had zo'n nachtmerrie.'

'Ja, dat was wel duidelijk, je wilde me aanvallen.'

'Hoe lang stond je daar al?'

'Ik denk een kwartier. Ik wilde je niet wakker maken.'

'Lieve…' Ik sta op en omhels hem. 'Dank je dat je gekomen bent. Het is allemaal zo naar.' Zachtjes strijkt hij over mijn haar. Automatisch begin ik ook over zijn haar te strijken. Wat is het toch een raar fenomeen dat mensen elkaar spiegelen. Waarom neem je de houding en gebaren over van degene die je wilt naderen. We staan elkaar zwijgend te aaien. Ik was vergeten hoe zacht zijn haar is. Hoe mooi zijn bruine ogen zijn. Boven zijn linkerwenkbrauw zit een rode plek. Ik strijk een plukje haar weg waardoor ik het beter kan zien. 'Wat heb je…' Dan zie ik het ineens. 'Maarten, je litteken…'

'Ja, is weg hè?'

'Hoe kan dat?'

'Heb ik laten weghalen. Het was niet zo esthetisch.'

'Ach, het was juist mooi.'

'Het was niet mooi, het was lelijk, ik heb het altijd al lelijk gevonden, dus toen ik onlangs voor het blad een plastisch chirurg moest interviewen is het balletje gaan rollen.'

'Hoezo, het balletje gaan rollen?'

'Nou, zij bood me aan het weg te halen.'

'O, het was een zij. Ja ja.'

'Ja. Jee Max, jij bent niet de enige die wel eens aandacht krijgt van het andere geslacht.'

'O nee?' zeg ik, 'ik dacht van wel.' En ik zoen hem vol op zijn mond. Vanuit een ooghoek zie ik dat mijn moeders ogen open zijn. Ik slaak een gilletje van schrik. Is ze dood? Dan zie ik dat haar borstkas nog op en neer gaat. Dat het grafiekje nog steeds boogjes maakt en dat ze met haar ogen knippert. 'Mama, gaat het?' Ze knikt zwak met haar hoofd. 'Dit is Maarten, weet je nog wel, mijn vriend.' Even denk ik dat haar gezicht vertrekt van de pijn, maar dan zie ik dat het een glimlach moet voorstellen. Mijn moeder lacht. Ze lacht omdat ik een vriend heb. Een vriend met wie ik zoen. Een vriend met wie ik blij ben. Daarom. Daarom. Omdat ze blij is voor mij.

Maarten en ik kwebbelen tegen mijn terminale moeder alsof we al jaren een koppeltje zijn. Ik vertel dat Ben snel meekomt en dat ze vol moet houden. Maarten zegt dat de gehandicaptenzorg zich tegenwoordig aan zulke strenge regels moet houden. Ik vertel wat nieuwtjes over mijn vriendinnen, Maarten vertelt wat er in de wereld allemaal gebeurt. Ik vertel dat het goed gaat op mijn werk en dat de mensen al handtekeningen vragen. Maarten komt met een paar leuke anekdotes over zijn blad. Koetjes en kalfjes, koetjes en kalfjes, bla bla bla. Er is niks aan de hand hoor, moeder. Je doet nog helemaal mee. We gaan niet zielig doen. We praten niet over morgen, overmorgen of volgende week. We spelen de perfecte ontkenning.

Dan wordt er op de deur geklopt. Eugene. 'Max, zou ik je even kunnen spreken?'

'Tuurlijk!' Maarten, die met me mee wil lopen, duw ik subtiel terug. 'Maarten blijft even bij je, mama.' Op de gang begint Eugene tegen me te praten in een tempo waarvan ik niet eens wist dat hij daarin kon denken. 'Er is heel wat aan de hand in de familie. Zoals je misschien al weet dachten ze dat je haar gisteren wilde… Nou ja, je weet wel. Ze hebben nu een gesprek gehad met de arts en zijn het erover eens dat het beter goed kan gebeuren, dan dat jij… Dus willen ze overgaan tot euthanasie. Maar ik heb begrepen dat jij je toestemming moet geven.'

'Maar dat wil ik helemaal niet. Dat heb ik nooit gewild en mijn moeder ook niet. Ze is juist aan het vechten om Ben nog te kunnen zien.'

'Dat weet ik, kind. Ik heb tegen ze gezegd dat jij helemaal niet van plan was geweest om haar te… nou ja, je weet wel, maar dat je haar wilde helpen. En ik heb ook gezegd dat ik het niet eens ben met de actieve euthanasie,' mijn oom haalt adem, 'maar omdat ik aangetrouwde familie ben telt mijn mening niet.'

'Stelletje eikels, ik ga niet meer bij mijn moeder weg. Ze mogen op bezoek komen, maar ik blijf er elke seconde bij staan,' zeg ik strijdlustig.

'Maar lieverd, dat kan toch niet, het mág volgens mij niet eens. Het personeel zal je wegsturen, omdat je moeder moet rusten.'

'Ik blijf! Ze krijgen mij met geen stok hier weg.'

'Maar je werk dan?'

'Ik ben vandaag vrij.'

'En morgen?'

'We maken een schema. Elke minuut dat ik er niet kan zijn, ben jij er of een van mijn vrienden.'

'Is dat wel reëel, Maxime?'

'Tuurlijk is dat reëel. Ik zal mijn moeder bewaken tot haar dood!' En met die woorden ga ik terug haar kamer in.

37

DNA

Het is één uur 's nachts. Ik heb net Eugene afgelost. Ik blijf tot morgenochtend, dan komt Jacq even, dan kom ik weer terug en dan komt Eugene als ik moet werken. Maarten neemt het van hem over, dan ben ik er weer, Peter komt anderhalf uur en dan moet ik weer de hele nacht. Dan Eugene, dan Peter, ik, Maarten, ik, Jacq, Eugene, ik, enzovoort, enzovoort, enzovoort.

Kortom, ik heb het helemaal geregeld. En als ik iets moet eten of naar de wc moet, dan doe ik dat alleen als er geen bezoek is en ik ook zeker weet dat er niemand gaat komen. Ik ben bezig met een missie. Ik wil dat ze Ben ziet. Ze zal hem zien. Ze zal hem kunnen aanraken en ruiken. Ze zal hem horen zingen. En ik zal erop toezien dat ze tot die tijd in leven gehouden wordt, met al het kunst- en vliegwerk dat daarvoor nodig is.

Ik probeer te lezen maar het lukt niet. Ik kan me niet concentreren op het verhaal dat over een belangrijke code schijnt te gaan. Het kan me niet boeien. Ik had mijn I-pod mee moeten nemen, dan had ik tenminste naar muziek kunnen luisteren. Wat kan ik doen? Ik wil niet nadenken. Niet gaan malen in mijn hoofd over wat er is geweest of hoe het had kunnen zijn. Wat kun je doen om de tijd te doden? Is het mogelijk om je gedachten te sturen? Ik probeer te denken aan komende vakantie. Ik moet nog tweeënhalve week werken en dan begint de zomerstop bij *Liefde en Haat*, en zijn we vijf weken vrij. Peter heeft gevraagd of ik met hem meega naar een lekkere zonbestemming. Ik heb in principe toegezegd, maar het hangt natuurlijk van mijn moeders situatie af.

Mijn moeder. Waarom heeft ze van haar leven zo'n puinhoop gemaakt? Eigenlijk is dit haar verdiende loon. Ze heeft het er zelf naar gemaakt. Je krijgt wat je verdient. Dit is de grootste moralistische bullshit die er bestaat en die ons overlaadt met schuldgevoel en spijt, maar zou het waar kunnen zijn? Is het juist deze moraal die ons allemaal op het rechte pad zou moeten houden? Die ervoor zorgt dat we goed proberen te doen. Dat zou betekenen dat we uit angst voor de gevolgen proberen aardige mensen te zijn. Ook al hebben we heimelijk een hekel aan de ander, toch blijven we vriendelijk glimlachen. We houden de schijn op en hopen dat ze erin trappen. Hopen dat we al die zogenaamde goede daden terugbetaald krijgen, in geld, in vriendschap en in goede gezondheid. Maar soms kunnen we de schijn niet meer ophouden. Dan gaat de deksel eraf en doen we stiekem pijn. Gaan we jatten uit jaloezie, verraden uit frustratie, plegen we overspel uit ongenoegen en gaan we slaan uit pure agressie. We gaan dan net zo lang door tot we betrapt worden, tot we merken dat anderen het in de gaten krijgen. Dan gaat snel de doos weer dicht en ontkennen we wat er gebeurd is. En zolang we zelf ook maar blijven geloven in die ontkenning en nog meer ons best doen, zal het geen gevolgen hebben en zullen we in voorspoed verder kunnen leven. Ze hebben het niet gezien. Ze hebben het niet gezien. En de een na de ander om je heen krijgt zijn portie ongeluk, in de vorm van een faillissement, een relatiecrisis of een gezwel. En je lacht in je vuistje en je denkt: zie je wel! Zij die deden alsof ze het goed voor elkaar hadden, pleegden bedrog. Het waren geen goede mensen, en slechtheid wordt uiteindelijk altijd beboet. Zie je wel, zie je wel. Ik ben niet zo. Ik ben goed. Ik doe het goed. Ik kan beter verbergen, beter liegen, Mijn geluk zal me niet ontnomen worden. Mijn geluk, dat zijn mijn vrienden, ik heb zo veel leuke vrien-

den, mijn geld, ik werk hard, ja ik werk heel hard, en mijn gezondheid; ik eet volgens de schijf van vijf. Ja, ik doe het goed.
Maar je angst zal groeien. Je angst dat ook jij een keer aan de
beurt komt. En met je angst groeit ook je donkere kant. De
doos gaat bijna niet meer dicht en je wordt opgevreten door
frustratie, afgunst en woede. En je weet het, eigenlijk weet je dat
ook jij aan de beurt zult komen. En dan, op een dag, is het zover
en slaat het noodlot toe. En alles wat je dacht opgebouwd te
hebben valt als een kaartenhuis in elkaar. Je moet het lijden
doorstaan. Te laat nu om nog goed te doen. Te laat. Te laat. Te
laat. Maar het gekke is dat je angst verdwenen is. Nu de rampspoed zich voltrekt is er geen reden meer om bang te zijn. En
dus kun je schoon schip maken. Je kunt eerlijk zijn. Zeggen wat
je vindt, wat je al die tijd al dwars heeft gezeten. Je kunt echte
tranen huilen en een echte lach lachen. Tot je er weer bovenop
bent en je ondanks je goede voornemens dezelfde fouten maakt
omdat je weer bang wordt. Bang om je nieuw verworven geluk
te verliezen. Het monster zal weer groeien. Het monster heet
angst. Angst. Angst. Tot je doodgaat.

Ik heb even geslapen. Mijn nek doet pijn van de ongemakkelij-
ke positie in de stoel. Ik kijk naar mijn moeder. Ze is van houding veranderd. Haar hoofd ligt iets schever in mijn richting
en haar rechterarm valt half van het bed. Zachtjes sta ik op, en
ik leg haar arm weer op de lakens. Ik schrik van het rochelende
geluid dat ze plotseling maakt. Haar ogen zijn gesloten, maar
ze heeft haar mond open en probeert iets te zeggen. De klanken die uit haar mond komen zijn absoluut niet te herleiden
tot woorden. 'Mama?' Ik buig me naar haar toe en leg mijn
handen op haar bovenarmen. 'Mama, ik ben er.' Ze droomt
waarschijnlijk, want ze heeft haar ogen nog steeds dicht. Ik aai
over haar armen en fluister: 'Het is goed, het is goed, mama.'
Ze wordt rustiger en ik voel de spanning uit haar lichaam weg-

trekken. Voorzichtig ga ik weer zitten. Dan komt de nachtzuster binnen. Ze negeert mij volledig en gaat meteen naar mijn moeder, legt haar hoofd met een snel gebaar recht, trekt haar oogleden omhoog schijnt er met een zaklamp in, controleert het infuus in haar armen en vertrekt weer zonder een woord. Hoe kom ik weg met mijn haat voor dit stomme ziekenhuispersoneel. Wat zou ik kunnen doen, later, om ze te wreken? Net als ik me bedenk dat ik ze allemaal ga aanklagen als dit allemaal achter de rug is, zwaait de deur weer open en komt ze weer binnen. Ze hurkt naast mijn stoel, legt een opgevouwen deken op mijn schoot en zegt: 'Hier, voor als je het koud hebt.'

'Dank je…' stamel ik.

'Kan ik nog iets voor je doen?' vraagt ze dan lief.

'Nee, nee…'

'Je kunt trots op haar zijn, je moeder is een sterke vrouw,' zegt ze, alsof ze van hogerhand te horen heeft gekregen dat ze mij geestelijke bijstand moet verlenen. 'De artsen hadden niet gedacht dat ze het zo lang zou volhouden.'

'Nee,' zeg ik sarcastisch, 'da's nogal logisch als ze haar een spuitje willen geven.'

'Daar moet je je niet druk om maken,' zegt ze en ze legt voorzichtig haar hand op mijn arm, die op de leuning van de stoel rust. 'Zij proberen ook maar wat, en soms denken ze inderdaad dat ze het beter weten dan de naaste familie. Maar daar laat jij je toch niet door van de wijs brengen?' Verwacht ze een antwoord van mij?

'Nee… natuurlijk niet.' Ze glimlacht en ik krijg ineens het gevoel dat ik droom en dat zij een engel is, met haar bijna witte krullen die slordig in een staartje zijn gebonden.

'Jij bent ook sterk, dat kun je zien.' Hoe oud zou ze zijn? Twintig, misschien vijfentwintig? Dan wendt ze haar blik af, staat op en kijkt naar mijn moeder. Ik kijk met haar mee.

'Toch lijkt ze rustig,' zegt ze dan.

'Dat lijkt maar zo,' zeg ik. Haar gerimpelde bleke gezicht ziet er zo kwetsbaar uit. Haar neus lijkt spitser geworden, sinds ze hier ligt. De zuster wendt haar blik weer tot mij. Ze glimlacht.

'Jij lijkt op haar, nu zie ik het heel duidelijk, jij lijkt op je moeder.' Dat wil ik niet. Ik wil niet op mijn moeder lijken. Echt niet. Ik zweer het je, voor geen honderdmiljoenduizend euro. Voor niks niet. Ze is mijn moeder, oké, maar ik wil niet, nooit, worden als zij. Nooit. Hoor je me? Nooit!

'Dat lijkt alleen maar zo,' zeg ik opnieuw. De zuster, een meisje nog, slaat een arm om mij heen en troost me.

Ik word wakker. Het is nacht. Ik ben negen jaar. Ik heb mijn droom weer gehad. Het is een enge droom en hij gaat altijd hetzelfde. Een man in een lange beige regenjas en met een zwarte hoed op, komt op mij af en vraagt of ik een snoepje wil. Ik ken die man en ik weet dat hij niet te vertrouwen is; dus ik geef geen antwoord. Dan begint hij tegen me te praten. Ik neem me voor om niet te kijken en niets te zeggen. Want als ik dat doe ben ik verloren. Hij zegt rare dingen, dat het gras in België groener is bijvoorbeeld, omdat alle Belgen over hun gras plassen. Dat ze in Zwitserland stieren hebben met hoorns die zo hoog zijn als de bergen. Dat ze in Mexico van die grote hoeden dragen, omdat ze bang zijn dat de zon op hun kop valt. Ik kan me inhouden en reageer niet. Tot hij iets zegt wat ik herken. Hij praat met zijn vriendelijke stem in mijn oor en vraagt: 'Wist jij, Maxime, dat eenden een gekrulde piemel hebben?' Dat heb ik toevallig net ergens gelezen, dus ik kijk op. Stom. Nu ben ik er geweest. Ik kijk in zijn rare ronde ogen waarmee hij me hypnotiseert. Hij staat op en zegt: 'Kom maar met mij mee, Maxime, kom maar mee.' En ik vecht in mijn droom om niet mee te gaan, om mijn benen een andere kant uit te laten lopen, maar het lukt niet. Ik volg hem als een robot. We lopen langs een kanaal, langs een bos en dan komen we bij zijn huisje. Het is een klein donker huisje van hout. Alle ramen zijn zwart gemaakt. Hij doet zijn deur open en ik zie alleen maar een zwart gat. Het waait hard daarbinnen, ik hoor de wind fluiten en het huis kraken. 'Kom maar binnen, Maxime, je hoeft niet bang te zijn.' Ik sta in de deuropening en wil absoluut niet verder. Ik vecht met alle kracht in mijn lijf om niet in het zwarte gat gezogen te worden. Ik hou me met gestrekte armen vast aan de deurpost. Mijn haar waait al het donkere huis in.

Dan word ik wakker. Ik ben nog nooit binnen geweest, maar ik ben als de dood dat de man me uiteindelijk te pakken krijgt en me opsluit in zijn hol. Ik durf niet meer te gaan slapen. Ik sta op uit mijn bed en loop naar de slaapkamer van mijn ouders. De gang wordt verlicht door een lantaarn buiten en door de maan. Ik open hun slaapkamerdeur, het is pikdonker daarbinnen. Ik sta op de drempel en twijfel. Dan hoor ik de stem van mijn vader: 'Kom maar binnen, Maxime, je hoeft niet bang te zijn.' Ik schrik, ren terug naar mijn eigen bed en kruip helemaal onder de dekens. Ik ben nergens veilig. Waar kan ik naartoe? Ik hoor voetstappen dichterbij komen. Iemand gaat er op mijn bed zitten. Iemand doet de dekens van me af. Ik houd mijn ogen stijf dicht en bid dat het niet de man is. Dan hoor ik een vrouwenstem: 'Rustig maar meisje, mama is bij je. Heb je naar gedroomd?' Ik open mijn ogen en zie mijn moeder. Het lange blonde haar langs haar gezicht. De loensende ogen die me aankijken. Ze aait over mijn gezicht. 'Ik had weer die nachtmerrie over die man.' 'Och liefje', ze neemt me in haar armen en ik ruik haar zoete slaaplucht, 'je hoeft niet bang te zijn voor die man. Jij kunt iedere man aan, weet je dat?' Haar gezicht is vlak bij het mijne. Haar ademhaling blaast koel op mijn wang. Dan kijkt ze me weer aan. 'Jij bent zo sterk, Maxime, en weet je waarom?' Ik schud nee. 'Omdat je op je moeder lijkt.' Pas dan begin ik te huilen en mijn moeder troost me. Ze sust me met lieve woordjes en wiegt me zachtjes heen en weer.

Jacq schudt aan mijn schouder. 'Hé, Max, wakker worden, ik kom je aflossen.' Even weet ik niet waar ik ben. Verdwaasd kijk ik om mij heen. Dan weet ik het weer. Ik sla de deken van me af en sta op om me uit te rekken. De hele nacht in die stoel heeft me geradbraakt, elke spier doet me pijn.

'Is het goed gegaan?' vraagt Jacq.

'Ja, er is niks bijzonders gebeurd. Ze begon vannacht in haar droom te praten, maar ik kon er niets van verstaan.'

'Zijn er nog dingen waar ik op moet letten?' vraagt ze.

'Nou, ja,' zeg ik, 'als de monitor onregelmatigheid vertoont moet je hartmassage toepassen en als dat niet helpt, mond-op-mondbeademing.' Jacq kijkt me met grote ogen aan.

'Nee gek, dat is een grapje, het personeel hier houdt haar constant in de gaten, dus je hoeft in principe niks te doen.'

'O gelukkig,' zucht ze opgelucht.

'Maar als je wel iets raars ziet of zo, schroom niet om meteen op de rode knop te drukken hier.' Stel je voor dat mijn moeder sterft en dat zij rustig haar meegebrachte glossy magazines zit te lezen en denkt: ze zullen zo wel komen. Ik geef Jacq een zoen en bedank haar dat ze er is. Dan kus ik mijn moeder en fluister in haar oor: 'Hou vol, ik ga zo Ben halen.'

38

I do believe

Thuis snel gedoucht en wat gegeten. Maarten en oom Eugene gebeld. Kees weggedrukt op mijn antwoordapparaat. Vaak heb ik het gevoel dat ik thuis iets vergeet. Planten heb ik allang niet meer, want die vergat ik altijd water te geven, en huisdieren heb ik nooit gehad. Maar als een vriendin roept dat ze nog kattenbrokken moet halen of dat de hond nog uitgelaten moet worden, schrik ik altijd: o shit, dat ben ik ook vergeten. Rare pavlovreactie voor een dierenhater. Jacq zegt dat het mijn algemene schuldgevoel is. Mijn gevoel dat er altijd wel iets is wat ik niet goed heb gedaan. Onzin. Ik ben bovendien, in tegenstelling tot wat je misschien zou verwachten, vrij zorgvuldig en goed georganiseerd. Ik vergeet nooit ergens mijn portemonnee of mijn mobieltje. Ik controleer soms tot wel tot drie keer toe of ik het gas uitgedraaid heb, of er geen kaarsen branden en of de brievenbus geleegd is. Shit. Zie je wel: de brievenbus!

Ik ren naar beneden en open de mailbox met het sleuteltje. De doorschijnende plastic zakjes met gebundelde reclame vallen er meteen uit. Ik raap de berg van de vloer en terwijl ik probeer de serieuze post te ontdekken tussen de aanbiedingen en de gewonnen loterijen loop ik langzaam de trap weer op. Binnen gooi ik meteen alle shit in de vuilnisbak en bekijk ik een bankafschrift en een brief van de verzekering. Dan lees ik een kaartje van Ellen, die me sterkte wenst en vraagt of ze iets kan doen, of juist beter niets kan doen. In elk geval wil ze vrijdag naar het ziekenhuis komen. Dan een brief van Martine. Het is een brief van drie kantjes waarin ze haar verhaal over de dood van haar broer vertelt. Mooi en lief bedoeld, maar elke situatie is anders. Bovendien is mijn moeder nog niet dood. Opvallend trouwens hoeveel vrienden een sterfgeval hebben meegemaakt. Iedereen wil wel een verhaal aan mij kwijt over een familielid of goede vriend die overleden is. De blikken van begrip en medeleven komen er gratis bij. Wij hebben het ook meegemaakt en nu jij. Join the club. En de onwetenden leven hun eigen oppervlakkige leventje verder, met hun eigen zorgjes en probleempjes. Geeft niet. Zij weten niet beter, nog niet... Maar jij, Maxime Bremer, mag je vanaf vandaag of morgen deelgenoot noemen. Gefeliciteerd!

Maar erger nog, veel erger, zijn de tips en de opbeurende woorden van zij die het niet hebben meegemaakt. 'Hou je taai, meid!' 'Misschien valt het nog wel mee.' 'Het is de natuurlijke loop van het leven.' Of de tip van mijn collega Henk: 'Het is nu natuurlijk rot, maar je kunt het later allemaal gebruiken in je acteerspel.'

Dan zijn er nog twee brieven waar geen afzender op staat en waar ik het handschrift niet van herken. Ik zie dat het al bijna acht uur is. Geen tijd meer. Ik moet naar het verzorgingstehuis om Ben te halen. Nog twee minuten en veertig seconden voor de kerkklok aan het einde van mijn straat acht keer slaat. Ik speel het oude spelletje met mezelf: als ik voor die tijd in de auto zit krijg ik Ben vandaag mee. Ik ruk mijn jas van de stoel. De sleutels, waar zijn mijn sleutels? Ah, nog in de binnenkant van de deur. Ik gris mijn tas van de tafel en ren naar beneden. Ik ren voor mijn leven, voor mijn moeders leven, voor Bens leven, voor het voortbestaan van ons uitstervend ras, naar de auto. En precies als ik het portier opentrek begint de klok te slaan. Telt dit wel of telt dit niet?

Een nieuwe regel. Als ik van mijn huis naar het verzorgingstehuis word ingehaald door tien rode auto's lukt het niet om mijn broer mee te krijgen, anders wel. Ik start de motor, geef richting aan en zie dat er een witte Volvo aankomt die ik voor moet laten. Meteen daarna geef ik gas en net op tijd stamp ik op de rem, omdat er nog een auto aankomt. Een rode mini. Dat is één. Nauwlettend hou ik elke rode schim, links, rechts, voor en achter mij, in de gaten. Dit keer mag het geen twijfelgeval worden, dit keer moet ik winnen. Ik heb mijn eigen spelregels gemaakt op deze weg naar valse hoop. Geef het toch gewoon toe, je zit op een dood spoor. Nee, niet toegeven. Zoek naar alle rode auto's en blijf ze voor. Zorg dat je zelf de baas blijft over je leven. Ik wacht voor het rode stoplicht. Ik ben de eerste in de rij. Niemand kan mij passeren. Groen, ik geef gas en druk mezelf harder tegen de rugleuning van mijn stoel alsof ik een coureur ben. Ik schrik van de auto die me rechts met volle vaart passeert en me dan nog afsnijdt ook. Een oranjerode soort Opel met spoilers. Zeg maar gewoon rood. Dat is twee. Nog beter opletten, Max.

Nog een kilometer of twee en dan ben ik er. In de file hebben vijf rode auto's me gepasseerd en op de provinciale weg ben ik door een rood busje (geen twijfelgevallen) ingehaald, de totaalscore is daarmee op acht gekomen en dat betekent dat ik ga winnen! Of heb ik mezelf een te gemakkelijke opdracht gegeven? Als ik de parkeerplaats van het verzorgingstehuis op rijd schiet ik in het eerste het beste lege plekje dat ik zie. Ik moet opschieten. Het portier van mijn zwarte bolide gooi ik iets te enthousiast open waardoor ik de rode auto naast me een tik geef en een klein zwart streepje op de rode lak achterlaat. Fuck it. Ik ga echt geen briefje neerleggen. Mij is het ook al zo vaak overkomen dat ik zomaar voor niks een extra kras of deuk in mijn auto heb gekregen. Fuck it, fuck it. Niemand gezien. Niemand gedaan. Zo, en nu naar binnen om mijn broer te halen.

Bij de receptie kennen ze me inmiddels goed en ik hoef niets meer uit te leggen.

'Ik weet niet of ze al binnen is. Ik zal even gaan kijken. Wacht u hier maar even,' zegt de vriendelijke secretaresse met haar altijd even onberispelijke kapsel en geboetseerde glimlach.

'Dank je,' zeg ik even zo vriendelijk terug en ik ga op mijn inmiddels vaste wachtplek op de stoel recht tegenover de receptie zitten.

'Ik hoop dat u vandaag meer geluk heeft,' zegt ze met een samenzweerderige blik, en nog voor ik iets aardigs terug kan zeggen loopt ze de gang in. Ik ben ervan overtuigd dat zij net zo'n hekel heeft aan mevrouw Zwanenbeek als ik. Wij hebben een gemeenschappelijke vijand, en zouden, als onze levens niet zo ver uiteen liepen, vriendinnen zijn geworden. Als het anders was gelopen hadden we elkaars geheimen geweten. Als het anders was gelopen dan was ik samen met mijn broer opgegroeid. Als, dan had ik wat meer van mijn leven kunnen maken. Als, dan had ik er voor anderen kunnen zijn, en had ik zelf in de gezondheidszorg kunnen werken. Ik had in God kunnen geloven. God, wat had ik kunnen geloven. Ik had naar de Wereldjongerendagen kunnen gaan en daar net zo blij kunnen rondlopen als iedereen. Ik had een leuke jongen kunnen tegenkomen en we hadden elkaars hand kunnen vasthouden tot we eindelijk getrouwd waren. Dan pas zouden we voor de eerste keer het bed met elkaar delen en zou seks geen gore, geile gebeurtenis zijn maar een sacraal ritueel. Een euforische beleving met de man van mijn leven en God. En ik zou iemand zijn. En mijn moeder zou iemand zijn. En ze zou naar de hemel gaan, ze zou mijn vader weer ontmoeten en ze zouden elkaars wonden likken. En ik zou weten lieve God, mijn God, dat het leven niet ophoudt bij de dood. Dat we godzijdank, dankzij God, onze fouten kunnen goedmaken en onszelf kunnen vergeven. God, o God, heb genade. Vergeef ons onze zonden zodat wij ook anderen hun zonden kunnen vergeven. En leid ons in godsnaam niet in bekoring maar verlos ons van het kwade. In de naam van de vader, de zoon, de heilige geest amen.

Eindelijk, daar is ze weer. Ik kan niets opmaken uit haar blik. Gelooft zij in God? Ik wil het weten.

'Gelooft u…' begin ik, '…dat ik Ben vandaag kan meekrijgen?'

'Nou,' er verschijnt een frons op haar voorhoofd, 'het probleem is dat mevrouw Zwanenbeek vandaag ziek is. Maar met uw broer gaat het eigenlijk heel goed, dus na overleg is besloten dat Ben vandaag met u mee mag.' Ik wil haar omhelzen en zoenen, maar mijn karakter, opvoeding en culturele achtergrond houden me tegen en ik zeg met schorre stem: 'Dank u, dank u. Echt, ontzettend bedankt.' Ze glimlacht met de frons nog op haar voorhoofd, en ik kan zien dat ze met me te doen heeft. Medelijden is nooit aan mij besteed. Ik sta op en zeg kordaat: 'Goed, dan ga ik 'm nu halen.'

'Wacht even, u moet eerst nog wat formulieren invullen,' zegt ze weer zakelijk. Ze loopt naar haar bureau en begint te zoeken. En ik wacht weer. Maar ik ga niet meer zitten.

39

All in the Family

Ben beweegt zenuwachtig heen en weer in mijn auto, waardoor het moeilijk is om in mijn spiegels te kijken. Van voor naar achteren, van voor naar achteren. Ondertussen murmelt hij wat. Ik heb al een paar keer geprobeerd om met een vraag en een korte anekdote de spanning te doorbreken en contact te maken, maar tot nu toe werpen mijn pogingen weinig vruchten af. Hij vindt het eng, mijn grote broer. De puntjes van zijn rossige haar raken bij elke beweging de bovenkant van de auto. Alsof hij de bekleding aait met zijn rechtopstaande sprietjes. In zijn handen heeft hij een geruite zakdoek, die hij steeds om zijn vingers draait. Zijn gespierde onderarmen zitten vol rode sproetjes en gouden haartjes. Hij heeft een gekleurd T-shirt aan met een soort vogel erop, en hij draagt een oude spijkerbroek van een onbekend merk. Aan zijn voeten zitten sandalen met daarin bruine sokken. Ik neem me voor om een keer nieuwe kleren met hem te gaan kopen als dit allemaal voorbij is.

'Vind je het leuk in de auto, Ben?' vraag ik, maar ik krijg geen reactie. Ik zie dat hij met zijn ogen knijpt en dat hij zijn neus optrekt alsof hij iets vies vindt ruiken. Ik vraag me af wat dat betekent. Ik word zelf ook steeds zenuwachtiger. Misschien krijgt hij zo een paniekaanval en was het inderdaad onverantwoord om hem mee te nemen. Misschien betekent zijn gezichtsuitdrukking dat hij moet poepen, maar durft hij dat niet te zeggen. Wat weet ik eigenlijk van hem? Wie kleedde hem al die jaren aan en veegde zijn billen schoon? Was het die kenau? Misschien heeft ze wel gelijk dat ze mij haat om mijn sporadische bezoekjes. Om mijn opportunistische gedrag.

Dan zie ik wat het is. Ben heeft gewoon last van de zon die in zijn ogen schijnt. Ik buig naar voren en open het dashboard-kastje. Ik merk dat hij schrikt van mijn plotselinge beweging. Van mijn aanraking tegen zijn arm. Ik heb 'm. Een oude zon-nebril van Maarten.

'Kijk eens, Ben, zet deze maar op, dan prikt de zon niet zo in je ogen.' Ik hou de bril voor zijn gezicht. 'Toe maar, pak 'm maar.' Ik voel hoe de bril voorzichtig uit mijn handen geno-men wordt.

'Zwart,' is zijn enige commentaar.

'Ja, dat is tegen de felle zon,' zeg ik en ik kijk even opzij. Ik zie dat hij de bril verkeerd op heeft gezet.

'Je moet 'm omdraaien,' zeg ik. 'Hij is op de kop.' Hij pakt het ding weer van zijn hoofd en draait 'm drie keer om. Dan zet hij 'm goed op. Een hikkend geluid komt uit zijn mond en het heen en weer deinen is nu schudden geworden.

'Op de kop,' herhaalt hij, 'op de kop op.' Dan moet ik ook lachen en al hinnikend en knorrend leggen we de laatste kilo-meters naar het ziekenhuis af.

Het lijkt me goed om nog even te acclimatiseren als we in het ziekenhuis zijn en dus neem ik mijn broer mee naar de alge-mene bezoekersruimte. Ik pak hem bij zijn arm om hem door de drukke hal te leiden. Als vanzelf pakt hij mijn hand. Met zijn grote klamme hand in de mijne lopen we zigzaggend tus-sen de mensen door. Hij heeft de zonnebril nog op en ziet er niet meer uit als een mongool, maar als een blinde. Als we bij het zelfbedieningsbuffet aankomen vraag ik wat hij wil drin-ken en of hij ook iets wil eten. 'Je mag kiezen wat je wilt,' zeg ik, terwijl ik met mijn vrije hand een dienblad pak. We lopen langs de broodjes, de snacks, de yoghurt en de taartjes.

'Wil je echt niks?' vraag ik voor de zekerheid.

'Ja, lekker eten,' zegt Ben.

'Dan gaan we terug en dan mag je zelf pakken wat je lekker vindt, oké?'

'Okidoki,' zegt hij en hij trekt me ruw mee naar het begin van de rij. Mijn dienblad valt kletterend op de vloer. De mensen voor ons kijken geërgerd om. Ik heb de neiging om ze verrot te schelden, maar glimlach vriendelijk. Ben laat mijn hand los, wurmt zich tussen de mensen in de rij en pakt meteen een broodje ham.

'Ham,' zegt hij lachend.

'Goed zo, ham!' zeg ik.

'Goedzoham,' herhaalt hij. Ik leg het blad voor hem neer en zie dat hij twijfelt of hij het bord met het broodje op het dienblad moet zetten.

'Toe maar, zet het maar neer.'

'Mag niet vallen.'

'Nee, het valt ook niet, zet het maar neer.' Maar Ben houdt het bordje krampachtig vast boven het dienblad. Ik kijk naar hem en zeg: 'Niet bang zijn, Max zet je bril af.' Ik kan door de donkere glazen niet zien hoe hij reageert. Voorzichtig pak ik de bril beet en schuif 'm van zijn neus af.

'Hallo, Ben. Nu kun je beter zien. Zie je wel.'

'Zie. Je. Wel,' herhaalt hij weer. En hij zet het bordje voorzichtig neer. Dan pakt hij een kaassoufflé en laat deze met een klap op het blad vallen. 'Toet, toet,' zegt hij en hij duwt tegen de man voor hem. Verschrikt kijkt de bejaarde man om.

'Sorry,' zeg ik verontschuldigend. 'Rustig Ben, je moet even wachten.'

'Toet, toet.' Nog harder duwt hij de oude man in zijn rug.

'Ben, niet doen! Rustig nou.' De man loopt vloekend met zijn dienblad weg. Dan pakt Ben twee glazen met yoghurt en fruit.

'Toet voor Ben. Toet voor Max. Toet, toet.'

'Dank je,' zeg ik, 'da's lief van je.' En ik pak de twee glazen aan.

'Langzalzelevenlangzalzelevenlangzalzelevenindegloria,' zingt hij met luide stem en hij pakt een groot stuk chocoladetaart uit het rekje. Dan kijkt hij me aan en lacht van oor tot oor.

Of hij had honger, of hij krijgt nooit iets lekkers te eten, in elk geval had hij binnen tien minuten alles op. Wat zou mijn broer elke dag eten? Waar houdt hij van? Wat vindt hij zo vies dat ze het met geen mogelijkheid bij hem naar binnen krijgen?

'Wat vind je niet lekker?' vraag ik. Ben laat een enorme boer.

'Boer pardon.' Ik lach. Hij kijkt me met zijn blauwe ogen ernstig aan en zegt: 'Boer pardon is niet lekker.'

'Nee, bah. Boer pardon is vies.'

'Ja, is vies. Poep.'

'Nee, niet zo vies als poep.'

'Jawel poep.' Plotseling staat hij op en kijkt onrustig om zich heen. Ach, stom, hij moet natuurlijk naar de wc.

'Kom, we gaan de toiletten opzoeken.' Ben kijkt me opgelucht aan, grijpt mijn hand en knijpt er stevig in.

Terwijl ik op hem sta te wachten, probeer ik te bedenken wat ik nog zou kunnen zeggen tegen hem, zodat hij mijn moeder, onze moeder, niet eng vindt. Ik kan zeggen dat het een goede fee is die te weinig water heeft gehad en daardoor verschrompeld is. Of dat ze een heilige Maria is die al vijfhonderd jaar oud is. Of dat ze een heks is die spijt heeft van al haar kwade tovenarij. Misschien moet ik toch wat dichter bij de waarheid blijven. Ben komt met natte wapperende handen uit de toiletten.

'Ben, we gaan nu naar mijn moeder. Mijn moeder ligt hier in het ziekenhuis. Ze is erg ziek.'

'Jhaa,' zegt mijn broer blij.

'Jij kunt zo mooi zingen, Ben. Mijn moeder zou het erg leuk vinden als je voor haar zou willen zingen.' Nu kijkt hij me aan met open mond en grote ogen; hij zegt niks, maar zijn tong maakt een nerveuze dans in zijn mond. 'Ik vind dat jij heel mooi kunt zingen, Ben.' Nog steeds zegt hij niks. 'Misschien kunnen we daarna nog een taartje eten?' probeer ik. Omkoperij is voor een keertje niet zo erg.

'Ben geen honger,' zegt hij dan op boze toon.

Oh, ik ben zo bang dat het helemaal misgaat. Ik ben zo dicht bij mijn doel, maar ik zou het liefst om willen draaien en het hele eind terug zwemmen. Terug naar wat ik ken in plaats van naar de juichende menigte die me op de kade staat op te wachten. Want wat als die mensen niet juichen van vreugde maar van uitzinnige woede. Dat ze me willen lynchen in plaats van huldigen.

Ik krijg een idee. 'Ben, heb je moeder Maria in je broekzak?' De boze blik op zijn gezicht verandert niet maar hij grijpt met beide handen naar de achterzakken van zijn spijkerbroek. Dan breekt de zon weer door, want in zijn rechterzak voelt hij het kaartje zitten. 'Goed zo, jongen,' zeg ik als hij het trots voor mijn neus houdt. 'De heilige Maria is jouw moeder. Mijn moeder ligt boven.' Ik wijs naar het plafond: 'In bed.'

'Mijn moeder,' zegt mijn broer en hij drukt het kaartje tegen zich aan, 'mooi!'

'Ja, ze is mooi, Ben. Zou je voor haar willen zingen?'

'Jhaa, mijn moeder, jouw moeder', en hij wijst naar boven. 'Jouw moeder, mijn moeder. Jouw moeder, mijn moeder. Jouw mijn, jouw mijn, moeder, moeder, moeder.' Hij grinnikt.

'Ben, we gaan nu naar mijn moeder en we nemen jouw moeder mee en dan gaan we voor haar zingen, oké?'

'Okidoki.'

'Krijg ik een hand van je?'

Hij pakt mijn uitgestoken hand en dan gaan we.

Mijn hart klopt in mijn keel als de lift bij de derde etage stopt, als we uitstappen, als we de gangen door lopen naar haar kamer. Nog drie gangen, nog twee, nog één gang en dan kunnen we haar deur zien, links voor. Net voordat we de hoek om gaan stopt Ben plotseling.

'We zijn er bijna,' zeg ik gespannen, 'het is hier om de hoek. Kom je?' Ik probeer hem voorzichtig mee te trekken. Hij kijkt met wijd opengesperde ogen naar me. 'Ben, wat is er?' Geen antwoord. 'Ben?'

Dan begint hij ineens keihard te lachen. Ik probeer te ontdekken wat er zo grappig is dus ik kijk naar beneden, naar mijn kleren, naar mijn schoenen. Niets bijzonders. Schaterlachend wijst hij in mijn richting. Ik voel mijn hoofd, mijn haar. Dan kijk ik om en zie ik wat hij zo grappig vindt. Achter mij in de gang loopt een cliniclown. De clown heeft door dat hij succes heeft, dus komt hij met zijn grote flapschoenen doelgericht op ons afgelopen. Kut. Ik probeer mijn broer mee te trekken, maar er is geen beweging in hem te krijgen. Als ik niet reageer dan loopt hij misschien voorbij, denk ik hoopvol, maar dan hoor ik de zogenaamd grappig verdraaide stem van de clown.

'Hallo, ik ben Flappie de clown, en wie ben jij?'

'Ben!' roept mijn broer. 'Ben Ben', en weer schiet hij in een lachstuip.

'En wie ben jij?' richt de clown zich tot mij. Ik bekijk de overjarige engerd met rode neus en gekleurd kostuum met een vernietigende blik en zeg: 'We hebben geen tijd.' Kutclown. Ik heb altijd een hekel aan clowns gehad en de hele hype rondom de cliniclown heb ik al helemaal nooit begrepen. Kunnen zij ervoor zorgen dat er minder pijn is? Rot toch op. Hooguit dat er meer geld is voor zichzelf door inza-melingsacties. Stop het geld voor die kutclowns in de ge-zondheidszorg. Zodat mensen niet tot euthanasie gedwon-gen worden om kosten te besparen. Nee, wij geven ons geld liever uit aan opgeprikte vrolijkheid, zodat we lachend ten onder gaan. Blijven lachen Janus, Flappie is er voor je. En we doen nog een polonaise en zetten allemaal een rode neus op, want als er gelachen wordt is alles weer goed. Maakt niet uit dat we onszelf belachelijk maken. Dat we marionetten zijn geworden in ons eigen poppenspel. Dat de hele essentie van dit bestaan nooit meer aan bod komt, zal iedereen een worst wezen. Dikke snikkel. Blijf lachen en denk niet na over je godvergeten misère. Over je troosteloze bestaan.

'Max,' hoor ik mijn broer tussen het hikken door zeggen. 'Hij is Max', en hij wijst naar mij. 'Hallo Max, ik ben Flappie.'

'Jhaaaa!' gilt mijn broer. Flappie-met-de-plaat-voor-zijn-kop gaat onverstoorbaar verder: 'Ik zie dat Max verdrietig is.' Ik kan dit niet langer aan.

'Max is inderdaad verdrietig,' zeg ik op hetzelfde kinder-achtige toontje, 'en dat komt omdat Max' moeder op sterven ligt, en daar kan Flappie helaas pindakaas niets aan verande-ren. Dag Flappie.'

'Mag Flappie mee naar mama?' zegt de clown met een zielig gemaakte stem.

'Nee!' zeg ik.

'Jhaa!' roepen mijn broer en de clown tegelijkertijd.

'Flappie wil graag mee,' dringt die freak nog een keer aan.

'Mee, mee,' gilt mijn broer en hij trekt met beide handen aan de arm van de clown, waarbij het kaartje van Maria op de vloer valt. Deze hele actie wordt een grote mislukking, ik had het kunnen weten.

'Oké,' zeg ik zuchtend en terwijl Flappie en Ben een vreug-dedansje maken raap ik het plaatje op en zweer ik bij de Heilige Maagd Maria dat de eerste die ik in mijn leven zal vermoorden niet Bens vaste verzorgster zal zijn, maar Flappie, de cliniclown. Het enige voordeel van deze geïnstitutioneerde waanzin is dat ik je weet te vinden, Flappie. Ik weet je te vinden.

Gedrieën lopen we naar mijn moeders kamer.

'Wel stil zijn,' bijt ik Flappie nog toe voor ik de deur open.

'Sssssttt,' doet hij met zijn vinger op zijn mond en Ben doet 'm meteen na. Eugene zit de krant te lezen in de stoel naast mijn moeders bed. Geschrokken kijkt hij op als hij ons hoort. Maar dan ziet hij dat Ben erbij is en zijn gezichtsuitdrukking verandert. Hij staat op en omhelst hem.

'Dag Ben, je weet toch nog wel wie ik ben. Ik ben oom Eugene, weet je nog?' Mijn oom negeert de clown vooralsnog. Maar Ben wil het feest niet aan Eugene voorbij laten gaan.

'Flappie,' zegt hij trots en hij slaat de clown op zijn rug, alsof het zijn nieuwe speeltje is.

'Hoi oom Eugene,' zegt Flappie vrolijk, 'wat een toestand, hè. Tjonge, jonge, jonge.'

Ben doet hem weer na. 'Tjonge, jonge, jonge.'

'Hoe gaat het?' vraag ik aan mijn oom.

'Niet zo best. Ze ijlt veel en heeft woedeaanvallen die haar helemaal uitputten. De artsen hebben nogmaals voorgesteld om de medicatie te verhogen.'

'Je hebt toch nee gezegd?'

'Ja, ik heb geweigerd, ze zou het niet bewust meer meegemaakt hebben... Ik ben blij dat jullie er zijn.' Flappie staat aan het voeteneind van het bed en heeft een arm om Bens schouder geslagen. Samen kijken ze naar mijn moeder. Het voelt zo fout dat die kloteclown hier is. Hij maakt inbreuk op onze privacy.

'Flappie is ook een beetje verdrietig omdat mama ziek is,' zegt hij en hij begint te nephuilen. Ik kijk mijn oom wanhopig aan.

Ben is verbaasd over het huilen van Flappie. 'Niet jouw mama, Max' mama.'

'Flappie huilt een beetje met Max mee. Huil je ook een beetje mee Ben?'

'Nee,' zegt Ben. Hij vindt het blijkbaar toch leuker als Flappie gewoon vrolijk doet.

'Kun jij die eikel hier weghalen?' sis ik tegen mijn oom.

Hoewel hij meestal niet overloopt van daadkracht, verheft Eugene zijn stem en zegt op autoritaire toon: 'Zo Flappie, wij gaan samen even op de gang wachten.' Maar mijn broer is al te veel gehecht geraakt aan het gekleurde monster en begint meteen te gillen: 'Nee, nee, nee!' Hij werpt zich op de vloer en beukt met zijn hoofd tegen het grijze vinyl.

'Flappie niet weg. Flappie niet weg!' Ik buk naast mijn broer en probeer hem te kalmeren. Flappie duikt ook naar beneden en fluistert tegen mijn broer. 'Flappie gaat niet weg hoor, Flappie blijft bij jou.'

'Ze wordt wakker,' roept mijn oom met paniek in zijn stem.

'En nou opzouten, kutclown,' sis ik tussen mijn tanden. Ik heb mijn woede nog maar net onder controle.

'Neeeeh!' gilt Ben weer.

'Zie je wel,' zegt Flappie, 'Ben wil niet dat ik…'

Ik grijp de eikel in zijn kruis. 'Als je nou niet oprot, trek ik zo hard aan je ballen dat ze nog roder zien dan die neus van je. Wegwezen!'

Flappie valt uit zijn rol. 'Ik ga al, ik ga al,' piept hij. Ik laat hem los en nog nakreunend van de pijn staat hij op. Half struikelend rent hij naar de deur en roept: 'Ik zal alles tegen mijn baas vertellen. En tegen de politie!' Mijn broer ligt ondertussen op de vloer hysterisch te huilen. Mijn oom heeft zich over mijn moeder gebogen en ik schreeuw keihard: 'Lul!' en wil weer op de clown afvliegen. De clown probeert in paniek weg te vluchten, trekt de deur open en botst tegen de verpleegster op die net binnenkomt.

'Wat is hier in godsnaam aan de hand?!' snerpt ze boven ons allemaal uit. 'Zijn jullie helemaal gek geworden!' Haar stem heeft een wonderbaarlijk effect, want ineens is het doodstil. Zelfs mijn broer is gestopt met huilen en kijkt met grote ogen naar de verpleegster. Ik sta op en help mijn broer overeind.

'In deze kamer zijn maar twee bezoekers toegestaan. Dus twee mensen eruit, of iederéén eruit.'

'Ik ga weg,' zegt mijn oom, 'samen met hem daar', en hij wijst op de verfomfaaide clown. 'Nu meteen!' Mijn oom werpt mij nog een bemoedigende blik toe en loopt dan achter Flappie aan naar buiten. Ook de verpleegster draait zich nog een keer om, kijkt me bestraffend aan en verlaat de kamer. Dan zijn we alleen. Moeder, broer en zus.

Is de gedachte aan een magische moment niet veel magischer dan het moment zelf? Zijn de echte momenten niet veel platter dan de verbeelding in ons hoofd? Banaler dan alle voorstellingen die we ons van tevoren hebben gemaakt. Fantasielozer dan onze eigen fantasieën en de fantasieën van anderen. Armer dan de films die we ooit hebben gezien, de boeken die we hebben gelezen, de dromen die we hebben gedroomd. Komt ons gevoel voort uit de beleving van de werkelijkheid of uit de betekenis die we er in ons hoofd aan geven? Hoe moeilijk is het om geen buitenstaander meer te zijn, en de dingen niet te blijven beschouwen vanaf een afstand, maar in het leven zelf te stappen, met alle risico's van dien. Ik weet het niet. Ik weet even niets meer. Behalve dat dit moment magisch had moeten zijn. Omdat deze ontmoeting alles had moeten oplossen.

Ik pakte mijn broer bij de hand en zei: 'Kom, we gaan iets dichter bij mijn moeder staan, dan kan ze ons goed zien.' Ben was weer helemaal gekalmeerd en liet zich door mij meevoeren. We kwamen bij het hoofdeinde van het bed te staan, ik voorop en Ben achter me. Ik keek naar mijn moeder, die met wijdopen ogen naar ons staarde. Haar gezicht was grauw van kleur en er liep wat slijm uit haar mond naast het slangetje.

'Mama, dit is Ben,' zei ik en ik duwde Ben nog iets dichter naar haar toe. Er gebeurde niets. Mijn moeders blik veranderde niet en Ben stond naar haar te kijken alsof het een gewone mevrouw was in een bed en hij dagelijks aan bedden stond te kijken naar mevrouwen. Toen pakte mijn moeder me bij mijn arm, en begon iets te murmelen. Ik kon haar niet verstaan. Ze zei iets als 'Bilkijkiven'.

'Wat zegt ze?' vroeg Ben aan mij.

'Ik weet het niet precies. Mama, wat zeg je?'

Ben boog naar mijn moeder toe en herhaalde mijn woorden: 'Mama, wat zeg je?' Tranen sprongen in mijn ogen.

'Bilgegen. Kaaast. Bil. Bil,' probeerde mijn moeder weer.

Ben keek mij aan en zei toen: 'Niet huilen, jouw mama niet dood. Bril!'

'Wat zeg je?' Ik wreef mijn ogen droog.

'Bril. Zij wil bril!' Ik trok het laatje van haar nachtkastje open en daar lag gelukkig haar bril. Ik schoof het ding voorzichtig op haar neus en zag een flauwe glimlach op het gezicht van mijn moeder.

'Gekke bril,' zei Ben en hij begon te lachen, door mijn tranen heen lachte ik met hem mee en zei: 'Dat heb ik ook altijd gezegd.'

'Jouw moeder, mijn moeder,' zei Ben toen. Dit keer herhaalde ik wat hij zei: 'Jouw moeder, mijn moeder.' Mijn moeder keek naar ons vanachter de geslepen glazen en ik meende ontroering te zien. Of verbeeldde ik het mij? Ben greep naar zijn achterzakken, en ontdekte dat zijn Maria-kaartje weg was. Ik had het nog steeds in mijn hand en gaf het aan hem.

'Mijn moeder mooi,' zei Ben en hij liet het plaatje van Maria aan mijn moeder zien. 'Jouw moeder lelijk,' zei hij toen tegen mij.

'Ben, weet je nog wat we afgesproken hebben?' vroeg ik snel.

'Nee,' antwoordde hij verbaasd.

'Jij zou toch gaan zingen?'

'Nee,' zei hij nog steeds verbaasd.

'Jawel, Ben, je zou voor je moeder een mooie psalm zingen.'

'O ja', en hij begon te zingen. Met zijn diepe basstem zong hij een heilig lied waar de tekst niet van te verstaan was. Hij zong het met volledige overgave terwijl hij zijn Maria tegen zijn borst hield. Toen hij klaar was met zijn lied zette hij meteen een nieuw lied in. Mijn moeders blik was op haar zingende zoon gericht, en ik had geen idee wat er in haar omging. Had ze spijt, voelde ze zich schuldig, was ze gelukkig dat ze 'm nu toch nog gezien had? Ze keek en ik kon helemaal niets aflezen uit die sterk vergrote blauwe ogen. Tijdens het derde lied sloot ze haar ogen en viel in slaap. Toen Ben zijn vierde lied wilde inzetten, hield ik 'm tegen. 'Sssttt, ze slaapt. Kom maar, dan gaan we weer.' Ben keek me aan, verwonderd dat hij nu al moest ophouden. Toen begon zijn gezicht weer te stralen en zei hij: 'Nu taartje!'

40

Avondwake

En toen was mijn missie volbracht. Mijn moeder leefde nog steeds en ook mijn leven ging verder. Ik heb Ben naar het verzorgingstehuis gebracht en daarna moest ik werken. Vijf scènes, die ik belabberd speelde. Toen weer terug naar het ziekenhuis, waar mijn oom bij mijn moeder waakte. Maarten had beloofd om Eugene af te lossen, maar hij was niet op komen dagen. Raar, want ik had 'm nog aan de telefoon gehad om het hele verhaal over Ben te vertellen. Hij had zo lief gezegd dat ik de moedigste vrouw was die hij kende en dat hij zo snel mogelijk naar het ziekenhuis zou komen. Ik probeerde hem te bellen, maar kreeg alleen zijn voicemail.

Mijn moeder is sinds vanochtend niet meer bijgekomen en ligt er nog precies hetzelfde bij, met haar bril nog op haar neus. Voorzichtig pak ik het pootje van het montuur beet en schuif hem van haar gezicht. Ik stop hem terug in de la, trek de stoel dichterbij en ga zitten. Ik wacht tot mijn moeder haar laatste adem uitblaast. Ik wacht en ik wacht. Hoe lang zou dit nog gaan duren?

Shit, ik mag niet slapen. Stel je voor dat ik het sterfmoment mis. Dat ik er toch niet bij geweest ben. Ik ben moe door de doorwaakte nachten en de zware dagen, maar ik mag niet toegeven aan de slaap. Waar blijft Maarten trouwens? Ik moet iets doen om niet weer weg te doezelen. Ik pak uit mijn tas de teksten die ik morgen moet spelen. Ik ga ze extra goed oefenen. Ik spreek de woorden van Julia hardop uit. Misschien dat mijn moeder er nog iets van meekrijgt. Misschien is ze, terwijl ze daar zo ligt, trots op wat ik geworden ben: een actrice. Stel je voor dat ze echt trots op mij is. Dat ze haar leven afsluit met een goed gevoel over haar dochter en over haar zoon. 'Ze hadden een eigen leven en ze hadden elkaar. Zie je wel, dan heb ik het toch niet zo slecht gedaan als moeder.' Dat als conclusie van een gecompliceerd bestaan. Het zou haar rust geven.

Bij elke zin die ik uitspreek wordt het gevoel sterker dat mama daadwerkelijk meeluistert, dus ga ik nog meer mijn best doen. En het lukt. Ik speel mooier dan ooit, met mijn buiten bewustzijnde moeder als enig publiek. Ik neem me voor om vanaf nu altijd voor haar te spelen. Dat het beeld van mijn slapende moeder in het ziekenhuisbed me zal sterken in mijn spel. Dat is voortaan mijn ritueel. Je hoort altijd dat acteurs ri-tuelen hebben voordat ze de bühne op moeten of voordat de camera's beginnen te draaien. Ze slaan snel een kruisje of ze moeten drie keer krabben aan hun been en een weesgegroetje bidden, of ze dragen permanent een gladde steen in hun zak die ze moeten aaien terwijl ze hun mantra uitspreken. Zoiets heb ik nu ook. Ik roep het beeld op van mijn zieke moeder die op het punt staat voorgoed in te slapen. De vredige blik op haar gezicht. De trots die ze moet voelen. (Moet voelen.) En als dat beeld in mijn hoofd compleet is dan kan ik beginnen, en speel ik de sterren van de hemel.

Peter komt de kamer binnen en schrikt van mijn betraande ge-zicht en mijn dramatische laatste zin: 'Ik heb je lief zoals ik nog nooit iemand heb liefgehad, en als je weigert me te geloven, dan maak ik er een eind aan.'

'Max, lieve schat, ze gelooft heus wel dat je van haar houdt.'

'Hoi Peter. Maak je geen zorgen, het was maar spel.' Peter kijkt me niet-begrijpend aan. 'Het waren de woorden van Julia aan Hans. Ik was aan het repeteren voor morgen.'

'O god, hebben ze je zo hard aangepakt? Je moet het je niet zo aantrekken, hoor.'

Nu is het mijn beurt om niet-begrijpend te kijken. 'Wat bedoel je?'

'Nou, het ging de laatste dagen toch niet zo goed op het werk?'

'Eh… ja.'

'Er wordt nogal over je geluld, Max. Maar ik heb ze uitgelegd dat jij nu in een lastige periode zit.'

'Kut.'

'Zo erg was het niet, hoor,' probeert Peter mij gerust te stellen.

'Maakt niet uit,' zeg ik gelaten. En dat is ook zo, het kan me niets schelen.

'Waar is Maarten? Ik zou jullie toch aflossen zodat jullie konden gaan eten.'

'Ik heb geen idee waar hij is, maar ik was toch niet meer van plan om hier weg te gaan,' zeg ik. 'Het kan nu echt niet lang meer duren, dat hebben de artsen ook voorspeld, en ik wil erbij zijn.' Ik zie de opluchting op Peters gezicht. Het idee dat mijn moeder kan sterven terwijl hij hier alleen is spreekt hem duidelijk niet aan.

'Ik wil alleen even checken of Maarten niet een berichtje heeft achtergelaten, maar ik mag hier mijn telefoon niet aanzetten, dus als je vijf minuten hebt.'

'Oké, maar wel snel terugkomen hoor.'

Als ik hijgend van het rennen door de gangen buiten sta, zie ik dat ik twee berichtjes heb. Van Eugene en van Jacq. Maar niets van Maarten. Ik hoop niet dat er iets ergs is gebeurd, een ongeluk of iets dergelijks. Misschien een ziekte, of een emotionele crisis, of een geval van: 'Ik ben iemand anders tegengekomen, die ik uiteindelijk toch leuker vind dan jou. Dus rot maar op met je kutproblemen, met je depressieve buien, met je zieke moeder en je debiele broer. Ik wil je niet meer.' Zoiets dergelijks.

Ik spreek in dat hij me dringend moet bellen en ren het ziekenhuis weer in.

Peter neemt gehaast afscheid. Voor hij de deur uit loopt roept hij nog: 'Hou je taai, Maxi, en kijk even naar die folders die ik heb meegenomen. Geeft je ook wat afleiding.'

Vakantie is echt het laatste waar ik nu aan moet denken. De hele dag rondhangen op een te heet strand, om daarna te gaan chillen met veel drank en hapjes, zodat je klaar bent voor een avond housen met dertigers die daar net als ik eigenlijk al te oud voor zijn. Soms heb ik het gevoel alsof het leven veel sneller gaat dan ikzelf. Zit ik eindelijk in de housescene, ben ik er alweer te oud voor. Heb ik eindelijk besloten wat ik wil worden, ben ik voor een serieuze acteercarrière ook al te oud. Ben ik volwassen genoeg voor een vaste relatie, zijn alle leuke mannen op (of je kunt ze niet meer bereiken. Waarom belt Maarten me niet?). Als ik ooit aan kinderen toe ben, dan zal ik waarschijnlijk al ver over mijn vruchtbaarheidsdatum heen zijn. Heb ik eindelijk door dat ik nog een moeder heb. Gaat ze dood. En mocht ik ooit doorkrijgen hoe ik mijn problemen op moet lossen, ga ik hoogstwaarschijnlijk zelf dood. Ik hol achter mijn eigen levenslessen aan, achter mijn eigen inzichten, achter mijn eigen gevoel.

De nachtzuster stapt opgewekt de kamer in.

'Hoi, we hebben weer allebei nachtdienst, zie ik?' Ik merk dat ik opgelucht ben dat zij hier vannacht weer is en niet een van die andere vreselijke zusters.

'Ja, het zijn altijd dezelfden hè, die het zware werk moeten opknappen,' zeg ik bij gebrek aan betere tekst. Ik haat het om in clichés te praten. Om de standaard smalltalkzinnetjes te gebruiken, ze komen ook altijd beroerd uit mijn bek, maar ik kon niks anders verzinnen met dezelfde oppervlakkige, doch vriendelijke strekking.

'Nou, zeg dat wel,' zegt ze. 'Maar wij zijn dan ook het sterke geslacht,' voegt ze er vrolijk aan toe.

'Jaja,' antwoord ik lachend, terwijl ik naar mijn stervende moeder kijk en denk: Hoezo sterke geslacht?

'Ik hoorde dat je vandaag hier was met je broer?'

Ik schrik van haar directheid. Dit moest smalltalk blijven. 'Hoe reageerde je moeder?' Jezus, daar heb je niks mee te maken, ook al was je aardig vannacht. Ik lieg gewoon wat. Dat doet iedereen toch. Als je de waarheid zou vertellen, zou je mensen pas echt afschrikken.

'O, ze was blij, ze kon het natuurlijk niet echt uiten, maar ze was ontroerd en blij.' Ik voel hoe mijn keel dichtgeknepen wordt. Wat had ik dan moeten zeggen? Mijn moeder reageerde niet. Ik heb geen idee wat ze ervan vond. Ik voel me kut.

'Fijn voor je. En voor je moeder natuurlijk,' zegt ze meelevend. 'Ik kom af en toe even kijken. Als je iets nodig hebt, dan weet je me te vinden, hè?'

'Ja, dank je.'

De minuten kruipen voorbij. Ik krijg pijn aan mijn ogen van het staren naar mijn moeder. Hoe lang kan het nog duren? Mijn hele bewakingsactie was erop gestoeld om mijn moeder op een natuurlijke manier te laten sterven, terwijl ik er nu een eind aan zou willen maken.

Ik probeer me dingen te herinneren van vroeger. Leuke dingen. Of gewone dingen, zoals samen eten, in de auto zitten, televisiekijken, boodschappen doen. Dingen die ik als kind bijna elke dag samen met haar deed. Er komt niets in me op. De meest vanzelfsprekende handelingen zijn vaak het moeilijkst om je voor de geest te halen. Ik moet het toch ergens in mijn hoofd opgeslagen hebben? En áls er een moment is om het weer tevoorschijn te halen, dan is het nu. Nu moet ik afscheid van haar nemen. Het lukt me niet. Ik kan me niet concentreren. Ik zie steeds weer het beeld van Maarten voor me. Maarten is de jongen die mijn moeder nog gekend heeft. Ze vond hem leuk en hij vond haar leuk. Alle mannen die na hem komen zullen mijn moeder nooit meer leren kennen. Dus Maarten moet het zijn. Met Maarten wil ik trouwen en kinderen krijgen. Maar dan moet ik dat wel tegen hem kunnen zeggen. Hij kan me op zijn minst laten weten waarom hij niet is gekomen. Waarom hij niets laat horen. 'Hallo, met Maarten, je vriend, ik wil even laten weten dat ik niets wil laten weten. Zo, nu ben je toch op de hoogte.' Wat zou er gebeurd kunnen zijn. Wat? Wat? Wat? Misschien heeft hij inmiddels iets ingesproken. Ik moet het weten.

'Ik ben zo terug, mam, hou vol.' Ik neem de snelste weg naar de uitgang, dan zet ik mijn telefoon aan en zie dat ik geen berichtjes heb.

Zonder energie loop ik het ziekenhuis weer binnen. De deuren openen zich automatisch. Welkom, onbekende. Welkom! Ik heb het gevoel dat ik hier mijn hele leven al doorbreng. Alsof ik jaar in jaar uit elke dag dit gebouw betreed. En elke dag is hetzelfde. Ik kom binnen, begroet niemand omdat ik niemand ken, loop naar de kamer en wacht bij mijn patiënt. En ooit, heel lang geleden, heeft iemand me eens verteld dat diegene die daar ligt mijn moeder is. Ik geloof daar niets van, want mijn moeder zag er heel anders uit, maar uit plichtsgevoel en de wetenschap dat als ík het niet doe, niemand het doet, kom ik hier elke dag. Ik voer mijn opdracht uit, ga een paar uurtjes naar huis en kom weer terug. En de andere mensen die hier rondlopen en elkaar schijnen te kennen, zien me niet. Ik val zo weinig op dat als je achteraf navraag zou doen, niemand zou kunnen zeggen of ik hier geweest ben. Sterker nog, ze zouden het ontkennen. Als de opsporingspolitie een foto van mij onder hun neus zou houden, zouden ze bij God en Allah zweren dat ze mij nog nooit gezien hadden. De enige getuige, de zieke oude vrouw, zou te zwak zijn om te vertellen dat ik hier al die uren aan haar bed heb doorgebracht.

Ik ben precies tien minuten weg geweest. Mijn moeders hartslag maakt gelukkig nog steeds dezelfde groene pieken op de monitor. Ik zak weer op de stoel naast haar bed. Wachten. Ik beweeg me niet. Probeer mijn lichaam net zo stil te houden als mijn moeder. Ik mediteer. Ja, ik mediteer, meneer. Ik kan zowel binnen als buiten zijn. In en uit mijn lichaam. Ik raak al in trance. Ik versla elke minuut. Vijftien, yes. Zestien, jah. Het jeukt in mijn zij. Fuck. Ik kan het. Ik kan het. Ik kan stilzitten en me niet bewegen net als zij. Ik ga dit spelletje winnen, mama. Jaha. *I'm the champion.* Ja, ja, ja... Nee. Ik moet krabben. Het interesseert me geen ene kankermoer dat ik verlies. Ik krab gewoon. Ik krab net zo lang tot het pijn doet. Aaah lekker, krabben. Heerlijk. Nou, heb jij gewonnen. Fijn voor je. Ga het maar lekker vieren, het interesseert me toch niet. Stik er maar in. Nee, niet doen. Grapje, snap je, het was gewoon een grapje. Ik word gek van mezelf. Hou je in, Max. Waar is die eikel van een Maarten? Wachten.

Hoe lang houdt ze dit nog vol? Haar lichaam is uitgemergeld. Het schijnt een wonder te zijn dat ze nog leeft. Ik vraag me af wat het eerste teken van haar dood zal zijn: een groene streep als bewijs dat haar hart het heeft opgegeven of de zucht van haar laatste uitademing. Tergend langzaam glijdt er weer een uur voorbij.

Wat is er die laatste jaren in het hoofd van mijn moeder omgegaan? Hoe bracht zij haar dagen door? Iedereen heeft toch iets van motivatie nodig, om op te staan, om je eten klaar te maken, om je te wassen. Om al die dagelijkse dingen te doen die je in leven houden. Wat was haar motivatie? Misschien was het die man, die laatst bij haar op bezoek was. De droom dat ze Ben ooit zou zien. Het klessebessen met vriendinnen. Of haar verantwoordelijkheid als moeder erop toe te zien dat het met mij allemaal goed zou aflopen. Ik kan het haar niet meer vragen. 'Het spijt me, mama.'

Mijn oogleden worden zwaar. Ik pak de vakantiebrochures uit de gele plastic tas en begin te bladeren. Luxe hotels, mooie zwembaden, paradijselijke stranden en blije mensen. Ik word misselijk van al die gelukzaligheid en van teksten als: 'Genieten is niet moeilijk.' Kut. Ik ben alleen. Alleen. Ik heb je nodig, Maarten. Je zou er toch voor mij zijn? Waar ben je? En mijn moeder ligt als stille getuige te luisteren naar de klok die tikt, naar mijn groeiende onbehagen, naar mijn angst.

In de kamer verandert niets, alleen de temperatuur lijkt te stijgen. Ik heb het benauwd en probeer het raam een stukje open te zetten. Ik zie dat alleen de bovenraampjes open kunnen, via een ingewikkeld systeem. Het lukt niet meteen, maar ik heb geen zin om de nachtzuster erbij te halen. Ik probeer het nog een keer, met een lange stok moet ik boven in een oog haken en dan moet ik volgens mij draaien. Het is heel moeilijk om de stok precies goed te krijgen zodat ie vast blijft zitten, maar na wat trillende pogingen lukt het me. Dan moet ik de stok in een bepaalde hoek van het raam af zetten zodat ik 'm kan draaien. Ik heb eerst niet door dat je naar rechts moet draaien, naar links kun je eindeloos doordraaien. Het raam gaat een klein stukje open en dan schiet de stok uit het gaatje. Shit. Ik heb het zo warm. De temperatuur lijkt per seconde omhoog te gaan. Ik schuif mijn stoel naar het raam en kan net niet bij de bovenste raampjes, maar als ik nu de stok pak gaat het misschien gemakkelijker. Ik volg nog een keer de hele procedure. Het lijkt erop dat het gaat lukken, maar mijn hand schiet uit en ik kan me nog net in evenwicht houden tegen het raam. De stok klettert schel op de vloer. Angstvallig kijk ik naar mijn moeder. Een rochelend geluid komt uit haar mond. De monitor vertoont onregelmatige pieken. Haar ogen bewegen heen en weer onder haar oogleden. Ik hou m'n adem in. Met een klap wordt de deur geopend en de verpleegster loopt met ferme passen de kamer in.

'Wat ben jij aan het doen?' vraagt ze verbaasd als ze me op de stoel ziet staan.

'Ik probeerde het raam een stukje open te doen,' zeg ik en ik voel me een klein kind dat betrapt is.

'Ach, dat moet je niet zo doen,' zegt ze zuchtend. 'Ik zei toch dat je mij moest roepen als er iets was.' Ze loopt naar het raam en duwt het gordijn een stukje opzij. Dan drukt ze op een knopje en zegt: 'Kijk, dat werkt zo.' Het raam opent zich automatisch.

'Ik had het zo warm,' zeg ik verontschuldigend.

'Toch is het hier niet warm, hoor,' zegt ze met gemaakte opgewektheid, 'bovendien mogen we bij zulke ernstig zieke patiënten het raam niet openzetten.' Ze drukt nog een keer op het knopje en het raam gaat weer zoemend dicht. Ze checkt wat apparaten en wat slangetjes bij mijn moeder en verlaat de kamer met: 'Nu waarschuw je me hè, als er iets is?'

'Oké,' antwoord ik droog. En terwijl ik van de stoel af stap slaat de deur met een zucht dicht.

Vijf minuten kruipen voorbij. Tien minuten. Ik tel het aantal ademteugen per minuut. Ik tel het aantal hartslagen per minuut. Ik adem steeds sneller. Mijn hart bonst steeds sneller. Het tikken van de klok probeert ze te vertragen, maar het heeft slechts een averechts effect. Ik voel paniek in mij opkomen. Rustig blijven. Je kunt niets doen hier, alleen maar wachten. En terwijl je wacht kun je kijken naar je mama. Mama, help me. Ik kan dit niet alleen. Ik kan niet stilzitten en wachten tot je doodgaat. Ik moet adem hebben. Frisse lucht. Waar was jij al die keren dat ik geen lucht meer kreeg? Je zei dat ik me aanstelde. Ik stel me ook aan, dat is het ergste. Het zit in mijn hoofd, mama. Maar je had me kunnen vasthouden toen het gebeurde. Me kunnen troosten en zeggen dat alles goed zou komen. Ik ben zo bang. Zo bang dat alles verdwijnt. Dat ik zelf verdwijn in deze paniek. Dat ik de donkere kamer in gezogen word en er nooit meer uit kom. Help me, mama. Je moet me helpen. Jij bent toch mijn mama? Je houdt toch van mij. Of niet soms. Au, mijn hart. Mijn hart. Mijn hart. Ik krijg een hartaanval. Help me, iemand. Maarten, waar ben je, waar ben je? Ik strompel tussen de zwarte vlekken door naar de deur, de gang door, naar buiten, ik moet naar buiten.

Eindelijk frisse lucht. Adem. Ik adem de zwarte heldere nacht. Ik loop naar het plantsoen en ga op het bankje zitten. Langzaam kom ik weer bij. Rust. Rust. Ssst.

Ik pak de telefoon uit mijn zak en toets het nummer van Maarten in. Ik heb het recht om te weten waar hij is. We hebben officieel verkering. Dan mag je vragen aan de ander waar hij uithangt en waarom hij zijn afspraken niet nakomt. Weer krijg ik zijn voicemail. Ik spreek in dat hij me terug MOET bellen. Dan bel ik zijn huisnummer en krijg het antwoordapparaat. JE MOET ME BELLEN MAARTEN, HET MOET MOET MOET. BEL ME NU TERUG. Dan bel ik weer op zijn mobiel, dan weer thuis, dan nog een keer, nog een keer, nog een keer. En dan wacht ik even. Ik tel tot honderd en weer terug en dan bel ik weer, en weer, en weer, en weer. Ik wacht en ik tel. En dan, bij zevenentachtig, gaat mijn telefoon over. Het is gelukt!

'Ja, met mij, met Max.'

'Max, je moet ophouden met bellen.'

'Wat is er aan de hand?'

'Dat weet je zelf wel.'

'Nee, dat weet ik niet.'

'Doe niet zo naïef. Ik heb het gezien. Iedereén heeft het gezien.'

'Wat gezien, Maarten, godver. Wat bedoel je?'

'Ik trek het niet meer.'

'Hoezo? Gaat het niet goed met je?'

'Met mij gaat het uitstekend, maar met jou gaat het altijd slecht, hè Max?'

'Wat bedoel je, waarom praat je zo?'

'Dat weet je best.'

'Nee, echt niet. Wat is er?'

'Moet ik het je vertellen? Wil je deze situatie nog pijnlijker maken, door het mij te laten uitspreken?'

'Ja, ik snap het niet, Maarten. Ik hou van je. Waarom doe je zo?'

'Goed, wat jij wilt. Het is uit, Max. En nu voorgoed. Ik hoef jou nooit meer te zien.'

'Waarom, waarom, wat is er, Maarten, alsjeblieft, niet doen, niet doen. Ik heb je nodig. We kunnen gelukkig zijn samen. Echt gelukkig. Ik kan jou gelukkig maken, dat beloof ik je… Maarten? Maarten?'

Opgehangen.

Ik probeer nog drie keer terug te bellen, en dan geef ik het op. Het is gebeurd. Het is klaar. Ik weet niet waarom, maar het is zo. Ik zet mijn telefoon uit, sta op van de bank en begin te lopen. De glazen deuren zoemen open, de mat kraakt onder mijn voeten, de doffe klanken van mijn schoenen op de plastic vloer, het belletje van de lift, het suizen naar boven, het schuiven van de deuren, mijn gelijkmatige stappen door de gang, klik klak, klik klak, klik klak, klik klak, klik klak, klik klak. De wind onder de deur, de klink die terugschiet, de stem van de zuster: 'Maxime, waar was je?' De adem door mijn neus.

'Je moeder, je moeder is net overleden.' De stilte.

41

Einde-lijk

Niets is zo definitief als de dood. Mijn moeder is dood.

Eugene heeft me naar huis gebracht. Ik heb hem verzekerd dat het wel gaat. En het gaat ook. Het gaat. Ik loop de trap op, open mijn deur en sluit 'm achter me. Ik doe mijn jas uit, zet mijn tas op de grond, pak een glas uit de kast, draai de kraan open, vul het glas en drink. Hoeveel van dit water zou er later omgezet worden in tranen. Hoe kan het dat je tranen helder zijn. Ook al zou je de hele dag zwarte koffie drinken dan nog zijn je tranen glashelder. Waarom is dat zo? Maar ik wil geen zwarte koffie en ik hoef niet te huilen dus waarom zou ik antwoord willen op mijn vraag. Op al mijn vragen.

Ik ga aan tafel zitten. Twee handgeschreven enveloppen staren mij aan. Die brieven zijn nog van voor mama's dood. Ik open de eerste. Een kaartje van Kees met de tekst 'Kop op meid!' Inderdaad, ik hou mijn kop op. In de tweede enveloppe zit een brief met foto's. Eerst zie ik niet echt duidelijk wat erop staat. Dan zie ik dat het pornofoto's zijn. Ik zie billen in verschillende posities. Dan zie ik een kut, tussen de gespreide benen. Tot slot een paar foto's van een vrouw met een lul in haar mond. Ik vouw het briefje wat erbij zit open. In slordige blokletters staat er geschreven:

HALLO MAXIMA,

LEKKER GENEUKT HÈ. IK ZAG JE OP TV. JIJ GEEFT MIJ GELD VOOR FOTO'S 5000 EURO IN ENVELOP OP POST-

JESWEG 50 HUIS. ALS JE NIET VOOR DONDERDAG DOET
IK VERKOOP ZE EN JIJ KUNT JE ZIEN OP INTERNET.
M.

Ik kijk nog een keer naar de foto's. Nu zie ik ook wie de blonde vrouw is. Het is dus mijn kut. Ik had mezelf nooit herkend aan mijn kut alleen. Ook mijn kont komt me vreemd voor. Maar dat hoofd, achteromkijkend, geil en dronken, dat moet ik zijn. Ook al heb ik mezelf nog nooit eerder zo gezien. Nog een keer mijn gezicht als ik hem pijp. Dat ziet er raar uit. Bijna komisch. Alsof ik erin stik.

Dit is een grap. Dit moet een grap zijn. Ik begin dan ook te lachen. Ik kom werkelijk niet meer bij. Dubbel van de kramp in mijn buik hang ik over de tafel. Ik heb nog nooit zo gelachen. Welke grapjas heeft dit voor elkaar gekregen. Wat je tegenwoordig niet allemaal kunt doen met een fotoshopprogramma. M. Die M. Wie zou het zijn: Mark, Minkukel, Mees, Marcel, Melvin, Maarten? Ja hoor, Maarten. Weer schiet ik in een lachstuip.

Als het schudden wat afneemt zie ik op de foto mijn witte dekbed met grijze strepen, mijn rode wekker, de onderkant van mijn schilderij, met blauw en turkooizen. En linksonder in de hoek een mooie donkere hand met twee gouden ringen. Moestafa. Ineens zie ik hem weer voor me. Mij onder de douche vandaan sleurend. Mij op het bed gooiend. Hij liet me wachten, waardoor ik smeekte, om meer. Hij had zijn telefoon in zijn hand. De lichtflitsen in mijn hoofd waren fotoflitsen. Moestafa. One night stand.

Voor donderdag. 5000 euro. Tssst. Welke dag is het vandaag? De sterfdag van mijn moeder. Vrijdag 2 juli, om 00.43 uur. Dus gisteren was het donderdag. Donderdag komt voor vrijdag. Na vrijdag komt zaterdag. Maar donderdag is dan allang geweest. Dat was dan eergisteren. Maar vandaag nog gisteren. Gisteren was het dus al te laat voor het geld. Dus gisteren was het te laat.

Dan hoor ik weer de woorden van Maarten. 'Doe niet zo naïef. Ik hcb het gezien. Iederéén heeft het gezien.' Ik sta op van tafel, loop naar het toilet, ga op mijn knieën zitten en braak in de pot.

Maar niet iedereen heeft het gezien. Mijn moeder heeft het niet gezien. Zij is gelukkig dood.

42

De aarde blijft draaien

Ik klop op de deur van mijn baas. Ik zie er netjes uit. Ik heb mijn favoriete zwarte jurkje aan en mijn haar is mooi geföhnd. Ik heb mijn ogen subtiel opgemaakt, maar mijn lippen zijn vuurrood. Ik wacht en kijk naar de secretaresse die typt, de voorbijlopende acteurs die niet groeten, de productiemensen die snel wegkijken als ze me zien. Nog een keer kloppen. Ik hoor een nors 'Binnen'. Beheerst maak ik de deur open, stap elegant naar binnen, en zeg vriendelijk: 'Hallo, Stan.' Stan maakt snel zijn sigaret uit, zwaait een paar keer met zijn armen en zet het raam nog een stuk verder open.

'Goed dat je er bent. Ik wilde je al bellen.'

'Ik wil me graag verontschuldigen...' begin ik.

'Ja, ja, dat begrijp ik. Maar sommige dingen gaan echt te ver, Max. Echt te ver. Ik krijg de hele week al klachten over je. Je komt te laat. Je hebt je scènes slecht voorbereid, en je speelt als een amateur. En dan, als klap op de vuurpijl, die pornofoto's. Onze reputatie als best bekeken soapserie heeft hieronder te lijden. Onze jarenlange strijd om een A-merk te worden is hier misschien wel door tenietgedaan. En natuurlijk zullen de kijkcijfers stijgen, maar het gaat mij niet alleen om de kijkcijfers. Het gaat om onze kwaliteit en om de integriteit waarmee wij elke dag weer deze serie maken. En dan kun je hier wel aankomen met verontschuldigingen, maar wat koop ik daarvoor? Ik weet het niet, Max. Ik denk dat ik een grote fout heb begaan door jou aan te nemen. Ik geloof in je talent. Echt waar. Maar al deze shit. Wat vind je er zelf nou van?'

'Ik wil graag mijn verontschuldigingen aanbieden…'

'Ja, dat heb je al gezegd, maar daarmee is het toch niet afgedaan. "Ik zeg gewoon sorry en klaar." Je moet zelf toch ook wel na hebben gedacht over je gedrag. Bovendien hoor je niet meer tot de jonkies hier. Je hebt ook een voorbeeldfunctie. En ik mag je heus wel, iedereen mag jou in principe, maar wij hebben allemaal onder jouw stomme fouten te lijden. Je collega's vrezen voor gelijksoortige acties. Ik heb er al een paar bij mij binnen gehad. Ze zijn bang om met jou over één kam geschoren te worden. En je mannelijke tegenspeler, ik zal geen naam noemen, wil geen intieme scènes meer met je spelen. Hij kwam vanochtend op hoge poten hier binnen. En dan is het enige wat jij kunt zeggen: Het spijt me?'

'Ik wil mijn verontschuldigingen aanbieden, omdat ik vandaag niet zal komen werken. Mijn moeder is vannacht overleden.'

Even beheerst loop ik weer zijn kamer uit. Ik zeg vriendelijk tegen de productieassistente: 'Ik ga nu naar huis, maar ben eventueel mobiel bereikbaar. Tot ziens.'

Er moet zoveel geregeld worden. Dat is goed. Dan blijf je bezig. Het verwerken van je verdriet komt later, zeggen ze. Ik voel geen verdriet. Alleen maar leegte.

De begrafenisondernemer laat me alle mogelijkheden zien. Da's ook een beroep. Het is handel hè. Dodenhandel. Hij probeert op subtiele wijze de duurste kist aan mij te verkopen. Ik probeer me niet te laten manipuleren door de woorden: 'Het ligt er natuurlijk aan wat het je waard is.' Hij bedoelt natuurlijk: 'wat ze je waard is'. 'Ik kan niet in jouw portemonnee kijken.'

'Nee…' zeg ik, 'dat kan ook niet.' En ik heb de neiging om eraan toe te voegen: 'Maar wel in mijn kut. www.hotgossip.nl. Voor wat het je waard is natuurlijk.' Dan bespreken we het aantal mensen dat op de ceremonie aanwezig zal zijn en hoeveel plakjes cake er dus moeten komen. Hoe houdt deze man het vol om met uitgestreken gezicht de meest lachwekkende teksten uit te spreken.

Na een uur zijn we klaar. Ik heb gekozen voor een eikenhouten kist, die qua prijs net boven het gemiddelde zit. Een plakje cake en twee broodjes voor iedere genodigde. Een Mercedeslijkwagen. Vier lijkdragers en een ceremoniemeester. Vijftien bloemstukken voor in het crematorium, drie voor op de kist. Een marmeren urn. Er blijft nog het een en ander over voor een vervolgafspraak. De teksten op de linten. De rouwkaartjes. Het uitgewerkte draaiboek met het exacte aantal sprekers, enzovoort, enzovoort.

Ik ben een wees. Ik ben een wees. Ik ben een wees. 'Kijk, daar loopt een wees', en iedereen wees naar de kersverse wees, die nog nooit eerder wees was geweest. De wees die nog niet goed wist wat wees zijn was.

Mijn hakjes maken een vrolijk tikkend geluid op straat. De zon schijnt fel. Ik word nagefloten door een groepje bouwvakkers. Er snuffelt een hond aan mijn been. Een straaltje zweet loopt over mijn rug naar beneden. Ik word afgesneden door een fietser. Mijn gsm trilt in mijn tas. Ik loop de straat in waar mijn moeder woont. Ik bedoel: woon*de*. Ik pak haar sleutels uit mijn tas. Mijn telefoon trilt weer. Ik zoek de goede sleutel. Ik bots bijna tegen een voorbijganger op. Ik open de deur en druk op het knopje van de lift. Hij gaat meteen open. Ik stap naar binnen en lees de teksten die mijn moeder elke dag heeft kunnen lezen. 'Neuken is Normaal'; 'Herman kan lekker beffen. 06 46789661'; 'Nederland is vol, wie is de mol?'; 'Elise is een kuthoer'; 'Emily houdt van Achmed'; 'Lekker lesbies is niet vis, vies'. Ik ben op de zesde etage. Het portiek is leeg. Elke deur is hetzelfde. Bordeauxrood met ijzeren deurknoppen. De vierde deur open ik. Ik sta op de drempel. Ik zucht, stap naar binnen en neem een volle teug lucht. Ik adem mijn moeder.

Eerst moet ik alle officiële documenten zien te vinden. Ik heb geen idee waar ze zouden kunnen liggen, maar mijn moeder is zo geordend, herstel: wás zo geordend, dat het niet moeilijk kan zijn. En inderdaad, in de onderste rechterla van haar dressoir vind ik een stapel papieren. Ik zet een kop van haar thee, ga op haar stoel zitten en leg haar administratie op haar tafel. Bovenop liggen alle bankafschriften. Ik schrik als ik zie met hoe weinig mijn moeder elke maand moest rondkomen. Een pensioen van 880 euro per maand. Daar koop ik één jurk van, in de uitverkoop. Het hele vermogen van mijn vader heb ik destijds geërfd. Zij had nergens meer recht op.

Dan volgt een stapel met verzekeringen, huurovereenkomsten, oude scheidingspapieren, etc. Dan zie ik mijn geboorteakte. Alleen míjn geboorteakte. Dan een plastic mapje met een paar vergeelde enveloppen. De eerste enveloppe is blanco. Er zit een gevouwen papiertje in met iets hards erin. Ik vouw het voorzichtig open en zie de trouwring die mijn moeder jaren gedragen heeft. Het verbaast me dat ze 'm bewaard heeft. Het is een gouden retroring. Ik kijk naar de klassieke krulletters aan de binnenkant.

Bernard & Mia 17 april 1967

Ik schuif de ring aan mijn vinger. Hij past precies.

Dan pak ik de volgende envelop. Deze is geadresseerd aan mijn moeder en is verstuurd vanuit Zwitserland. De brief valt bijna uit elkaar als ik 'm openvouw. In een wat ouderwets schuin handschrift lees ik het volgende:

Zürich, 22 januari 1968

Liefste Mia,

Drie dagen zijn verstreken sinds jij me met je bolle buik achter het raam stond uit te zwaaien. De reis naar Zürich is goed verlopen. Hendrik en ik hebben overnacht in Zuid-Duitsland in een plaatsje dat Freudenstadt heet, maar ik moet eerlijk zeggen dat er weinig Freude te beleven viel. Het hotel was krakkemikkig en het eten was slecht. Het enige positieve was het Duitse bier. (Niet te veel gedronken hoor!)
Ons hotel in Zürich is gelukkig veel beter. Het is ook een leuke stad, zeker met zo veel sneeuw. Als we goed zaken doen zal ik je, ik bedoel natuurlijk jullie, hier zeker een keer mee naartoe nemen. We hebben al twee grote jongens uit de branche gesproken en onze eerste indruk is positief. De autohandel is hier al veel meer ontwikkeld en de contacten met het Oostblok zijn veel nauwer. Ik denk dat we hier wel zaken kunnen doen.
Nu ik vader word, is de druk een goede boterham te verdienen ook des te groter geworden.
Ik mis je wel hoor. Als ik aan je denk word ik helemaal warm van binnen. Jij met je mooie golvende haar en je zachte lippen. Ik ben zo trots dat jij de moeder van mijn eerste kind wordt. Gaat het goed met je buik? Niet te veel kwaaltjes? Je kunt me altijd in het hotel bellen hè, als er iets is. Ze geven dat dan later aan mij door, mocht ik er niet zijn. Nou lieve mop, ik hou ermee op. En dat rijmt.

Je liefhebbende man, Bernard

ps *Nog drie maanden en dan mogen we ons vader en moeder noemen. Kusjes op je mond en op je buik.*

Mijn vader was gek op mijn moeder. Hij hield van haar. Mijn vader, die ik nog nooit iets liefs heb horen zeggen tegen mijn moeder, heeft deze brief geschreven. Ik stop 'm terug in het mapje en pak de laatste enveloppe. Deze is dichtgeplakt. Nerveus scheur ik 'm open. Er zit geen brief in maar een foto. Een polaroid. Mijn moeder ligt in een ziekenhuisbed, met een piepklein baby'tje in haar armen en naast haar staat mijn vader met zijn armen om mijn moeder heen. Mijn vader heeft een enorme snor en lange bakkebaarden. Hij lacht trots in de camera. Mijn moeders haar is nat en haar gezicht glimt. Ook zij kijkt gelukzalig naar de fotograaf. Onder de foto staat in slordige letters geschreven: 'Benjamin, 9 november 1968'.

En daar hield hun geluk op. Hierna moet het drama zich hebben voltrokken. Ben was niet normaal, en vanaf dat moment was niets meer normaal. Was hun geluk niet meer normaal, waren hun gesprekken niet meer normaal, was hun huis niet meer normaal, de slaapkamer, de seks. En zelfs het volgende, gezonde kindje was niet normaal.

Mijn lot was al bepaald voor ik geboren was. Voor ik ook maar gemaakt was. 's Avonds laat, in de donkere slaapkamer van mijn ouders, lag mijn sombere toekomst al gereed.

Ik voel hoe de tranen opwellen in mijn ogen. Niet huilen. Alsjeblieft niet doen. Je mag huilen om je moeders dood. Om je gehandicapte broer. Om je schofterige vader. Je mag huilen om alles wat verloren is maar niet om jezelf. Niet om het medelijden met je eigen miserabele bestaan. Het moet nou maar eens afgelopen zijn met het zelfbeklag. Met de uitleg dat het jou is overkomen, dat jou altijd alles overkomt. Tot welke leeftijd kun je volhouden dat je zelf niet verantwoordelijk bent? Afgelopen.

Ik pak een plastic tas uit de keukenkast. Ik prop alle papieren erin, doe de trouwring af en gooi 'm ook in het tasje. Dan valt mijn oog op de ingelijste foto van mijn moeder en mij. Ik ben een jaar of twaalf. We staan naast elkaar en zien er keurig uit. Ons haar zit heel netjes. Ik pak het lijstje op en bekijk het van dichtbij. Wanneer was dat ook alweer? Mijn moeder kijkt stralend en ik probeer te glimlachen, wat niet helemaal lukt, waardoor ik er belachelijk en kwetsbaar tegelijk uitzie. Op de achtergrond zie ik een winkelruit, waarachter een hoogblonde vrouw met opgestoken haar met iets bezig is. Haar handen zijn uitgestoken naar iets of iemand die verdwijnt achter mijn rug. Dan ineens weet ik het. We staan voor de kapperszaak en de foto is gemaakt door de Italiaanse coiffeur himself. Ook het lijstje doe ik in de tas, ik pak mijn schoudertas en de sleutels en ik vertrek.

Net voordat ik thuis ben voel ik mijn gsm weer trillen. Ik zie dat ik twaalf oproepen gemist heb en er vijf voicemailtjes zijn. Het eerste bericht blijkt geen condoleance te zijn maar een oproep van de politie, dat ik me moet komen melden, want ik ben aangeklaagd door de Stichting Cliniclowns. Ik druk meteen mijn telefoon uit en smijt hem in mijn tas. Afgelopen.

Ik open de benedendeur van mijn huis. Met het kleinste sleuteltje maak ik mijn brievenbus open en pak de post eruit. Ik verwacht een paar condoleancekaarten, maar er zit maar één handgeschreven envelopje in. Ik open het en lees de volgende tekst:

Beste meneer/ mevrouw,

Ik eis een schadevergoeding voor de schade aan mijn auto die u gisteren veroorzaakt heeft op het parkeerterrein van Stichting De Broedplaats. Ik wil graag een vergoeding van 2000 euro. Mocht u dit niet willen betalen, dan kunnen we het natuurlijk altijd via de politie laten lopen. Ik ben echter bang dat de scha-

de dan aanzienlijk hoger uitkomt. Bovendien kan ik u aankla-
gen wegens het niet melden van de aangerichte schade.

Met vriendelijke groeten,

Jan van der Meer

Jan Lul. Afgelopen. Ik verscheur de enveloppe en gooi 'm in de
afvalbak met reclame.

Als ik boven kom verbaast het mij dat de deur open is.
Zachtjes sluip ik naar binnen. Er is niemand in de gang, maar
ik hoor mensen in de woonkamer. Zacht pratende mensen. Ik
open de deur een klein stukje en zie door de kier mijn vriendin
Ellen zitten. Ik open de deur verder en daar zit Jacq. Dan stap
ik naar binnen en zie ook Eugene, Peter, Martine en Kees zitten.

'Hoi,' zeg ik sec. Pas dan kijkt iedereen om. 'Ik ben al jarig
geweest hoor.'

'Lieve schat,' zegt Jacq en ze staat op, loopt naar me toe en
omhelst me. Ook Peter en Kees gaan staan. Ik heb de neiging
om Jacq van mij af te duwen. Om te schreeuwen dat ze moet
oprotten. Dat ze allemaal moeten oprotten. Dat mijn ongeluk
hun geen reet aangaat. Ik wil ze wegslaan en schoppen tot er
niemand meer in de kamer is. Maar dan denk ik: Afgelopen.
En stijf als een plank blijf ik staan in de armen van mijn vriendin. Dan voel ik de hand van mijn oom over mijn haar strijken
en hoor zijn stem. 'Je bent niet alleen, meisje.' En dan huil ik.

43

La douce France

Ik kijk naar de spelende kinderen op het strand. Peter zou ijsjes gaan kopen, maar hij is al een halfuur weg en ik vermoed dat het niet ging om de ijsjes maar om de ijsjesverkoper. Maakt niet uit. Ik neem een slok water en wil weer verdergaan in mijn boek, als ik zie dat het zandkasteel dat de kinderen aan het bouwen zijn instort. Het meisje begint te huilen en rent naar haar moeder. De jongen slaat er nog een paar keer moedwillig met zijn schep bovenop. Nu is er echt niets meer van het bouwwerk over.

We zijn in de Franse kustplaats Theoule-sur-Mer vlak bij Cannes. Altijd handig volgens Peter, voor als er nog talentscouts rondlopen. Tot het serieuzere werk voorbijkomt is hij zijn talent op de plaatselijke horecajongens aan het testen. Ik moet lachen om zijn zelfoverschatting, en om zijn belabberde Frans. Ik ben blij dat ik mee ben gegaan. Peter heeft me letterlijk mee moeten sleuren. Na de crematie van mama, het leeghalen van haar huis, het weer oppakken van mijn werk en alles wat nog geregeld, opgezegd en georganiseerd moest worden, was ik zo moe dat ik mijn bed niet meer uit wilde komen.

Het is goed. Ik heb het allemaal gedaan en ik heb het verdiend om uit te rusten. Ik heb zelfs de lastige dingen geregeld, zoals de excuusbrief naar de cliniclowns. Tijdens mijn bezoek aan de politie heb ik uitgelegd waarom ik ontoerekeningsvatbaar was op het moment dat ik de clown mishandelde en het werd me vergeven. Ik heb toen meteen ook maar aangifte gedaan van afpersing door Moestafa. Er viel volgens de agent weinig te doen tegen dit soort streken. Hij vroeg wel of ik de foto's achter wilde laten. Gewoon voor de zekerheid. De 'scha-declaim-Jan' heb ik tweehonderd euro gestuurd met de mededeling dat hij voor die twee ruggen mijn rug op kon. En dat als hij moeilijk zou gaan doen ik zelf wel aangifte wilde doen, omdat mijn contact met de politie erg goed is, en daarmee loog ik niet. En ik heb Ben opgezocht. Ik heb hem verteld dat mijn mama naar de hemel is gegaan en heb hem een cadeautje gegeven: de zilveren beker die in mijn vriesvak stond. Hij vroeg of mijn moeder de volgende keer drop mee kon nemen als ze weer naar de Hema ging.

'Hai, lekker ding,' hoor ik achter me. Peter staat met vier ijsjes in zijn handen. 'Twee waterijsjes en twee chocoladeroomijsjes. Ik kon niet kiezen.'

'Wacht maar,' zeg ik en ik pak de twee waterijsjes uit zijn handen. Ik loop naar de moeder van de twee kinderen en zeg dat we twee ijsjes overhebben, of ik ze aan de kinderen mag geven. Ze kijkt me aan alsof ik een onzedelijk voorstel doe, maar heeft dan door dat mijn bedoelingen niet slecht zijn.

'Justin, Valerie, viens ici!' Ik geef de ijsjes en de kinderen kijken al net zo achterdochtig als hun moeder. 'C'est bien, la madame est tres gentille.' In koor roepen ze nu: 'Merci madame', en ze pakken het ijsje aan.

'Vuile kinderlokker,' fluistert Peter vals als ik na mijn nobele daad terugkom.

'Vuile nicht,' fluister ik terug. Als we naar de zee kijkend onze ijsjes opeten vraagt Peter ineens op serieuze toon of ik ergens spijt van heb.

'Wat bedoel je?' vraag ik ontwijkend.

'Nou, of je niet liever eerder met je moeder was gaan praten over vroeger en zo.' Ik blijf naar de zee staren en geef geen antwoord. 'Had je Ben niet eerder met je moeder in contact willen brengen bijvoorbeeld?'

'Jezus Peter,' zucht ik, 'kunnen we het hier niet beter na twee flessen rosé over hebben?'

'Nee.' Hij blijft mij aankijken en ik blijf vooruitkijken. 'Natuurlijk is het jammer dat alles zo gelopen is,' zeg ik als de stilte te zwaar wordt. 'Maar spijt… Als ik al spijt heb, dan is dat over de jaren die ik met mezelf heb verkloot.'

'Hoe bedoel je?'

'Nou, dit leven dat altijd maar over mij ging.' Ik zet mijn zonnebril af en kijk Peter aan. 'Ik ben zo boos geweest over wat míj was overkomen. Over wat ze míj hadden aangedaan. Niet alleen in het verleden, maar elke dag. Wat mij elke dag weer overkwam. De ongelukken, de mislukte relaties, de wanhopige daden, de onvolmaakte vriendschappen, over alles en alles. En iedereen in mijn omgeving moest boeten voor mijn rottige bestaan.'

'Nu overdrijf je wel een beetje,' onderbreekt Peter me met een relativerend lachje.

'Nee, ik overdrijf niet,' zeg ik ernstig. 'Ik was zó boos dat ik bang werd van mijn eigen woede. Bang dat ik op een dag iemand zou vermoorden.' Peter kijkt bevreemd naar mij. 'Jou bijvoorbeeld,' zeg ik dodelijk serieus. Ik lik het laatste restje ijs van het stokje en breng het dreigend in de lucht. Dan steek ik het houtje recht voor hem in het zand. Peter kijkt alsof ik mijn verstand verloren heb. Dan val ik hem aan. Ik gooi hem achterover in het zand en kietel hem tot hij om genade smeekt.

Het is lastig om te zeggen wat je écht denkt. Zelfs tegen je beste vrienden. Maar ik leer het steeds beter.

'Weet je waar ik spijt van heb?' zeg ik dan. 'Ik heb spijt dat ik mijn moeders trouwring kwijtgeraakt ben. Zij had 'm veertig jaar bewaard en ik ben hem op de dag dat ik 'm erfde verloren. Ik had 'm los in een plastic tasje gegooid en daar zat een gat in.'

'Da's stom ja,' zegt Peter zachtjes. Hij slaat zijn arm om me heen en ik leg mijn hoofd op zijn schouder.

Later, als we naar ons hotel lopen, voel ik me ineens niet goed. Het is alsof er een gat in mijn maag zit. 'Ik ben niet zo lekker,' zeg ik tegen Peter.

'Dat weten we toch al jaren,' lacht hij en terwijl hij zich naar me omdraait sta ik al te kotsen in de berm. Als het ijsje, het broodje van tussen de middag en het cornflakesontbijt eruit zijn gaat het weer een beetje. 'Misschien was het ijsje niet meer goed,' zeg ik bijna verontschuldigend.

'Dan zou ik het toch ook moeten hebben.'

'Waarschijnlijk ben jij resistent. Wat jij allemaal in je maag krijgt.'

'Hoe bedoel je?'

'Ach, doe niet zo onschuldig; al dat eiwit.'

'…oh dat. Ja, ja, nou weten we het wel weer,' lacht Peter. 'Trouwens, alsof jij zo kuis bent.'

'Ik? Ik heb al zeker een maand geen man meer aangekeken, laat staan aangeraakt.'

'Kom maar,' zegt hij en uitnodigend houdt hij zijn arm voor me zodat ik kan inhaken. 'Goed zo, meisje, nou heb je toch weer een man aangeraakt.'

'Aangeraakt, oké. Maar een man?' Lachend lopen we verder.

Voor de deur van het hotel stapt ineens een kerel in een geruit overhemd en een wijde korte broek achter een pilaar vandaan. Hij houdt een enorme camera voor zijn gezicht, maakt snel een paar foto's van ons en rent weer weg. 'Kut, de roddelpers,' zeg ik geïrriteerd. 'Vanaf nu zijn we dus een stel. Hoe weten die nou dat wij hier zijn?'

'Ik heb ze getipt,' zegt Peter. Ik kijk hem geschokt aan. 'Ja, ik wil ook wel eens kunnen bewijzen dat ik een echte man ben.'

'Niet!'

'Nee, natuurlijk niet, gek wijf.'

We eten in een lieflijk restaurantje aan de haven. Ik voel me weer kiplekker en bestel een grote schaal fruits de mer. We drinken chablis en praten over onze ouders. Peter vertelt me dat zijn moeder vroeger geen lekker brood mee naar school gaf. 'Ze veegde het mes nooit af als ze een boterham met jam had gemaakt, waardoor er op de boterham met kaas ook jam zat. En als ze eerst een boterham met pindakaas had gesmeerd, was de boterham met appelstroop niet meer te vreten.'

'Waarom zei je daar niks van?'

'O, dat deed ik wel, maar het hielp niet. Ze zei altijd dat ik me niet zo moest aanstellen en dat ik het zelf maar moest doen als het mij niet beviel.'

'Waarom deed je dat dan niet?'

'Omdat mijn moeder me altijd pas wakker maakte, als ze mijn brood al gesmeerd had. Het kreng.' Peter slurpt een oester naar binnen, stopt een stuk brood in zijn mond en neemt een grote slok wijn. Ik staar naar de verschillende schelpen op het bord en heb ineens geen trek meer.

'Vertel nu eens iets leuks over je moeder.'

Peter is druk bezig met een lege mossel een volle mossel leeg te halen. Hij stopt de zeevrucht in zijn mond en begint tussen het kauwen door te praten.

'Mijn moeder was wel lief, hoor. Alleen een beetje gek. Ze vond dat ik altijd mocht doen wat ik wilde en mocht zijn wie ik op dat moment was. Zo mocht ik bijvoorbeeld meisjeskleren aandoen als ik daar zin in had en iedereen die daar iets van zei kreeg het met mijn moeder aan de stok, zelfs mijn vader. Maar haar eigenzinnigheid leidde wel eens tot gênante situaties. Ze trok natuurlijk zelf ook altijd aan wat ze wilde, waardoor ze vaak in de meest excentrieke heksenjurken rondscharrelde. En schoenen vond ze een overbodige uitvinding, enkel bedacht voor de commercie; waardoor ze altijd op blote voeten liep, ook als we bijvoorbeeld boodschappen gingen doen. Een keer stonden we in een overvolle supermarkt toen mijn moeder een fles yoghurt liet vallen, die zaten toen nog in glazen flessen. De fles viel, spatte uit elkaar, mijn moeder stapte verschrikt naar achteren, midden in een glasscherf. Het wit van de yoghurt vermengde zich met het rood van haar bloed en ze begon keihard te gillen. In plaats van me zorgen te maken over mijn moeders voet, schaamde ik me dood. Ik schaamde me tegenover alle mensen die kwamen aangerend: mensen uit de buurt, moeders van andere kinderen en een klasgenootje. Het bloedde zo erg dat er een ambulance gebeld werd en mijn moeder gillend op een brancard werd afgevoerd. Ik ben er toen stiekem tussen uitgeknepen, en naar huis gerend. Erg hè?'

'Nee joh, zo zijn kinderen,' zeg ik. En ik probeer me een voorstelling te maken van zijn moeder blootsvoets in een rare jurk. Ik heb haar wel eens op een foto gezien, maar toen zag ze er vrij normaal uit. Het is alsof Peter mijn gedachten kan lezen.

'Het is wel redelijk goed gekomen met haar, hoor. Ze ziet er inmiddels vrij normaal uit, en ik kan heel goed met haar opschieten, maar haar ideeën zijn nog altijd vrij weird. Gelukkig maar, anders had ze nooit zo'n raar kind kunnen accepteren,' voegt hij er glimlachend aan toe. Ik probeer mee te lachen, maar het lukt niet. Ik duik met mijn aandacht op wat er over is aan schelpdieren en kies de kleinste coquille. Deze zit behoorlijk dicht en ik moet kracht zetten om hem open te krijgen. Ik voel dat Peter naar me kijkt, maar ik doe of ik het niet in de gaten heb.

'Wil jíj eens iets leuks vertellen over je moeder?' De schelp wil echt niet open. Nog een keer probeer ik met het speciale mesje tussen de twee delen te wrikken, maar dan schiet ik uit. De schelp vliegt met volle kracht naar de andere kant van het restaurant, waar hij met een tik tegen een wijnglas aan komt, dat omvalt en in de schoot van een Française terechtkomt.

'Kijk naar mij, kijk naar mij,' sist Peter tussen zijn tanden.

Net op tijd ontwijk ik de zoekende blik van de vrouw. 'Niemand heeft gezien waar die vandaan komt, dus net doen of je neus bloedt,' zegt hij zachtjes.

'Misschien moet je dan ook ophouden met fluisteren,' zeg ik luid, 'want hier spreekt verder toch niemand Nederlands, en anders valt het een beetje op, hè.'

Als de paniek in het restaurant weer voorbij is, begin ik te praten. 'Mijn moeder was heel erg bang voor spinnen. Dus elke keer als er een spin in huis was vroeg ze of ik 'm wilde weghalen. Ik deed het met plezier, want ik vond ze helemaal niet eng. Op een dag was ik boos op haar, omdat ik niet mocht gaan voetballen met wat jongetjes op het veldje. Mijn moeder vond dat het al te laat was om nog weg te gaan, maar ik mocht nog wel een kwartiertje in de tuin spelen. Ik heb toen uit het zicht van mijn moeder een potje gepakt en ben buiten spinnen en allerlei insecten gaan verzamelen. Later, toen ik in bed lag en mijn moeder me welterusten had gewenst, ben ik stiekem uit bed gekropen. Ik heb het potje uit mijn bureaula gepakt en ben ermee naar mijn ouders slaapkamer gegaan. Ik heb aan haar kant van het bed de lakens opgetild en de beestjes vrijgelaten. Toen heb ik de lakens weer netjes dichtgeslagen en ben met kloppend hart weer in mijn eigen bed gaan liggen. Mijn vader was op zakenreis, en meestal ging mijn moeder dan niet zo laat naar bed, dus ik probeerde wakker te blijven. Blijkbaar ben ik toch in slaap gevallen, want op een gegeven moment schrok ik wakker van het gekrijs van mijn moeder. Twee tellen later vloog mijn slaapkamerdeur open. "Maxime, Maxime, mijn hele bed zit vol met spinnen!" Ik vond het geweldig dat het was gelukt om mijn moeder zo bang te maken. "Het zijn maar spinnen, mam." "Dat weet ik, kind, maar wil je alsjeblieft helpen om ze weg te halen?" Als een held stapte ik uit bed en liep ik voor haar uit naar de slaapkamer. Een voor een pakte ik de beesten bij hun pootjes en gooide ze het raam uit. Toen ik de laatste verwijderd had sloot ik het raam en zei: "Zo, klaar is Kees." "Dankjewel, lieverd," zei mijn moeder opgelucht. "Kom, dan stop ik je even in." Toen ze de dekens strak over me heen had getrokken en op de rand van mijn bed zat, zei ze lief: "Als ik jou toch niet had", en ze gaf me een kusje op mijn voorhoofd. Ik voelde me wel een beetje schuldig, maar was tegelijkertijd opgetogen over het slagen van mijn plan. Diezelfde nacht kreeg ik een nachtmerrie. Ik droomde dat er reuzenspinnen in huis liepen die mij wilden pakken. Ik werd wakker van het licht dat werd aangeknipt. Mijn moeder ging weer op mijn bed zitten en vroeg of ik een nare droom had. Ik knikte maar ik vertelde haar niet wat ik gedroomd had. Ze sloeg de dekens open, pakte mijn hand en zei: "Kom maar, dan mag je bij mij slapen vannacht." Net voordat ze het lampje op het nachtkastje uitdeed, keek ze me glimlachend aan. "Wij redden het wel met z'n tweetjes," zei ze, en toen werd het donker. Ik sliep bijna toen ik haar nog hoorde fluisteren: "Ik hou van je, lieverd." Dat was het.'

Peter zegt niets. Hij kijkt alleen maar naar me. In de stilte hoor ik weer de stem van mijn moeder in mijn rug. Voel ik me weer dat meisje in het donker. Dat meisje dat hoopte dat alles goed zou komen.

'Dat was toch best een leuk verhaal?' vraag ik aan Peter.

Hij pakt mijn hand en zegt: 'Heel leuk.'

44

Malade, malaise, malheur

De volgende ochtend voel ik mij weer niet lekker. 'Misschien toch iets te overmoedig geweest met die zeevruchten,' en terwijl ik het woord uitspreek gaat er een golf van misselijkheid door me heen.

'Blijf jij vandaag maar even in bed, madame,' zegt Peter streng. 'Ik zal wel voor je zorgen. Ik heb eigenlijk altijd verpleegster willen worden.'

Even later, als ik de thee en de droge toast die Peter me gebracht heeft op heb, gaat het wat beter en wil ik naar het strand. Hij vindt het goed, mits ik op een strandbedje onder een parasol ga liggen en me lekker door hem laat verzorgen. Dat lijkt me geen enkel probleem.

Na een lekkere lome dag aan het water besluiten we om een restaurant aan de boulevard te zoeken. Als ik opsta merk ik dat ik me nog steeds een beetje wiebelig voel, maar ik heb geen zin om het tegen Peter te zeggen. En het gaat ook goed, alleen in alcohol heb ik helemaal geen trek en na de maaltijd ben ik zo moe dat ik ter plekke in slaap dreig te vallen, dus gaan we nog voor het donker terug naar ons hotel.

We staan vroeg op omdat we willen gaan shoppen in Cannes. Maar als ik mijn tanden aan het poetsen ben, word ik weer niet goed en spuug niet alleen de tandpasta maar ook de maaltijd van de vorige avond uit. Ik begin me nu toch wel zorgen te maken. Dit is geen buikgriepje of voedselvergiftiging. Maagkanker? Peter kijkt me bezorgd aan (zie je wel, hij denkt ook dat ik kanker heb. Zie je wel, ik heb het!) en vindt het tijd voor maatregelen, dus zet hij me in de auto om naar een dokter te gaan. Gelukkig niet naar het ziekenhuis, maar daar zullen we uiteindelijk wel terechtkomen. Als we na veel kronkelwegen en twee noodstops om mijn maag te legen eindelijk de dokter hebben bereikt, voel ik me ineens een stuk beter. Ach, het stelde niet zoveel voor en waarschijnlijk ben ik gewoon een aansteller. Maar ze nemen in Frankrijk geen halve maatregelen en ik word grondig onderzocht. Mijn tong, ogen, bloeddruk en reflexen worden gecontroleerd en er wordt bloed en urine afgenomen. Daarna worden we weer de wachtkamer in gestuurd. Als er twintig minuten verstreken zijn hou ik het bijna niet meer van de zenuwen. Ze zijn nu vast aan het overleggen hoe ze me het slechte nieuws zullen vertellen. Eindelijk komt de assistent ons halen. Als we plaatsnemen op de twee stoelen tegenover de arts ben ik bloednerveus. Ik pak Peters hand en knijp 'm bijna fijn. De man kijkt ons onderzoekend aan en begint te praten.

'Vous me n'avez rien dit et cela n'a pas simplifiée la situation.' Tuurlijk had ik moeten vertellen dat mijn moeder net aan kanker overleden is, en dat het waarschijnlijk iets erfelijks is, en ik wil het hem gaan uitleggen, maar hij trekt zich niks van mijn 'Excusez-moi, mais…' aan en gaat gewoon door. 'Vous êtes enceinte. Mes félicitations.'

'Pardon,' zeg ik en ik probeer me te herinneren of dat inderdaad het Franse woord voor kanker is.

'You are pregnant, madame,' zegt de dokter nu smalend. 'Congratulations, pour vous et pour le père.' En hij geeft ons beiden een ferme hand. Dan komt de assistente met een folder en de rekening naar ons toe en verzoekt ons plaats te maken voor de volgende patiënt.

Als we buiten komen ben ik zo draaierig dat ik moet gaan zitten. Peter gaat naast me zitten op het stoepje. We hebben nog niks gezegd. Ik durf hem niet aan te kijken. Na een lange stilte zeg ik met schorre stem: 'Ik weet niet wat ik moet zeggen.'

'Nou,' zegt Peter, 'misschien zou je me kunnen feliciteren, ik hoor tenslotte niet elke dag dat ik vader word.'

'Dit is geen grap, Peter. Niet alles is een grap en dit is nou een voorbeeld van een niet-grap.'

'Sorry, maar ik dacht dat je de pil gebruikte.'

'Die gebruik ik ook,' zeg ik nog steeds boos. Dan zwijgen we weer.

Ik kan de wervelstorm in mijn hoofd niet kalmeren. Hoe kan dit? Ik gebruik de pil. Wanneer? Wat? Hoe? Wie? Ik probeer terug te rekenen. Ik ben inderdaad niet ongesteld geworden, maar ik heb er geen moment bij stilgestaan. Ik dacht gewoon dat het door alle emoties kwam. Dat hoor je toch vaker, dat in tijden van hevige stress je ongesteldheid uitblijft. Dan moet het twee weken daarvoor gebeurd zijn. Toen mama nog leefde. Maarten. Kut, het is Maarten. Met hem ben ik voor het laatst naar bed geweest. Dat was toen mama net opgenomen was. Of nee, het was Kees. Kut, kut. Twee dagen daarvoor heb ik het nog met hem gedaan. Maar ik ben echt de pil niet vergeten. Niet vergeten maar uitgekotst. Ineens komt het moment weer terug van die nacht dat ik zo dronken was. Tussen Kees en Maarten in zat Moestafa. Kut, kut, kut.

'Ik weet niet wie de vader is,' piep ik tegen Peter.

'Hoe bedoel je dat je niet weet wie de vader is. Je weet toch met wie je naar bed bent geweest?'

'Ja...'

'Nou, met Maarten toch?'

'Ja, maar...'

'Toch niet ook met de baas hè, met Stan?'

'Nee joh.'

'Gelukkig. Dus Maarten en…'

'Kees.'

'Goh, Max. Dus Maarten of Kees.'

'Of Moestafa.'

'Nóg iemand?! Jezus Max, wie is nou in godsnaam… o nee, hè, niet die sm-specialist van die foto's.'

Ik knik. 'Die ja…'

Hij slaat zijn armen om me heen en begint me nerveus te *huggen*. Ik maak me van hem los.

'Even niet,' zeg ik, 'laat me maar even.' Ik voel me licht worden in mijn hoofd. De zon schijnt, er raast een vliegtuig over. Ik weet dat het beter is om mijn hoofd naar beneden te houden, en me te concentreren op mijn ademhaling. Maar ik blijf omhoogkijken naar de blauwe lucht met witte wolken. Langzaam bewegen ze zich van links naar rechts. Ik adem rustig in en uit. Ik ruik de lavendelstruik naast ons. Een zucht wind blaast mijn haren in mijn ogen. Het prikt. Ik strijk de plukjes uit mijn gezicht en leun achterover op mijn handen.

Dan komt de vraag van Peter. 'Wat gaan we nou doen, Max?' Ik kijk naar zijn kwetsbare gezicht en zeg: 'Jij mag jouw kind weg laten halen, maar ik ga niks doen. Ik hou het.'

45

Wij

De lente is het mooiste seizoen. Alles is nieuw en fris. Het lijkt alsof de hele wereld heeft besloten om te vergeten wat er was, en gewoon weer opnieuw begint. De modderpoelen, de verstikkende bladeren op de grond, de stormen die takken van bomen rukken, de grauwe lucht vol motregen, de schrijnende wind, alles behoort tot de verleden tijd. Misschien voorgoed dit keer.

De lente heeft mij nieuw leven gebracht. Op 6 april is mijn zoon geboren. Zijn naam is Bastiaan Bremer. Hij is lief. Het liefste wat ik ooit heb gezien. Zijn kleine handjes, de donshaartjes op zijn rug, zijn donkerblauwe ogen, het buikje met het naveltje waar nog een staartje aan zit. Dat zal er over een paar dagen af vallen en dan is het weg, de laatste tastbare verbintenis met mij, zijn moeder. Negen maanden lang heeft hij in mijn buik gezwommen. Ik voelde hoe hij zwaaide met zijn armen, trappelde met zijn voetjes, hikte met zijn hele lijfje en ten slotte een duik maakte naar beneden. Hij had er zin in, want nog voor de uitgerekende datum deed hij de vliezen breken. Ik was net op tijd in het ziekenhuis.

En nu ligt hij naast me op mijn bed. Mijn zoon. Ik kan het soms maar amper geloven dat het echt mijn kind is, dat hij degene is die ik al die tijd gevoeld heb. Soms voel ik hem nog steeds. Zoals fantoompijn. Maar hij zit niet meer in mijn buik, hij is geboren, en net zoals de dood is ook het begin van het leven onherroepelijk. Daar bestaan geen onduidelijkheden over, of twijfels. Gek eigenlijk, je begint je leven met zo veel duidelijkheid. Daarna twijfel je je hele bestaan, tot je er weer een heel duidelijke streep onder zet.

Mijn moeder was gestorven en in de chaos van mijn leven leek de val in de diepte eindeloos. Maar op het moment dat ik me niet meer vast probeerde te houden begon het zweven. Ik liet los en zweefde in luchtledigheid. De stemmen in mijn hoofd verstomden en het ruisen van mijn bloed werd hoorbaar.

Toen kondigde jij je aan. Vanaf de eerste seconde heb ik geweten dat jij wilde bestaan. Ik had gewoon mazzel dat ik degene was die het je mocht geven. Ik heb überhaupt mazzel. Ik heb een oom die als een vader voor me is en jouw opa zal zijn. Ik heb een broer met wie je erg kunt lachen. Ik heb vrienden, die echte vrienden blijken te zijn. Zij zullen zich om je bekommeren, en je raad geven als je daarom vraagt. Misschien ook wel eens als je daar niet om vraagt, maar dat is nou eenmaal zo met vrienden. Ik heb een baan die voor structuur en zekerheid zorgt. Ja, ik werk nog altijd bij *Liefde en Haat*. Julia is als personage niet erg geliefd bij het publiek ('Wat een bitch!'), maar die zijn ook nodig in zo'n serie. Net als in de werkelijkheid.

En je hebt drie vaders. Kees heeft je meteen willen kennen. Het maakte hem niet uit of je echt van hem was of niet. Even was hij teleurgesteld dat ik niet alsnog een gezinnetje met hem wilde vormen, maar ik heb hem duidelijk kunnen maken dat een geregeld familieleven niets is voor zo'n verstokte vrijgezel als hij. We zijn nu weer vrienden, en af en toe ouders.

Dan is er Maarten. Hem zul je minder vaak zien want hij is zelf een gezin aan het stichten met zijn kersverse echtgenote. Eerst wilde hij niets van je weten. Hij eiste een DNA-test. Tot hij je zag. Een paar minuten keek hij heel kritisch naar je. Hij zocht. Naar overeenkomsten: of juist verschillen. Toen viel je sokje op de grond. Hij pakte het op en probeerde het heel voorzichtig aan je voetje te doen. Zijn handen trilden. Hij keek op om te zien of ik het gezien had. Ik vroeg of ik kon helpen. 'Nee,' zei hij, 'het lukt wel.' Jouw kleine voetje in zijn trillende hand. 'Ik hoop niet dat hij dit later ook krijgt,' zei hij toen.

En dan is er Peter. Hij heeft je vader willen zijn vanaf het moment dat hij gefeliciteerd werd door die Franse arts. Toen ik hem vroeg of hij officieel je voogd wilde zijn begon hij te huilen van blijdschap. Hij zal lief voor je zijn, hij zal je laten zingen en dansen, maar als hij je jurken probeert aan te trekken hoef je dat niet te doen, hoor.

Dit is geen happy end. Mijn leven is nog steeds niet goed georganiseerd. Ik heb mijn keukenkastjes nog altijd niet netjes opgeruimd, zoals mijn moeder. Ook ben ik nog boos zo nu en dan. Uiterlijkheden zijn nog altijd belangrijk voor mij, net zoals seks. De liefde van mijn leven ben ik nog steeds niet tegengekomen en ik vraag me nog elke dag af wat ik later wil worden. Ik ben nog altijd Max. Maar ik ben nu ook moeder, dus ik adem rustig door en kijk naar het kind in mijn armen.